D'EAU ET DE FEU

DU MÊME AUTEUR
AUX ÉDITIONS BELFOND

BM Blues, 2012 (première édition, Denoël, 1993)
Serment d'automne, 2012
Dans les pas d'Ariane, 2011
Le Testament d'Ariane, 2011
Un soupçon d'interdit, 2010
D'espoir et de promesse, 2010
Mano a mano, 2009 (première édition, Denoël, 1991) ; Pocket, 2011
Sans regrets, 2009 ; Pocket, 2011
Dans le silence de l'aube, 2008
Une nouvelle vie, 2008 ; Pocket, 2010
Un cadeau inespéré, 2007 ; Pocket, 2008
Les Bois de Battandière, 2007 ; Pocket 2009
L'Inconnue de Peyrolles, 2006 ; Pocket, 2008
Berill ou la Passion en héritage, 2006 ; Pocket, 2007
Une passion fauve, 2005 ; Pocket, 2007
Rendez-vous à Kerloc'h, 2004 ; Pocket, 2006
Le Choix d'une femme libre, 2004 ; Pocket, 2005
Objet de toutes les convoitises, 2004 ; Pocket, 2006
Un été de canicule, 2003 ; Pocket, 2004
Les Années passion, 2003 ; Pocket, 2005
Un mariage d'amour, 2002 ; Pocket, 2004
L'Héritage de Clara, 2001 ; Pocket, 2003
Le Secret de Clara, 2001 ; Pocket, 2003
La Maison des Aravis, 2000 ; Pocket, 2002
L'Homme de leur vie, 2000 ; Pocket, 2002
Les Vendanges de Juillet, 1999, rééd. 2005 ; Pocket, 2009
(volume incluant *Les Vendanges de Juillet*, 1994, et *Juillet en hiver*, 1995)
Nom de jeune fille, 1999, rééd. 2007
L'Héritier des Beaulieu, 1998, rééd. 2003, 2013
Comme un frère, 1997, rééd. 2011
Les Sirènes de Saint-Malo, 1997, rééd. 1999, 2006
La Camarguaise, 1996, rééd. 2002

CHEZ D'AUTRES ÉDITEURS

Crinière au vent, éditions France Loisirs, 2000
Terre Indigo, TF1 éditions, 1996
Corrida. La fin des légendes, en collaboration avec Pierre Mialane,
    Denoël, 1992
Sang et or, La Table ronde, 1991
De vagues herbes jaunes, Julliard, 1974
Les Soleils mouillés, Julliard, 1972

Vous pouvez consulter le site de l'auteur à l'adresse suivante :
www.francoise-bourdin.com

FRANÇOISE BOURDIN

D'EAU ET DE FEU

roman

belfond

Belfond | un département **place des éditeurs**

place
des
éditeurs

À Jean Arcache, avec qui je partage l'amour de la famille, un coin de Normandie, une belle aventure littéraire, et surtout une solide amitié.

1

D'emblée, Kate l'avait adoré. Il lui était apparu comme le plus charmant des jeunes gens, si différent de ses propres frères dont elle subissait les jeux brutaux et les propos peu flatteurs à longueur de journée. Conquise, elle avait solennellement tendu sa menotte de gamine à Scott, pressentant qu'il serait son seul ami dans l'avenir.

À treize ans, elle avait déjà eu le chagrin d'être séparée de son père et de perdre tous ses repères, alors elle était arrivée au domaine de Gillespie avec une terrible envie de se remettre à pleurer, comme elle l'avait fait pendant des mois. Son beau-père, Angus, l'avait effrayée en lui adressant un regard scrutateur au lieu de lui souhaiter la bienvenue. La maison, un vaste manoir victorien, l'impressionnait à tel point qu'elle ne pouvait s'imaginer y passer une seule nuit. Même le paysage, pourtant grandiose, lui semblait terrifiant. Cependant sa mère n'avait pas pris la peine de la consoler ou de la rassurer, taxant ses larmes de caprice de petite fille et se bornant à lui vanter une fois de plus les nombreux avantages de cette nouvelle vie.

En effet, tout allait changer. Le remariage de leur mère avec Angus Gillespie impliquait un complet bouleversement, dont il n'y avait pas forcément à se réjouir. Kate et les garçons avaient quitté leurs écoles respectives, leurs amis et leurs activités, l'appartement de Paris. Le conteneur envoyé en Écosse était rempli de leurs vêtements mais ils avaient dû abandonner une grande partie de leurs livres et de leurs jeux, trop encombrants. Et, depuis les hublots de l'avion qui les emportait vers Glasgow, ils avaient regardé s'éloigner le sol français avec un serrement de cœur.

À Gillespie, il n'y avait que l'écume de l'Océan, la brume sur les collines, les troupeaux de moutons au loin. Pourquoi leur mère avait-elle choisi de s'enterrer ici, et avec eux ? Qu'elle puisse aimer Angus était inconcevable aux yeux de Kate. Cet homme au visage sévère était grand et massif, avec des cheveux roux frisés, mêlés de fils d'argent. Ses traits paraissaient taillés dans la pierre à coups de ciseau, et son regard délavé vous fouillait jusqu'au fond de l'âme. Elle était censée l'appeler « père », ce qui lui faisait horreur, néanmoins elle se plia à l'usage en découvrant qu'elle pourrait ainsi considérer Scott comme un nouveau frère.

Gillespie était un immense domaine où s'étalaient à perte de vue, outre les pâturages des moutons, des terres agricoles couvertes d'orge que l'on récoltait pour les deux distilleries où se fabriquait le whisky, richesse de la famille depuis plusieurs générations. Et, des années durant, Kate allait entendre parler de maltage et de broyage, de brassage et de fermentation. Au cours des repas, le sujet serait continuellement abordé par Angus, qui bombarderait Scott de questions précises. Passer la main à son fils unique l'angoissait beaucoup, même s'il voulait en profiter pour chasser et jouer au golf plus souvent.

Depuis qu'un ancêtre avait acquis le titre de baron en achetant les terres, selon la coutume écossaise, les Gillespie prospéraient, et Angus comptait sur Scott pour perpétuer la lignée. Dans ce but, déçu et inquiet de n'avoir qu'un seul descendant, il l'avait élevé strictement. Sa première épouse, Mary, avait mis des années avant d'être enfin enceinte, et l'accouchement, qui avait eu lieu à Gillespie et non pas à l'hôpital, s'était révélé cauchemardesque. Par la suite, malgré les prières réitérées de son mari, Mary avait refusé catégoriquement d'envisager une seconde grossesse. Pire encore, elle n'avait pas manifesté un amour maternel débordant, conservant une sorte de rancune envers Scott pour sa si laborieuse venue au monde. Elle semblait vouloir fuir Angus et la maison, aussi s'était-elle prise de passion pour l'élevage des moutons. Elle avait augmenté le cheptel et obtenu d'Angus qu'il lui achète une petite filature qui périclitait, afin d'exploiter elle-même la laine de leurs troupeaux. Elle dessinait les motifs des cardigans, écharpes ou bonnets, ce qui l'amusait beaucoup. Partant de bonne heure chaque matin, elle ne rentrait qu'à la nuit. Mais un soir elle ne revint pas. Sa voiture était tombée au fond d'un ravin et il fallut plusieurs jours pour en retrouver l'épave. Mary avait dû mourir sur le coup, du moins l'espérait-on car elle était restée prisonnière des tôles écrasées et de sa ceinture de sécurité.

Le choc fut très rude pour Angus. Dans son malheur, il avait la chance d'héberger depuis longtemps sa propre sœur, Moïra, et ce fut elle qui reprit en main l'intendance de la maison, une charge dont elle s'était acquittée avant le mariage d'Angus et qu'elle retrouva volontiers. Pendant quelque temps, la petite famille alla cahin-caha. Comme Scott aimait bien sa tante Moïra, tant que son fils fut un petit garçon Angus en profita pour se consacrer à ses affaires. Les distilleries faisaient des bénéfices et, en souvenir de Mary, il conserva la filature. Ensuite, il entreprit d'agrandir un peu son maigre clan. Il embaucha un de ses cousins impécunieux, David, dont il fit son régisseur, puis il se mit en quête d'une nouvelle épouse. Mais il était devenu méfiant envers les femmes et aucune ne trouvait grâce à ses yeux. La seule qui aurait pu convenir était une citadine, et l'idée de vivre à Gillespie la fit fuir.

Pendant ce temps-là, Scott grandissait. Sous la trop tendre autorité de sa tante Moïra, il devenait un enfant remuant, têtu, frondeur, et Angus finit par l'expédier en pension. Il choisit un établissement haut de gamme, connu autant pour la rigueur de sa discipline que pour ses bons résultats. Scott y reçut une éducation exemplaire qui lui ouvrit l'esprit dans bien des domaines et fit de lui un sportif accompli. Il jouait au rugby, montait à cheval, pratiquait la boxe, l'escrime et l'escalade. Chaque fois qu'il rentrait à la maison pour les vacances, Angus l'assignait à des tâches initiatiques comme la tonte des moutons ou la moisson de l'orge. De ces années d'internat qui auraient pu lui sembler dures, Scott ne garda au bout du compte que de bons souvenirs, ayant oublié les mauvais, et surtout il en conserva de solides amitiés.

Après avoir achevé son cursus, il eut droit à une année sabbatique. Angus consentit à lui offrir un voyage de quelques mois à travers l'Europe, avec pour mission d'observer les méthodes de fonctionnement des grands domaines agricoles en dehors du Royaume-Uni. Cette bouffée de liberté fut salutaire au jeune homme qu'était devenu Scott, néanmoins il rentra à Gillespie avec plaisir, sachant que son père l'attendait pour lui passer la main.

Impatient de faire ses preuves, Scott n'avait en aucun cas prévu de se retrouver face à une belle-mère. Car Angus avait jugé préférable de ne pas lui parler de son remariage. D'après lui, le sujet était trop sérieux et trop personnel pour être abordé au téléphone. Il affirma sans honte qu'il lui avait gardé la « bonne » surprise pour son retour. Mis devant le fait accompli, Scott eut l'impression de recevoir une douche glacée. La belle-mère se prénommait Amélie, elle était française, divorcée, et flanquée de quatre grands enfants.

Les trois garçons, John, George et Philip, étaient adolescents, mais la fille, à treize ans, était encore une enfant. Ce fut la seule qui trouva grâce aux yeux de Scott parce qu'il la devina perdue, presque désespérée. En revanche, les garçons avaient pris leurs aises dans la maison où ils étaient installés depuis quelques semaines seulement, mais où ils se comportaient déjà comme en terrain conquis. Apparemment, leur éducation laissait à désirer, cependant Angus semblait ne pas vouloir s'en mêler. Tout heureux d'avoir retrouvé une épouse, il tolérait la nichée sans s'y intéresser vraiment. Ces enfants-là étaient ceux d'un autre homme, un Anglais de surcroît, et ne méritaient qu'une vague bienveillance, par égard pour Amélie, mais sûrement pas qu'on se donne du mal pour les remettre dans le droit chemin.

De son côté, Moïra apparaissait partagée entre la joie de voir son frère de nouveau marié et la méfiance envers cette femme inconnue arrivée avec sa tribu. Elle s'en ouvrit à Scott dès son retour, affirmant que la petite Kate était *adorable* mais les trois garçons *odieux*. Des chambres attribuées à ces derniers provenaient sans cesse des bruits de bagarres suivis du vacarme de musiques discordantes. Au contraire, Kate glissait silencieusement le long des couloirs, et on la trouvait souvent arrêtée devant l'une des fenêtres où elle semblait perdue dans la contemplation du parc.

À vrai dire, « parc » était un mot trop pompeux. Angus n'avait pas la passion des beaux jardins et n'attachait aucune importance aux fleurs que Moïra cueillait de temps à autre. Il voulait juste que les pelouses soient tondues, une tâche dont son cousin David, juché sur un engin bruyant, s'acquittait plus ou moins bien. Comme les grands arbres n'étaient jamais élagués, à chaque coup de vent violent des branches mortes s'abattaient en travers des allées. Néanmoins, grâce à deux fontaines de pierre et à quelques bancs de fer forgé, l'endroit était empreint d'un charme romantique qui séduisait Kate. Elle y découvrait maintes cachettes lui permettant d'échapper à la tyrannie de ses frères et à l'indifférence de sa mère. Elle passa là la majeure partie de son temps lors du premier été à Gillespie, redoutant la rentrée scolaire qui allait de nouveau la précipiter dans l'inconnu. En secret, elle écrivait à son père des lettres qu'elle ne pouvait pas poster, ignorant son adresse. Depuis le divorce, il ne donnait pas de nouvelles et elle n'osait pas interroger sa mère à ce sujet. Bien sûr, ce silence valait mieux que les affreuses disputes qui avaient accompagné la séparation de ses parents, mais le cœur de Kate se serrait chaque fois qu'elle pensait à lui. Le reverrait-elle un jour ? Avait-il oublié ses trois fils et sa petite fille qu'il avait si souvent appelée « mon adorée » ? S'était-il remarié, comme leur mère ? Elle ne savait rien et elle en souffrait, mais ne pouvait s'en ouvrir à personne. Assise à l'abri d'un massif ou adossée à l'une des fontaines, un livre ouvert sur les genoux, elle continuait d'écrire d'inutiles missives où elle exprimait son désarroi.

Ce fut l'un de ces jours gris et frileux annonçant l'arrivée de l'automne que Scott la surprit. Un pull jeté sur les épaules, il tenait une hache et la sueur avait plaqué ses cheveux.

— Tu lis quelque chose d'intéressant ? demanda-t-il en surgissant devant elle.

Elle se sentit fondre de gratitude parce qu'il s'était arrêté pour lui adresser la parole et lui souriait.

— *Les Misérables,* un roman français.

— Oh ! Victor Hugo ? Tu es bien sérieuse…

— Je ne sais pas ce que sera le programme de l'école, alors je ne peux pas m'avancer. Mais je suppose que, dès la rentrée, je vais devoir me mettre aux auteurs anglais. Ou écossais !

— En tout cas, tu es parfaitement bilingue, ça t'aidera.

— Mon père est anglais, lui rappela-t-elle.

En le disant, elle se mit à rougir. Avait-elle le droit de parler de lui ? Elle se dépêcha de changer de sujet et voulut savoir si Scott connaissait son école.

— Non, c'est un établissement pour filles.

— Ah, tant mieux, je serai tranquille ! Les garçons sont parfois... insupportables.

De nouveau, elle craignit de s'être montrée maladroite.

— Enfin, mes frères le sont, précisa-t-elle avec une petite grimace significative. Vous avez bien dû le remarquer ?

Elle vit une ombre passer sur le visage du jeune homme tandis qu'il répondait, d'un ton mesuré :

— Je ne suis pas rentré depuis assez longtemps pour me faire une opinion.

— Est-ce que vous étiez très turbulent à leur âge ?

— Oui, admit-il. Très ! Mais je n'avais pas de sœur.

— Eh bien, je suis là, dit-elle étourdiment.

Il lui lança un étrange regard, hocha la tête et reprit la hache qu'il avait posée à ses pieds. Contrariée à l'idée de le voir déjà partir, elle se leva pour l'accompagner.

— Vous avez abattu des arbres ? voulut-elle savoir.

— J'ai seulement coupé du bois. Les cheminées sont insatiables et il fera bientôt froid. Le climat de l'Écosse va sans doute te sembler moins clément que celui de Paris.

Il ne fit pas mine de vouloir se débarrasser d'elle lorsqu'elle lui emboîta le pas.

— Y êtes-vous déjà allé ?

— Non. J'ai passé quelques semaines en France cette année, mais je n'ai fait que transiter par Paris.

— Oh, vous adoreriez ! C'est une ville fantastique, il y a du monde partout et toujours des tas de choses à faire ou à voir. J'aimais beaucoup mon école, près du Luxembourg, un jardin où nous allions nous promener avec mes amies. Il y a là-bas des parterres de fleurs, des sculptures, et un grand bassin, et… et…

Malgré tous ses efforts, elle eut comme un hoquet puis elle éclata en sanglots, se couvrant le visage de ses mains.

— Kate ?

Elle sentit qu'il effleurait ses cheveux d'un geste très doux.

— Ne pleure pas, murmura-t-il. Je comprends.

Contrairement à ce qu'elle avait cru, bavarder d'un ton léger était au-dessus de ses forces, et évoquer Paris l'avait submergée de tristesse. Que faisait-elle dans ce pays inconnu, au milieu d'étrangers ? Elle dissimulait toujours ses larmes parce que ses frères se moquaient d'elle et que sa mère lui faisait la morale, mais Scott ne semblait ni ironique ni contrarié.

— Désolée, désolée, répéta-t-elle en s'essuyant avec sa manche. Je me sens tellement…

— Perdue ? C'est normal, tu n'es pas chez toi.

— Maman dit que nous sommes chez nous ici.

— Bien sûr, dit-il sans conviction.

Ayant perçu son hésitation, elle se rendit compte qu'elle venait de proférer une bêtise supplémentaire. La situation la dépassait, cependant elle devinait que Scott aurait pu les détester, elle, ses frères, et aussi sa mère. Qu'avait-il éprouvé en les découvrant tous installés chez lui ? Ce lâche d'Angus lui avait laissé le plaisir de la découverte, quel choc il avait dû avoir ! Et s'il décidait de quitter les lieux ? Après tout, il appartenait au monde des adultes, il pouvait faire ce qu'il voulait, y compris s'en aller.

— Vous ne devez pas nous aimer beaucoup, dit-elle tristement.

L'entendant rire, elle leva la tête pour l'observer. Il ne paraissait pas hostile, juste amusé.

— Tu es une drôle de fille, Kate. Mes sentiments importent peu.

16

Ils venaient d'atteindre l'allée principale, soudain le manoir se dressait devant eux. L'adolescente frissonna, ralentissant le pas.

— Je vais faire une belle flambée. Si tu veux continuer à lire dans le salon, tu auras chaud.

Il lui posa une main sur l'épaule, comme pour l'encourager à avancer.

— Tout ira bien, ajouta-t-il tout bas.

Pour la première fois, elle éprouva un peu de réconfort. Elle avait désespérément besoin de le croire, et en sa compagnie elle se sentait moins perdue. Les yeux levés vers la haute façade blanche, elle essaya de repérer la fenêtre de sa chambre mais elle se perdit dans le compte. Quand elle se retourna, Scott était en train de s'éloigner dans une autre direction, balançant la hache au bout de son bras.

*

Dès que sa fille leva la tête, Amélie s'écarta en hâte de la fenêtre. Elle avait jeté un coup d'œil machinal au-dehors, persuadée que le parc était désert à cette heure, et découvrir Kate en compagnie de Scott l'agaçait. À l'évidence, le jeune homme leur était hostile, que pouvait-il raconter à une adolescente ? S'était-elle perdue dans le petit bois qui s'étendait au-delà des pelouses ? Elle passait ses journées à l'extérieur, un livre sous le bras, affichant une mine d'enterrement et des yeux gonflés. Bon sang, elle ne se rendait pas compte de sa chance ! Se retrouver dans un si beau manoir, à deux pas de la mer, cernée de luxe et inscrite dans une école privée était inespéré. Si Amélie n'avait pas opportunément rencontré Angus, si elle ne l'avait pas amené à un mariage rapide, que serait-il advenu de Kate et de ses frères ? Cette union arrangeait tout, ils étaient sauvés. Et Amélie ne s'était pas beaucoup forcée car Angus ne lui déplaisait pas. Certes, elle

17

n'en était pas amoureuse, d'ailleurs elle considérait qu'elle avait passé l'âge des mièvreries romantiques. Pour ce que ça lui avait rapporté avec Michael ! Un mariage de rêve, une couronne de fleurs virginales sur la tête et des serments d'éternité plein la bouche. Son « bel Anglais », comme elle l'appelait alors, qui lui faisait battre le cœur mais lui avait surtout fait quatre enfants avant de se désintéresser d'elle et de l'abandonner à son sort. Les trois premières années avaient vu la naissance de trois garçons, coup sur coup. Amélie se serait bien arrêtée de pondre, hélas Michael voulait absolument une fille, qui était venue tout aussi vite. Pendant un temps, ils avaient formé une vraie famille. Ils habitaient un bel appartement, prêté par la société qui employait Michael et situé en plein quartier de Saint-Germain-des-Prés. La journée, Amélie s'occupait des enfants, et presque chaque soir elle sortait avec Michael. Au début, elle lui avait fait découvrir la ville, fière d'être une Parisienne, mais très vite il avait lui-même déniché des endroits branchés. Il aimait faire la fête, s'entourait de copains et se montrait infatigable, mais ce n'était pas lui qui se levait pour donner les biberons. Il prétendait adorer ses enfants alors qu'il ne s'en occupait jamais. Les années avaient filé, Amélie n'avait rien vu venir. Ni l'usure du quotidien ni les trop jolies collaboratrices de Michael. Il avait commencé à s'absenter, invoquant des congrès, des réunions, des symposiums. Et elle, comme une idiote, avait tout gobé avec la naïveté confondante des femmes... Michael n'était presque jamais là le week-end, mais lorsqu'il passait enfin un dimanche en famille il semblait atterré par le chahut et l'effervescence qui régnaient chez lui. Amélie ne s'en sortait pas, seule face aux trois garçons turbulents à qui il manquait une autorité paternelle. L'appartement était un champ de bataille, Amélie n'avait plus le temps de s'occuper d'elle-même. Un matin, dans la salle de bains, elle avait trouvé une lettre laissée par un Michael trop lâche pour annoncer sa décision de vive voix. Il avait rencontré « quelqu'un », écrivait-il.

Après plusieurs disputes homériques, le divorce avait été mené tambour battant. Brillamment défendu par un avocat retors et bien payé, Michael n'avait été contraint qu'à verser une pension dérisoire. Comme il avait fait valoir que la société qui l'employait laisserait à Amélie six mois pour se reloger, cette aumône avait eu aux yeux du juge valeur de prestation compensatoire ! En pleurnichant, Amélie avait gagné quelques mois supplémentaires qui avaient permis aux enfants de continuer à vivre normalement pendant qu'elle cherchait une solution d'urgence. Se remettre à travailler ? Trouver un emploi lui demanderait un temps fou et déboucherait sans doute sur un salaire de misère. Non, elle avait mieux à faire, par exemple prendre soin d'elle, car elle n'avait pas quarante ans et possédait encore un physique avantageux. Elle s'était mise à sortir à son tour, laissant les enfants se garder eux-mêmes, et par une chance inouïe elle avait rencontré Angus. Il était de passage à Paris, elle devait faire vite. Tandis qu'il racontait Gillespie, ses distilleries, sa filature, elle découvrait tous les avantages de cette merveilleuse opportunité. L'Écosse ? Va pour l'Écosse, ce joli manoir dont il lui montrait la photo pouvait bien se trouver n'importe où, elle était prête à y vivre à condition de devenir officiellement Mme Gillespie. Angus avait vaguement parlé de Scott, son fils unique de vingt-deux ans, mais elle n'avait pas vraiment écouté, occupée à le subjuguer avec des ruses de femme fatale. Consciente d'alourdir de quatre enfants la corbeille de la mariée, elle avait déployé toute la sensualité dont elle était capable, menant Angus au septième ciel.

Y repenser la fit sourire. Son époux était à présent bien ferré, elle le tenait au bout de sa ligne. Le prix à payer pour ce choix était qu'Angus, malgré ses soixante ans, se

19

montrait aussi bouillant qu'un jeune homme et réclamait son dû quasiment tous les soirs. Après tout, ce n'était pas si terrible, il possédait un certain charme bourru, tout à fait à l'opposé de l'affable Michael, or Amélie ne voulait rien qui lui rappelle son premier mariage. La page était tournée, certes un peu vite, et il était normal que les enfants ne s'habituent pas aisément à leur beau-père. Ils finiraient par s'y faire, à lui et à ce superbe manoir qui était leur nouveau foyer. Décidée à laisser un peu la bride sur le cou des garçons, elle espérait que les activités physiques de la campagne les calmeraient. Par la suite, Angus l'aiderait peut-être à achever leur éducation ? S'il s'attachait à eux, ou même à Kate, leur avenir serait assuré. Aujourd'hui, Angus croyait n'avoir qu'un fils unique, mais plus tard il pourrait sans doute intégrer ses beaux-enfants à ses affaires, à sa succession... En bon Écossais, il avait exigé un contrat de mariage qui, comme tout contrat, était modifiable. Amélie savait ce qu'elle voulait, et elle savait comment y parvenir.

De nouveau, elle s'approcha de la fenêtre. À présent, le parc était désert, Scott et Kate avaient disparu. Ces deux-là n'avaient rien à faire ensemble. L'antipathie manifeste du jeune homme à son égard ne gênait pas Amélie, au contraire elle comptait même s'en servir pour se faire plaindre. Elle dirait à Angus qu'elle se sentait rejetée par son fils et, tant qu'elle y était, par sa sœur. Car Moïra l'avait accueillie avec une réserve qui confinait à la froideur. Mais désormais tout ce petit monde allait devoir s'habituer à la considérer comme la maîtresse de maison.

Tournant le dos à la fenêtre, elle observa le décor de la chambre. Des murs lambrissés de bois sombre, un plafond peint d'une fresque à motifs d'arabesques, de lourds rideaux poussiéreux. Cette pièce devait absolument être rafraîchie puis égayée par une touche du fameux bon goût français auquel Angus serait sensible. Amélie commencerait par là avant d'étendre son empreinte au reste du manoir. Les garçons avaient été logés au même étage mais dans l'aile ouest, et pour l'instant ils étaient charmés par leur petite indépendance. Ils ne s'intéressaient ni aux meubles ni à la couleur des peintures et se contentaient de semer le chaos en mettant leur musique à fond. Kate, en revanche, semblait effrayée par sa trop vaste chambre tendue d'un velours gris jauni par le temps. Angus lui-même avait esquissé une grimace en ouvrant la porte, et Moïra, navrée, avait expliqué qu'au moins la petite ne se trouverait pas trop loin de sa mère. La maison comportait un grand nombre de chambres, mais il y avait partout des couloirs, des volées de marches, des recoins, et se repérer était difficile pour les nouveaux arrivants. Le surlendemain, après avoir fait plusieurs fois le tour du propriétaire, Amélie s'était mis en tête la topographie des lieux. Moïra, le cousin David et Scott habitaient au deuxième étage, ce qui signifiait qu'Angus avait dû passer quelques années seul au premier. Eh bien, il n'était décidément pas peureux !

Amélie alla s'asseoir au pied du lit, toujours songeuse. Une fois acclimatés, ses enfants se plairaient-ils ici ? Certes, l'endroit était magnifique, et ils pouvaient considérer qu'ils y étaient chez eux. D'ici peu, ils auraient l'habitude d'appeler Angus « père », ce qui créerait forcément des liens. Elle ne comptait pas les brusquer, plutôt les laisser découvrir eux-mêmes le plaisir de vivre dans une telle propriété, de parcourir les terres immenses qui l'entouraient, de pratiquer tous les sports qu'ils voudraient et de n'avoir aucun souci d'argent. Pour sa part, elle se félicitait de son choix et se sentait prête à aimer Gillespie et à s'y reconstruire. Paris ne lui manquait pas, elle y avait eu trop peur pour son propre avenir et pour celui de ses enfants. Ici, elle redevenait une épouse aimée, une mère prévoyante, quelqu'un d'important.

Un bruit de cavalcade devant sa porte précéda l'irruption de ses fils. Ils criaient tous les trois, lancés dans une nouvelle dispute.

*

Angus avait fait du fumoir sa tanière. Quand Mary était encore de ce monde, elle détestait l'odeur de ses cigares, aussi avait-il pris l'habitude de s'isoler là, y apportant peu à peu les dossiers des multiples affaires du domaine. Au fil du temps, cet endroit était devenu le sien, on n'y pénétrait qu'après avoir frappé.

— Entre ! lança-t-il de sa voix de stentor.

Il vit que Scott s'était douché et changé. Un peu plus tôt, il l'avait aperçu dehors avec sa hache, l'air fatigué mais calmé. Leur premier échange à propos d'Amélie avait été houleux, comme prévu, et Angus espérait qu'une nouvelle conversation apporterait un peu d'apaisement.

— Tu t'es défoulé sur un arbre ? ironisa-t-il.

— Sur des souches qu'il fallait refendre.

— En principe, David s'en occupe. Il paie un type pour couper notre bois.

— Mais il ne le surveille pas.

— Ça...

Ils échangèrent un sourire entendu et Angus évita d'ajouter, ainsi qu'il avait l'habitude de le faire, que David était un gentil cousin mais un intendant très médiocre.

— Bon, assieds-toi, il faut qu'on parle. Je sais que tu n'es pas content.

— Disons plutôt... surpris et contrarié.

— Pourquoi ? Je crois avoir laissé passer suffisamment d'années après le décès de ta mère pour pouvoir me remarier ! D'ailleurs, c'est ma vie, pas la tienne, je n'ai pas de permission à te demander. Et reconnais au moins qu'Amélie est une belle femme.

— Chacun ses goûts. Pour ma part, je ne regarde que celles de ma génération.

— Là, tu viens de jeter une pierre dans mon jardin.

— Non, je fais seulement remarquer qu'elle a vingt ans de moins que toi.

— Et alors ?

— Rien. Mais vous êtes allés très vite.

— Pour l'amener ici, il fallait d'abord que je l'épouse. Sinon, elle ne m'aurait pas suivi. Elle n'aurait pas tout quitté sans...

— Garanties ?

— Si tu veux. Mais c'est légitime, essaie de comprendre ! Déraciner quatre enfants, changer de pays, laisser tous ses amis derrière soi...

— Et sa famille, son métier ?

— Elle ne travaillait pas. Élever quatre gamins est un job à plein temps. Pour sa famille, je ne sais pas.

— En somme, tu ne sais pas grand-chose ?

— Je sais qu'elle me plaît et que, le soir, je suis content de la retrouver et d'être un homme marié. C'est assez clair ?

Le ton s'était durci, Angus n'était pas prêt à céder un pouce de terrain.

— Très explicite, en effet, admit Scott.

— Tant mieux, parce que je n'y reviendrai pas. Qu'est-ce que tu imaginais ? Qu'à soixante ans on est fini ? Qu'on n'a plus de besoins ? Ah là là ! attends d'y être et tu verras ! Je suis dans la force de l'âge et bien décidé à profiter enfin de l'existence. Depuis la mort de ta mère, je n'ai fait que m'occuper de toi, des distilleries, de cette satanée filature que Mary a voulu acheter et qu'il faut maintenir à flot. Pour t'assurer une vie de famille, j'ai vécu entre ma sœur et mon cousin, tu parles d'un plaisir ! Aujourd'hui, mon tour est venu, à moi de m'amuser, alors quitte cet air renfrogné et accommode-toi de ta belle-mère, compris ?

— D'elle, mais aussi de ses trois affreux jojos et de sa fille.

Face au calme de Scott, Angus tenta de recouvrer son sang-froid.

— Kate est charmante, d'ailleurs on ne l'entend pas. Quant aux garçons… Tu ne voudrais pas les prendre un peu sous ton aile, leur servir de grand frère ?

— J'espère que tu plaisantes.

— Pas du tout.

— Si tu attends de moi que je te décharge de tes affaires, ça représente une occupation à plein temps.

— Me « décharger » ? s'indigna Angus. Ce sont *nos* affaires, et c'est surtout *ton* avenir. Ne joue pas au bon fils qui rend service. Si je n'avais rien à te transmettre, que deviendrais-tu ?

— J'apprendrais un métier, répliqua Scott en le regardant bien en face.

Quatre ans auparavant, ils s'étaient accrochés à ce sujet. Scott avait émis l'idée de devenir médecin ou, mieux encore, vétérinaire, et son père avait ri aux éclats avant de balayer pareille éventualité. Que seraient devenus les distilleries, la filature, les terres, les troupeaux ? Étant le seul descendant des Gillespie, aucun autre choix ne s'offrait à Scott que prendre la suite de ses ancêtres.

— Restons sérieux, trancha Angus.

— Je le suis.

Scott aimait le domaine, il s'y était toujours intéressé, et que son père lui ait un peu forcé la main ne le gênait pas vraiment. Au cours de son voyage à travers l'Europe, il avait souvent songé à Gillespie avec l'envie lancinante d'y revenir, mais cette belle-mère tombée du ciel bouleversait sa vision des choses.

— Pensez-vous avoir des enfants, Amélie et toi ? demanda-t-il sur un ton posé.

— C'est tout à fait hors de question !

— Vraiment ? Elle n'a pas quarante ans, elle peut vouloir de nouveaux bébés, qui seraient les tiens et porteraient ton nom.

Angus donna un violent coup de poing sur le bureau, faisant tomber aux pieds de Scott un coupe-papier.

— Tu as peur pour ton héritage ? ricana-t-il avec fureur.

Scott comprit qu'il avait touché un point sensible. Son père n'avait rien d'un naïf, il possédait même une bonne dose de cynisme, mais dans cette dernière partie de sa vie il pouvait se laisser dominer par ses sentiments.

— Mon « héritage » n'est pas un dû, tu me l'as plutôt présenté jusqu'ici comme une obligation.

Il y eut un court silence durant lequel ils s'affrontèrent du regard.

— Pourquoi es-tu si hostile ? finit par lâcher Angus. Peut-être n'êtes-vous pas partis du bon pied, mais ça va s'arranger.

La première rencontre entre Amélie et Scott s'était mal passée. D'emblée, ils avaient manifesté une animosité réciproque, aussi peu à l'aise l'un que l'autre. Aux yeux d'Amélie, Scott représentait un obstacle aux projets qu'elle formait pour ses propres fils, tandis que Scott considérait avec une méfiance évidente sa nouvelle « belle-mère ». Celle-ci avait vingt ans de moins que son père, elle traînait derrière elle quatre enfants et semblait décidée à se comporter en maîtresse des lieux.

— Tout ira bien, laisse faire le temps, insista Angus.

Soudain, il quémandait, et Scott se sentit désemparé par ce changement d'attitude. Croyait-il vraiment que la famille ainsi recomposée allait vivre en harmonie ? S'imaginait-il qu'ils se prendraient d'affection les uns pour les autres parce qu'ils cohabitaient ? Certes, Angus avait le droit de profiter d'un second mariage, et de toute façon il était chez lui, il pouvait imposer sa loi.

— On en reparlera, murmura Scott.

Leur discussion était dans une impasse, inutile d'envenimer les choses.

— Non ! protesta Angus en retrouvant sa véhémence. Pour moi, le chapitre est clos. J'attends de toi, au minimum, de la courtoisie envers ta belle-mère, et de la bienveillance vis-à-vis de ses enfants. Je ne tolérerai aucune autre attitude sous mon toit.

Une manière de rappeler qu'il était toujours le chef du clan. Un clan qu'il avait longtemps jugé trop restreint et venait d'agrandir considérablement. S'il souhaitait transmettre peu à peu ses affaires à son fils, il ne lui accorderait pas l'autorité pour autant.

Scott se leva, esquissa un sourire contraint et sortit sans un mot.

*

Kate écoutait sa mère décrire les transformations qu'elle comptait apporter à sa chambre.

— On va remplacer cet affreux velours jauni par un chintz clair. Aimerais-tu des motifs de fleurs ? Ou plutôt des rayures roses sur un fond crème, avec les rideaux et les coussins assortis ?

— Tout ça va coûter cher ! s'exclama Kate en ouvrant de grands yeux.

— Nous n'avons plus ce genre de problème, chérie. Il faut aussi que je te déniche une jolie coiffeuse, avec un miroir. J'en ai repéré une dans je ne sais plus quelle chambre inoccupée, or ton beau-père m'a donné carte blanche pour te faire un décor à ton goût. Avoue que c'est gentil de sa part ! Si tu vois un meuble qui te plaît, on peut très bien l'installer ici. Par exemple, tu as besoin d'un bureau pour faire tes devoirs...

26

Elle allait et venait, volubile, mais Kate ne partageait pas son enthousiasme. Connaissant sa mère, elle savait bien que celle-ci décorerait la chambre comme elle l'entendait. Néanmoins, ne plus voir ce velours jauni serait agréable. Est-ce qu'on pouvait vraiment se servir dans tout le manoir, et faire main basse sur les choses qui vous plaisaient ? Kate n'était pas sûre que sa « tante » Moïra, qui avait tenu les rênes de la maison jusqu'à leur arrivée, soit d'accord pour ces chambardements. Et Scott ?

Dès qu'elle pensa à lui, elle cessa d'écouter sa mère. C'était vraiment merveilleux qu'il y ait une personne aussi gentille que Scott ici. Angus l'effrayait toujours, son cousin David aussi, Moïra l'intimidait, seul Scott s'était montré amical. Et il était tellement séduisant ! Pour une gamine de l'âge de Kate, il représentait le héros romantique de ses livres. Beau, grand, brun, avec un sombre regard bleu ardoise, une silhouette athlétique mais élancée, une voix grave et un sourire charmeur : il lui semblait parfait. Qu'il puisse être son nouveau grand frère la ravissait.

— Ma parole, tu rêves ! constata Amélie, indignée.

— Non, je... Je crois que j'aimerais avoir un tapis.

— Excellente idée. Je chercherai celui qui peut convenir. Tu verras, on va bien s'amuser, toutes les deux. Tes frères se fichent éperdument de leur cadre de vie, ça me navre mais je n'y peux rien.

Depuis longtemps elle affirmait ne pas pouvoir lutter contre ses trois fils. Espérait-elle qu'Angus s'en chargerait ? Apparemment, il avait bien réussi l'éducation de Scott, mais il s'agissait de son propre fils, pas de trois adolescents étrangers dont il avait à peine mémorisé les prénoms. D'ailleurs, John, l'aîné, avait confié à sa sœur qu'aucun d'eux ne comptait obéir à un inconnu. Néanmoins, malgré leurs fanfaronnades, ils évitaient l'affrontement et avaient accepté de l'appeler « père ». Kate aussi utilisait ce mot, mais contrairement à ses frères elle ne se prétendait pas rebelle.

— J'ai écrit une lettre à papa, annonça-t-elle d'une voix mal assurée, alors si tu pouvais me donner son adresse…

— Je ne l'ai pas ! s'emporta Amélie. Il se garde bien de me faire savoir où il est, sans doute par crainte que je lui réclame quelque chose. Il nous a tous oubliés, ma pauvre, fais-toi une raison.

Kate sentit une boule dans sa gorge, celle qui précédait généralement les larmes. La manière dont sa mère parlait de leur père la rendait malheureuse, elle n'avait pas envie de croire à ses méchancetés.

— Dans la vie, on ne doit pas regarder en arrière, ça ne sert à rien, poursuivit Amélie. Puisque ton père nous ignore, ne pense donc plus à lui. Ici, réjouis-toi, tu auras une existence privilégiée. Est-ce que tu aurais pu imaginer, même en rêve, avoir une aussi grande chambre rien que pour toi, avec une aussi belle vue ? Tout ce que tu aperçois depuis les fenêtres appartient à Angus, et toi, maintenant, tu fais partie de sa famille. Tu vas devenir une jeune fille très enviée, crois-moi ! Tu seras invitée partout, tu…

— Où ça, maman ? Il n'y a rien alentour, cet endroit est un désert.

— C'est *sauvage*, nuance. Bien sûr qu'il y a des gens, dans des propriétés. Et Glasgow n'est pas si loin, dès que tu sauras conduire tu auras une voiture. En attendant, je pourrai t'y emmener, il y a de nombreux théâtres, des musées, des boutiques ! Ce n'est plus la ville industrielle d'il y a quarante ans, c'est devenu trépidant, branché, on dit même qu'il s'y trouve la meilleure scène musicale de Grande-Bretagne.

Kate soupira, songeant à Paris et à ses amies, au jardin du Luxembourg, à tous les projets qu'elle avait pu faire et qui ne se réaliseraient jamais.

— Chérie, ajouta sa mère d'un ton conciliant, tu ne connais rien de l'Écosse. Comme tous les Anglais, ton père n'aimait pas les Écossais, il les caricaturait sans savoir et racontait n'importe quoi. En réalité, ce pays est magnifique, tu apprendras à l'aimer.

Son père ? Kate n'avait pas souvenir qu'il ait beaucoup évoqué l'Écosse, un sujet qui ne devait pas l'intéresser. Non, elle n'était pas arrivée avec un a priori défavorable, mais le changement se révélait trop brutal. Quitter Paris pour Londres aurait été supportable, en revanche tomber dans cette campagne qui s'étendait à l'infini, semée de collines et de bois, avec la mer au loin pour ligne d'horizon...

— Oh, tu ne vas pas te mettre à pleurer ?

Amélie perdait patience devant le mutisme de sa fille.

— Tes frères sont trop bruyants, mais au moins ils sont enthousiastes ! Ne sois pas si renfermée, chérie, et arrête de t'isoler dans le parc. Tu devrais plutôt descendre voir Moïra, elle prépare des gâteaux.

Sur ces paroles, qu'elle devait croire réconfortantes, Amélie quitta la chambre, laissant Kate désemparée. L'idée de gagner la cuisine ne lui déplaisait pas, il y régnait toujours de délicieuses odeurs. Mais, d'abord, elle projetait de monter jusqu'au belvédère surmontant les toits du manoir. Ses frères, qui prétendaient que de là-haut on avait une vue incroyable, s'étaient empressés d'y grimper dès la première semaine, tandis que Kate n'avait pas encore trouvé le courage de vaincre son vertige et sa peur du vide. Pourquoi ne pas tenter l'expérience dès maintenant ? Il n'y avait aucun danger, et peut-être apercevrait-elle Scott quelque part dans la propriété. Elle enfila son caban, prêta l'oreille avant de sortir dans le couloir puis se glissa furtivement vers les escaliers.

*

Resté seul dans son bureau, Angus passa un long moment à réfléchir. Il aimait Scott et, d'une certaine manière, il l'admirait. Au même âge, il ne possédait ni l'aisance de son fils ni son physique de beau ténébreux. Certes, il n'était pas le seul roux de sa génération, mais il avait eu droit aux plaisanteries d'usage à l'école, ce qui plus tard l'avait rendu maladroit face aux filles. Jamais il ne s'était pris pour un séducteur, dissimulant sa timidité sous une brusquerie presque agressive, pourtant il avait connu quelques succès. Puis Mary était arrivée, et elle l'avait débarrassé de ses complexes en tombant amoureuse de lui.

Mary ! Une jeune femme si séduisante que, à l'époque, tous les hommes la désiraient. Scott avait hérité de son regard bleu sombre, de ses cheveux bruns lisses et soyeux, de sa peau mate et de son sourire en coin. Quand Angus regardait son fils, il était obligé de penser à Mary. Accepter sa disparition avait été douloureux, long et déprimant. Malgré ses fantaisies, dont la filature demeurait l'exemple le plus frappant, et bien qu'elle se fût éloignée de lui à la naissance de Scott, Angus l'avait adorée jusqu'à son dernier jour. Lorsqu'il s'était retrouvé seul, il avait choisi de se noyer dans le travail, se contentant de filer à Glasgow pour des plaisirs tarifés quand le besoin s'en faisait sentir. Il lui avait fallu des années pour recommencer à s'intéresser prudemment aux femmes. Il ne savait pas draguer, il était redevenu timide, et donc bourru. Mais, de son côté, Scott s'était mis à collectionner les petites amies, il était la coqueluche de son école, ce qui rendait Angus vaguement jaloux. Allait-il rester un veuf dont personne ne voulait tandis que son fils multipliait les conquêtes ? Une rivalité ridicule, certes, mais sa virilité lui semblait en jeu et il était parti en chasse. Il avait revu d'anciens amis, s'était permis quelques voyages, et à Paris la chance avait été au rendez-vous.

Sa rencontre avec Amélie restait un délicieux souvenir. Souriante et attentive, elle l'avait écouté en ouvrant de grands yeux. Il s'était revu tout jeune homme, quand Mary lui était tombée dans les bras. Impossible d'ignorer cette deuxième chance que la vie lui offrait. Certes, il était allé vite en besogne, mais Amélie paraissait tout aussi pressée. Deux dîners aux chandelles dans de petits restaurants de Saint-Germain-des-Prés, suivis d'une première nuit où elle l'avait accompagné jusqu'à sa chambre d'hôtel, et là, l'éblouissement. En se réveillant à côté d'elle, gaillard et rajeuni, il avait pris la décision qui s'imposait. Peu importait ce qu'en penserait Scott, ce qu'en déduirait Moïra, ce que diraient les gens. Peu importaient les quatre enfants qu'il fallait prendre avec la femme. Peu importait, au pire, qu'elle ne soit pas tout à fait sincère, pas si amoureuse que ça. C'était bien imité, et s'il représentait une opportunité pour elle, tant mieux, car la réciproque était vraie. Ainsi, personne ne serait lésé dans ce mariage précipité. D'ailleurs, avec le temps, la reconnaissance pourrait se transformer en tendresse, et un lien plus fort finirait par se nouer entre eux.

Amélie jouait le jeu, elle se laissait faire l'amour aussi souvent qu'il le souhaitait. Elle se comportait comme une épouse et semblait trouver Gillespie à son goût. En conséquence, elle voulait ôter des mains de Moïra les rênes de la maison. Allait-il devoir arbitrer ? Il ne souhaitait pas être mêlé à ce qu'il appelait des « histoires de bonnes femmes ». Pour autant, il n'envisageait pas d'écarter sa sœur, il lui était trop redevable.

Perplexe, il se mit à jouer avec le coupe-papier qu'il avait fait tomber un peu plus tôt en s'énervant contre Scott. Que son fils le juge l'exaspérait. Bien sûr, il savait qu'il aurait une réaction négative dans un premier temps, mais à présent tout devait rentrer dans l'ordre. Et son cousin David devrait lui aussi cesser d'avoir l'air surpris chaque fois qu'il tombait sur Amélie au détour d'un couloir ou d'une allée. Il y avait désormais une *lady* Gillespie, tout le monde était prié de s'y faire !

Quant à Scott... Se sentait-il menacé ? Pensait-il sérieusement que son père allait lui ôter son affection pour la reporter sur les trois fils de sa nouvelle femme ? Quelle sottise ! John, George et Philip n'avaient rien d'attachant aux yeux d'Angus. Des adolescents culottés, voire ingérables, qu'il faudrait un jour ou l'autre envoyer en pension si Amélie y consentait. Cela dit, elle n'était pas prête à se séparer d'eux et Angus ne tenait pas à l'y contraindre, car ce serait à lui de payer les frais de leur scolarité. Songer à ce qu'il avait déboursé pour celle de Scott et multiplier le chiffre par trois, voire par quatre, était vertigineux ! Alors, tant pis, qu'elle se débrouille avec eux, il ne s'en mêlerait pas tant que les gamins ne lui marcheraient pas sur les pieds. D'ailleurs, s'il restait assez en retrait vis-à-vis de ces trois garnements, Scott comprendrait qu'il n'avait rien à craindre d'eux. Des garçons dont le père était un *Anglais* ! Un type assez abject, au demeurant, pour abandonner quatre enfants derrière lui. Les malheureux n'y étaient pour rien, et Amélie avait dû connaître une terrible angoisse en se retrouvant seule avec eux. De ce point de vue, Angus apparaissait comme un sauveur, un rôle qui lui convenait.

— Scott, il va falloir t'y habituer, maugréa-t-il entre ses dents.

Jusqu'ici, tout avait coulé de source. Dans l'esprit d'Angus, son fils allait lui succéder avec enthousiasme. Logiquement, il se passionnerait pour les distilleries, qui généraient les revenus principaux de la famille. Il aurait également en charge la gestion des cultures et des troupeaux, la bonne marche de la filature. Il avait commencé à faire ses armes, il prenait de plus en plus de responsabilités et d'initiatives, il ne parlait plus d'apprendre un autre métier.

Sauf qu'il y avait fait allusion tout à l'heure... Une provocation ? L'occasion d'émettre des regrets ? Aurait-il vraiment souhaité un destin différent de celui pour lequel il était né ? Ou bien voulait-il signifier que, s'il reprenait le flambeau, il ne le partagerait avec personne ?

Mal à l'aise, Angus lâcha le coupe-papier et se leva. Il décida de s'octroyer un cigare pour calmer sa nervosité. Il avait beau avoir tout réglé, tout planifié d'avance, l'irruption d'Amélie et de sa progéniture risquait de modifier certaines données dans l'avenir. Une épouse, et surtout une épouse ardemment désirée chaque nuit, pouvait rendre Angus vulnérable. Scott le savait forcément.

Ouvrant avec précaution sa cave à cigares, il en choisit un, le huma, le fit rouler entre ses doigts puis retourna s'asseoir. Avec un petit appareil à double guillotine, il coupa juste le début de la tête pour éviter que la feuille de cape ne se déroule. Il respectait le même rituel chaque fois qu'il s'autorisait à fumer, malgré l'interdiction de son médecin. Mais celui-ci – un ami – n'était pas dupe, allant parfois jusqu'à partager avec lui ce plaisir défendu. Angus alluma d'abord le tour, puis le centre de son havane, et enfin il aspira avec délices. Au contraire de Mary, Amélie prétendait aimer cette odeur. L'affirmait-elle pour lui être agréable ? Quoi qu'il en soit, Angus préférait garder ces instants privilégiés pour lui seul, à l'abri dans son bureau.

À travers les volutes bleutées, il jeta un coup d'œil vers la fenêtre. La nuit tombait déjà, Moïra devait s'affairer dans la cuisine. Sauf si Amélie avait décidé de s'imposer aussi devant les fourneaux. Encore des chamailleries en perspective... Il soupira avant de se remettre à téter son cigare. Peut-être aurait-il mieux fait de prendre une maîtresse régulière, à Glasgow ou ailleurs, plutôt que d'imposer une femme légitime sous les toits de Gillespie. Lui qui prisait la routine et les emplois du temps bien réglés, il s'était fourré dans la gueule du loup ! Mais comment résister aux sentiments ? En dehors des plaisirs de la chair, se sentir aimé, ou même seulement apprécié, en tout cas se faire dorloter au quotidien était délicieux. Et il avait vécu seul assez longtemps pour y avoir droit.

Il se laissa aller contre le dossier de son fauteuil et ferma les yeux. Il était baron et laird, ce dernier titre de courtoisie étant un équivalent écossais du chevalier anglais. On le respectait, ses comptes en banque étaient bien garnis, ses affaires prospères. Son fils allait lui succéder, il pourrait bientôt se consacrer à ses parcours de golf, à des journées de chasse, à des nuits enflammées. Que pouvait-il souhaiter de plus ? Son bonheur était complet, il ne laisserait personne l'entamer.

2

La première année à Gillespie fut difficile pour Kate. Son école lui convenait, elle y obtenait d'assez bonnes notes mais ne s'y était pas fait d'amies. Pour rentrer le soir après les cours, elle prenait le bus scolaire qui la déposait à un arrêt improbable, perdu dans la campagne, où elle était seule à descendre. David ou bien sa mère l'y attendaient en voiture, pour la ramener au manoir. Parfois, et dans ces cas-là le cœur de Kate se mettait à battre à grands coups, elle découvrait la Jeep Patriot noire de Scott. En général, il était debout à côté, appuyé à la portière, et il lui adressait toujours un signe de la main, comme si elle risquait de ne pas le reconnaître ! Sur le chemin trop bref du retour, il lui posait une ou deux questions, baissait la radio pour écouter les réponses, souriait gentiment. Mais, en dehors de ces rares occasions, elle ne le voyait qu'au cours des repas, sauf quand il s'absentait, ce qui lui arrivait souvent.

L'ambiance familiale était assez mauvaise. John, George et Philip avaient des résultats scolaires très médiocres, se trouvant toutes sortes d'excuses. D'après eux, leurs professeurs ne les aimaient pas, les élèves les traitaient d'« Anglais » avec mépris, les programmes étaient trop durs. Leur mère s'angoissait tandis qu'Angus se contentait de lever les yeux au ciel. Jusqu'ici, il ne s'en était pas mêlé, estimant que ce n'était pas son rôle, et les garçons en profitaient. Néanmoins, ils semblaient le craindre et faisaient un effort pour se tenir correctement à table.

Amélie et Moïra n'avaient pas réussi à trouver un terrain d'entente. À force de vouloir tout régenter, Amélie avait fini par être débordée. Elle avait dû lâcher du lest, rendant certaines de ses prérogatives à sa belle-sœur. De toute façon, elle était une piètre cuisinière et, hormis quelques recettes françaises dont elle se glorifiait, elle ne savait pas préparer grand-chose. Au dîner, ils étaient au moins huit à table, neuf si Scott était présent, ce qui impliquait de grandes quantités de nourriture et de longues heures de préparation. Or Amélie préférait s'occuper de décoration et d'ameublement plutôt que de concocter des soupes de gibier ou de mitonner un haggis, cette horrible panse de brebis farcie.

Angus chassait, s'adonnait à sa passion du golf, s'enfermait dans son bureau pour parler avec Scott. Il aimait recevoir des amis, souvent venus de loin et qui dormaient au manoir, dans l'une des nombreuses chambres. En retour, il était régulièrement invité avec Amélie, qu'il adorait exhiber, fier de se montrer au bras d'une jeune épouse. Lors de ces absences, il exigeait de Scott qu'il veille sur la famille, sachant que Moïra n'avait pas l'autorité nécessaire, et David encore moins.

Au début, John, George et Philip avaient tenté de jouer les souris qui dansent quand le chat n'est pas là, ce qui avait contraint Scott à les rappeler à l'ordre. Il ne voulait se comporter ni en tyran ni en grand frère, mais les trois adolescents l'exaspéraient. Paresseux, désordonnés et bruyants, ils se disputaient en permanence, sauf lorsqu'ils se liguaient contre quelqu'un. Kate était une de leurs cibles favorites, ils s'amusaient à ses dépens en inventant toutes sortes de mauvaises plaisanteries comme lui faire peur la nuit, lui cacher ses cahiers ou découper ses chaussettes. Habituée depuis sa naissance à les subir, Kate se méfiait d'eux et se gardait bien de montrer son attirance pour Scott. Si jamais ils s'en apercevaient, elle vivrait un enfer. Cependant, elle n'y pouvait rien, Scott occupait ses pensées et son cœur. Elle avait quatorze ans à présent, son corps commençait à changer. Longtemps, elle était restée petite pour son âge, mais voilà qu'elle devenait une véritable adolescente et connaissait ses premiers émois.

Évidemment, Scott ne s'apercevait de rien, il la considérait toujours comme une enfant, faisant preuve de gentillesse à son égard et n'imaginant pas un instant être l'objet de son adoration. Cette première année de cohabitation avait été pour lui une épreuve, sa belle-mère ne lui inspirant rien d'autre que la plus grande méfiance. Soucieux d'échapper à l'atmosphère pesante du manoir, il se rendait souvent à Glasgow, où il fréquentait une bande de copains. Les anciens de sa pension formaient un groupe solide auquel se joignaient régulièrement de nouvelles têtes, et ces jeunes gens démarrant dans la vie active comparaient leurs expériences au cours de soirées bien arrosées. Scott était à l'aise parmi eux, sociable, brillant, et ni son sourire charmeur ni son regard bleu ardoise n'échappaient aux filles. S'il ne faisait pas de confidences à propos de sa vie de famille, en revanche il parlait volontiers des distilleries dont le fonctionnement commençait à le passionner. Ce qu'il avait pris pour un pensum se révélait un métier plein d'intérêt. Il envisageait déjà des améliorations, prenait des initiatives qu'il soumettait à Angus, nouait des liens avec ses partenaires et ses employés. La filature, en revanche, le laissait perplexe. Tisser des tartans avait beaucoup inspiré sa mère, mais pas lui. Pourtant, il se sentait obligé d'honorer sa mémoire et se faisait un devoir d'assurer la viabilité de l'affaire. Ce qui lui manquait, en fait, c'était une bonne styliste. Il en parla à son meilleur ami, Graham, avec qui il avait fait presque toutes ses études, et qui lui présenta une jeune femme ravissante. Elle s'appelait Mary, et le fait qu'elle porte le même prénom que sa mère amusa Scott. Il y vit un clin d'œil du destin et, satisfait par ses références, il décida de lui proposer du travail. Elle démarrait sa carrière, avait déjà obtenu quelques succès auprès de certains fabricants, mais surtout elle était jolie, intelligente, cultivée.

Dans les moments qu'ils passèrent ensemble à la filature, penchés sur des croquis, Scott et Mary découvrirent qu'ils se plaisaient. Toutefois, afin de préserver leurs rapports dans le travail, ils prirent l'habitude de se voir en dehors. À Glasgow, fuyant les pubs du centre où ils auraient pu rencontrer leur groupe d'amis, ils délaissèrent le Horse Shoe et le Butterfly and Pig pour se réfugier dans les petits restaurants du West End et passer leurs soirées en tête à tête. Scott avait déjà eu des aventures et des coups de cœur, mais il devina qu'avec Mary ce serait différent de ce qu'il avait connu jusque-là. Elle était blonde, avait des cheveux très courts et ne maquillait que ses grands yeux bleus. Ainsi que son métier l'exigeait, elle s'habillait avec élégance et une pointe d'originalité. Ses précédents contrats l'avaient conduite d'Édimbourg à Dublin, puis à Londres. Et, même si elle rêvait de Paris, elle semblait se plaire à Glasgow pour l'instant.

En l'espace de quelques mois, Scott se sentit très amoureux, cependant il n'avait que vingt-trois ans et ne souhaitait pas s'engager de manière formelle. De son côté, Mary, à vingt-cinq ans, espérait que leur relation les mènerait au mariage, tout en évitant de l'évoquer. Elle habitait un petit appartement proche de l'université, où Scott restait parfois dormir. Dans ces cas-là, il se levait avant l'aube pour reprendre la route et gagner l'une des deux distilleries. S'il n'avait pas encore invité Mary à Gillespie, ils recommençaient à fréquenter leurs amis, aux yeux desquels ils formaient désormais un couple.

*

— Finir son assiette est la moindre des politesses, rappela Scott.

Face à lui, John se contenta de le toiser et croisa les bras sans répondre.

— Si tu n'as pas faim ou si tu ne te sens **pas bien**, tu peux quitter la table et monter te coucher.

John leva les yeux au ciel mais resta sur sa chaise, décidé à provoquer Scott.

— Qu'est-ce qui ne va pas chez toi, John ?

— Ton comportement de garde-chiourme, répliqua l'adolescent en français.

— Eh bien, je ne connais pas ce mot-là, mais je suppose qu'il est délibérément désagréable ?

Scott parlait bien le français, ce qui eut l'air de surprendre les trois fils d'Amélie. Jusque-là, ils avaient utilisé leur langue maternelle entre eux comme un code secret, persuadés que les Gillespie ne la comprenaient pas. Après avoir haussé les épaules, John revint à l'anglais.

— Tu n'as pas d'ordre à me donner, Scott. Je n'en accepte que de ma mère, et encore !

Il ponctua sa déclaration d'un ricanement arrogant puis repoussa son assiette. Des trois garçons, il était le plus insolent et servait de porte-parole à ses frères. Scott jeta un regard à Moïra, qui gardait les lèvres pincées, attendant la fin de l'altercation. David semblait ailleurs, peu concerné selon son habitude, et Kate avait les yeux baissés, les joues rouges.

— Si tu cherches la bagarre, tu n'es pas de taille, avertit Scott d'un ton posé. Je ne te donne pas d'ordre, je te demande de te comporter avec courtoisie quand nous sommes réunis lors des repas. Moïra se donne du mal pour préparer notre...

— Mais c'est infect ! explosa l'adolescent. Ah, l'Écosse n'est pas la patrie de la gastronomie, je ne sais pas comment vous pouvez bouffer ça !

Scott se leva, contourna la table et vint saisir John par le coude.

— Sors d'ici, lui dit-il en l'obligeant à quitter sa chaise.

Debout, Scott dominait John d'une bonne tête. À l'évidence, s'ils en venaient aux mains, l'adolescent n'aurait pas le dessus. Il le comprit malgré sa fureur et se décida à gagner la porte.

— Tu le regretteras ! lança-t-il par-dessus son épaule.

Ils l'entendirent traverser le salon voisin à grands pas, puis il y eut un fracas de porcelaine brisée. Scott bondit hors de la salle à manger et découvrit John parmi les débris d'une superbe lampe chinoise.

— Je ne l'ai pas fait exprès, déclara-t-il d'une voix où perçait l'ironie. J'espère que tu n'y tenais pas trop ?

Scott le toisa durant deux ou trois secondes jusqu'à ce que l'adolescent ajoute :

— Tu sais quoi, Scotty ? Ton père adore ma mère, et ma mère m'adore... Alors, je fais ce que je veux ici, que ça te plaise ou non.

— N'utilise aucun diminutif avec moi, répondit patiemment Scott. Tu comprendras tout seul qu'on ne peut pas faire n'importe quoi sous ce toit. Tu es chez les Gillespie, des gens bien, et tu n'es qu'une espèce de morveux franco-anglais mal élevé et lâche. « Maman ne me grondera pas » ! Quel âge as-tu pour parler comme un bébé ?

De la salle à manger voisine ne parvenait nul bruit de conversation, tout le monde devait les écouter. Piqué au vif par le mépris de Scott, John eut un geste malheureux. Il fonça sur lui, lançant son poing au hasard, mais il rata

40

sa cible et, emporté par son élan, alla s'affaler contre une bergère.

— Tu es pathétique, marmonna Scott en secouant la tête.

Vexé, ivre de rage, John se releva. Dans ses yeux se lisait un impérieux désir de vengeance, et Scott comprit qu'ils seraient désormais de vrais ennemis. Il ignorait de quelle manière son père allait réagir en apprenant l'incident, mais Amélie serait d'autant plus contrariée que son fils risquait de présenter les choses sous un jour dramatique.

— Va donc te coucher, lâcha-t-il, excédé.

Voir Angus roucouler devant sa nouvelle épouse lui était pénible, même s'il essayait de s'en accommoder depuis quelques mois, et à présent il se demandait jusqu'où son père s'aveuglerait. Deux clans distincts étaient en train de se former, lequel choisirait-il ? Entre ses beaux-enfants et son propre fils, l'ambiance se détériorait de plus en plus et une bagarre finirait par éclater.

Scott regagna la salle à manger, où les regards ulcérés de George et Philip l'accueillirent.

— On vous laisse, grommela George.

Il ne l'avait dit qu'à mi-voix et son assiette était vide. Scott acquiesça d'un signe de tête tandis que George entraînait son frère. Dans le silence qui suivit, Kate bredouilla :

— Je suis désolée...

— Ne le sois pas, tu n'y es pour rien.

— Ils ont toujours été affreux ! Pris séparément, passe encore, mais tous les trois ensemble... C'était délicieux, Moïra.

Scott observa la jeune fille, amusé par les efforts qu'elle déployait.

— Merci, ma jolie, répondit Moïra en souriant. Délicieux, je ne sais pas, mais en tout cas pas infect.

La réflexion de John l'avait blessée, et sans doute s'attendait-elle au pire pour les prochains repas. Scott devinait que, pour elle, la situation n'était pas simple. Que devait-elle céder à Amélie, et à quoi devait-elle s'accrocher ? La présence de Moïra dans la maison de son frère à Gillespie était-elle moins légitime que celle de l'épouse ? Réprimant un soupir, elle échangea un coup d'œil avec Scott. Devant Kate, impossible de parler librement.

— Je vais chercher le dessert, proposa la jeune fille comme si elle avait deviné leur malaise.

Elle s'éclipsa vers la cuisine et Moïra en profita pour murmurer :

— Elle est charmante, tout le contraire de ses frères.

— Et elle a su s'adapter, ajouta Scott.

David parut sortir de sa torpeur, il se redressa et se mit à sourire.

— Chouette gamine, je suis d'accord. Elle adore le parc et elle vient souvent bavarder avec moi. En plus, elle est mignonne comme un cœur. Angus lui-même s'adoucit quand il s'adresse à elle.

L'une des qualités de David était de ne jamais dire du mal de personne. Néanmoins, sa dernière phrase faisait allusion au caractère autoritaire d'Angus, qu'il subissait depuis des années. Mais pour lui comme pour Moïra, habiter Gillespie représentait une grande chance. Où auraient-ils vécu sans la générosité de leur frère et cousin ? Angus les avait accueillis, leur avait donné une réelle importance au sein du clan, les avait sauvés de la solitude. Bien sûr, ils étaient utiles puisqu'ils se chargeaient de l'intendance à l'intérieur et à l'extérieur du manoir, et peut-être Angus était-il aussi égoïste que magnanime, mais cette cohabitation arrangeait tout le monde.

Lorsque Kate revint, portant le *cranachan* aux framboises et au whisky, Scott remarqua que, en effet, elle devenait ravissante. Depuis son arrivée, l'année précédente, elle avait beaucoup changé et grandi, ses traits enfantins s'estompaient pour laisser place à un très joli visage de jeune fille. Ses grands yeux noisette pailletés d'or étaient bordés de longs cils, ses lèvres bien dessinées, sa peau fine et pâle. D'ici quelque temps, sans doute ferait-elle des ravages, mais elle n'avait même pas quinze ans, elle ne pensait sûrement pas encore à l'amour.

Elle tourna la tête vers lui et leurs regards se croisèrent, provoquant aussitôt l'embarras de Kate, qui rougit.

— Il y a très peu d'alcool dans ce gâteau, dit-il en riant, tu as le droit d'en manger !

L'évidente timidité de l'adolescente attendrissait Scott, qui faisait tout pour la mettre à l'aise. Elle semblait n'avoir pas été élevée par la même personne que ses frères. Et pourtant Amélie la négligeait, trop occupée à chouchouter et à défendre ses fils. De qui Kate tenait-elle ses manières délicates, son sourire réservé ? De son mystérieux père, dont elle ne parlait jamais ?

— Quand tu fais ce dessert, tu es ma tante bien-aimée, déclara-t-il à Moïra avec un clin d'œil.

Il eut le plaisir de la voir se rengorger, heureuse d'obtenir enfin un compliment sincère.

— Maintenant, ajouta-t-il, si vous voulez bien m'excuser, je dois partir. Je dors à Glasgow ce soir, et sans doute demain aussi.

— Fais attention sur la route, répliqua machinalement Moïra.

En allant l'embrasser, il lui glissa à l'oreille :

— Tu t'en sortiras toute seule ?

— Angus et Amélie rentreront dans la matinée. D'ici là, ça ira.

Après avoir salué David, il tapota l'épaule de Kate au passage.

— Scott ! le rappela Moïra. Quand nous présenteras-tu Mary ?

C'était la première fois que Kate entendait le prénom de la mystérieuse « amie » de Scott, et elle eut l'impression que son cœur ratait un battement.

— Je ne tiens pas à l'inviter ici… pour l'instant, répondit Scott à mi-voix.

Kate comprit qu'il faisait référence à sa mère, à ses frères, peut-être à elle-même. La seule idée de présenter tout ce petit monde devait l'agacer.

— Angus adorerait te savoir fiancé, ironisa Moïra. Il a hâte que tu fabriques plein de petits Gillespie !

— Je n'en suis pas là.

Les yeux rivés sur son assiette, Kate ne voulait plus le regarder. Avait-il l'air heureux quand on parlait de cette Mary ? Était-il pressé de partir la retrouver ? Dormait-il chez elle à Glasgow ? Toutes sortes de questions se heurtaient dans son esprit, certaines rendirent ses joues brûlantes. Quand elle osa relever la tête, Scott s'était éclipsé et elle éprouva une sensation de vide. Gentiment, Moïra lui proposa une autre part du *cranachan*, qu'elle s'empressa d'accepter en espérant que le whisky l'aiderait à s'endormir. Chaque soir, dans son lit, elle songeait à Scott et échafaudait mille projets qui lui procuraient de belles rêveries. Elle savait qu'il s'agissait de chimères et que Scott resterait hors de sa portée, mais elle ne pouvait s'empêcher d'y penser encore et encore. Vivre sous le même toit que lui entretenait son obsession, et chacun des sourires qu'il lui adressait la laissait pantelante. À présent, ce serait pire, sachant qu'une autre avait conquis le cœur de Scott elle allait connaître les tourments de la jalousie. Impuissante, elle ne pouvait rien espérer, elle n'avait pas quinze ans et était la fille d'Amélie, deux obstacles rédhibitoires. Dans quelques mois ou quelques années, elle assisterait sans doute au mariage de Scott, serait peut-être même demoiselle d'honneur et n'aurait plus qu'à présenter ses vœux de bonheur !

Découragée, elle se leva et entreprit de débarrasser pour aider Moïra.

*

Aussi élégante que de coutume, Mary portait un kilt ultracourt sur un collant opaque et des bottes noires. Son pull crème à col boule, tissé de fils argentés, était l'une de ses dernières créations.

— Tu es sublime, murmura Scott en la serrant dans ses bras.

Il le lui disait chaque fois qu'il la retrouvait, avec une sincérité désarmante.

— Je te sers un whisky ? proposa-t-elle. Tu remarqueras que j'ai acheté du Gillespie ! J'ai dû chercher, vous n'êtes pas distribués partout... Comment était la route ?

— Glissante. Mouillée, mais pas encore verglacée. À mon avis, il faudra faire attention demain matin.

Ils avaient prévu de se suivre jusqu'à la filature, où Scott passerait la matinée avant de gagner la distillerie de Greenock. Tandis qu'elle préparait les verres, il la suivit du regard, heureux d'être là. Le petit appartement de Mary était moderne, confortable et gai. Un décor insolite pour Scott, habitué au mobilier imposant du manoir, à ses vastes dimensions, ses recoins et ses galeries.

— L'aîné des fils d'Amélie a encore fait un esclandre, ce soir. Il en a profité pour casser une lampe chinoise de grande valeur...

— Quel gamin odieux !

— Si j'avais eu ce genre d'humeur à son âge, j'aurais eu droit à une bonne correction. Mais aujourd'hui mon père ne veut pas contrarier sa femme, il essaie de fermer les yeux.

— Si la lampe valait cher, il les rouvrira, prédit Mary en riant.

45

— Je n'en suis pas sûr. Amélie trouvera des excuses à son fils. Elle ne se rend pas compte qu'en leur passant tout elle rend ses enfants insupportables. Enfin, les garçons, parce que Kate est une gamine attachante.

— J'aimerais bien les connaître, un de ces jours.

— Vraiment ?

Mary lui tendit son verre et attendit qu'il lève les yeux vers elle.

— Oui, vraiment.

Elle ne comprenait pas pourquoi il ne l'avait pas encore emmenée à Gillespie. La filature n'était pas loin du manoir, mais jamais Scott ne l'y avait invitée, ne serait-ce que pour un déjeuner.

— À ton âge, tu as le droit d'avoir une petite amie, et en plus, je suis l'une de tes collaboratrices !

Il hésita un instant, cherchant la réponse la moins blessante.

— Mon père n'est pas un homme très... moderne. Si tu viens à la maison, il y verra une annonce officielle de fiançailles et voudra mettre les petits plats dans les grands pour te recevoir. Je ne lui ai jamais présenté aucune copine, en revanche mes copains sont les bienvenus, sauf qu'il les met mal à l'aise en les bombardant de questions sur leur avenir professionnel, leurs idées politiques et leur opinion à propos de l'indépendance de l'Écosse !

Il avait espéré la faire sourire, mais n'obtint qu'une grimace dubitative.

— Mary...

Quittant le canapé, il se dirigea vers elle, la prit dans ses bras.

— C'est bien trop tôt pour penser à autre chose qu'à être heureux ensemble. Profitons du présent, veux-tu ? Je t'aime, Mary, et je suis bien avec toi.

Sans doute espérait-elle autre chose que cette plate déclaration car elle ne répondit rien, se bornant à poser sa tête contre l'épaule de Scott.

— Je commence à peine à gagner ma vie, poursuivit-il tout bas. J'ai été nommé gérant de la filature, mais pour l'instant je ne suis que salarié des distilleries.

— Tu travailles tout le temps !

— Je n'ai pas encore fait mes preuves. Mon père s'est toujours montré très avisé pour ses affaires, et il attend de savoir si je suis à la hauteur, si je ne vais rien mettre en péril par inexpérience ou paresse. Je n'ai pas beaucoup de marge de manœuvre car il veut à la fois que je respecte la gestion qu'il a mise en place et que j'apporte du nouveau. Il sait que le monde change vite, qu'il sera peut-être bientôt dépassé, mais il se demande de quoi je suis capable. Lui-même a dû lutter pour que son père lui passe le flambeau, il ne va pas me l'offrir sur un plateau.

— Pourtant, il te laisse libre, non ? Tu dis qu'il s'occupe surtout de sa femme, qu'il joue au golf, qu'il chasse…

— Et tous les jours il me convoque dans son bureau pour que je lui rende des comptes. Je vais avoir vingt-quatre ans, il trouve ça un peu jeune pour m'abandonner les rênes.

— Mais ta vie privée ne regarde que toi.

— Je fonderai ma propre famille quand j'en aurai les moyens, pas avant.

Il l'avait dit d'un ton brusque qui incita Mary à s'écarter de lui, et il ne fit rien pour la retenir. Pourquoi, alors qu'il était très amoureux d'elle, ne parvenait-il pas à s'engager ? C'était la seule façon de la rassurer sur ses sentiments, pourtant il répugnait à évoquer le mariage, ou même à y penser. Tous les hommes réagissaient-ils comme lui avant de sauter le pas ? Scott se sentait très indépendant et prêt à défendre sa liberté, quel que soit le prix à payer. Il ne s'imaginait pas passant directement de Gillespie, où il était né et avait toujours vécu, à une autre maison avec femme et enfants. Il comptait d'abord se trouver un studio et y habiter seul. Peut-être cherche-rait-il du côté de Greenock, sur la côte, pour être à proxi-mité des distilleries, ou bien carrément à Glasgow, dont il adorait l'ambiance et où il pourrait continuer à sortir et à voir ses amis. Après de nombreuses soirées en tête à tête, Mary et lui avaient de nouveau envie de s'amu-ser avec leur bande de copains, de prendre des places de concert, de refaire le monde au fond des pubs. Mais la jeune femme comprendrait-elle qu'il veuille avoir un lieu rien qu'à lui ? Ils pourraient toujours s'inviter l'un chez l'autre...

— Nous ne rêvons pas de la même chose, soupira Mary. C'est dommage !

Elle s'était éloignée et se tenait devant la fenêtre, obser-vant l'animation de la rue. L'espace d'un instant, il eut peur qu'elle ne se mette à dire des choses définitives. Il ne voulait pas la perdre, il souhaitait juste qu'elle se montre patiente. Après tout, elle n'avait que deux ans de plus que lui, pourquoi était-elle si pressée ?

Quand elle se retourna, il fut frappé par sa beauté. De petites mèches de cheveux blonds coupés court enca-draient son visage parfait : nez fin, yeux en amande, lèvres bien dessinées. Chaque fois qu'il la déshabillait, il deve-nait fou devant ses seins ronds, sa taille fine, ses hanches pleines et son ventre plat. La plupart des hommes la regardaient avec envie, et comme elle portait toujours des vêtements qui la mettaient en valeur, elle ne passait pas inaperçue. Sûre d'elle, féminine, souriante, elle lui avait plu dès le premier jour et son désir pour elle ne s'était pas émoussé. Il la rejoignit et l'enlaça en murmurant :

— En tout cas, je rêve de te faire l'amour, tu es la plus belle femme que je connaisse.

Il était derrière elle, la tenant prisonnière de ses bras. Il embrassa sa nuque, son oreille, mais au lieu de se laisser aller, elle déclara :

— À défaut de rencontrer ton père, je voudrais te présenter au mien. Oh, rassure-toi, ça ne t'engage à rien, mais il aime bien savoir qui je fréquente. Accepterais-tu de passer un week-end à Édimbourg avec moi ? J'ai promis d'y aller à la fin du mois, mais nous ne serons pas obligés de loger chez mes parents. On peut prendre une chambre d'hôtel et se contenter de dîner avec eux.

Scott se raidit, contrarié. Dans l'éducation stricte que lui avait donnée Angus, quand on faisait la connaissance du père de sa petite amie, c'était pour lui en demander la main. Sinon, difficile de se sentir à l'aise devant un homme qui vous regardait en se disant : « Ce type couche avec ma fille. »

— Tu refuses ça aussi ? insista Mary.

— Non, il n'y a aucun problème, se força-t-il à répondre.

— Ils habitent près de Charlotte Square, tu vois où c'est ?

— Un joli quartier…

— Je me languis d'Édimbourg, j'y ai été très heureuse.

— Pourquoi en es-tu partie ?

— Après mes études, j'avais envie de voyager, de voir du pays. Dublin et Londres sont des villes agréables, mais l'Écosse me manquait.

— Comment as-tu atterri à Glasgow ?

— J'y avais obtenu un contrat qui venait de se terminer quand je t'ai rencontré. Et tu m'as proposé du travail !

Elle esquissa un sourire attendri, comme si l'évocation de ces premiers moments lui procurait toujours la même émotion.

— Pendant l'entretien d'embauche, tu m'as à peine regardée, seuls mes croquis et mon CV t'intéressaient, mais moi je te dévorais des yeux en priant pour que tu m'engages. Un patron aussi mignon, ça ne se trouve pas tous les jours.

— « Mignon » ? répéta-t-il avec une grimace.

Puis il éclata de rire, oubliant sa contrariété. Après tout, un simple dîner avec les parents de Mary ne serait pas une épreuve insurmontable, et elle semblait tant y tenir qu'il ne voulait pas la décevoir.

*

— John n'est pas un gamin de dix ans qu'on envoie se coucher, protesta Amélie. Scott a fait une crise d'autorité stupide et déplacée.

Angus hocha la tête, espérant encore éviter une scène, mais Amélie poursuivit :

— Dès que nous avons le dos tourné, il se comporte en tyran avec mes fils ! John n'a pas fait exprès de casser cette lampe, c'est ridicule. Il sera bientôt majeur, tu te rends compte ?

— À ce propos, je crois qu'il n'obtiendra pas son Higher.

Angus faisait allusion à l'examen de fin d'études secondaires, équivalent du bac en France ou du A-Level en Angleterre.

— Et s'il ne l'a pas, rappela-t-il, impossible d'intégrer une université.

— Il peut redoubler. Pour l'instant, il n'a pas encore choisi son futur métier. Mais je me sens responsable, j'ai ballotté mes garçons de France en Écosse, où la scolarité est si différente... Ils ne s'y retrouvent plus, c'est bien normal.

— Chérie, ils sont là depuis plus d'un an, ils ont eu le temps de s'adapter.

Angus refusait la moindre responsabilité quant aux échecs des trois garçons, et par souci d'honnêteté il ne s'attribuait aucun mérite non plus quant aux brillants résultats de Kate. En réalité, il voulait tenir la tribu d'Amélie un peu à l'écart de sa propre vie, mais ce n'était pas simple.

— Ta fille s'en sort très bien, ajouta-t-il d'une voix conciliante.

— Les filles sont toujours plus sages que les garçons à cet âge-là. J'imagine que Scott n'a pas toujours été un élève modèle ?

Elle ne cessait de comparer ses trois fils à Scott, ce qui finissait par lasser Angus.

— Il marchait droit, je n'aurais pas permis autre chose, marmonna-t-il.

— Et qu'a-t-il choisi comme filière ?

— Nous avons choisi ensemble. Il avait le devoir de reprendre les affaires en main et, comme à chaque génération, de les faire prospérer si possible. En conséquence, il a étudié la gestion d'entreprise, le commerce et le marketing durant quatre années à l'université, ce qui lui a donné son diplôme de Bachelor, ensuite il est parti faire le tour de l'Europe.

— Tu lui as financé une année sabbatique ? ironisa-t-elle.

— Bien sûr que non ! Il n'est pas allé là-bas en touriste, il a suivi des stages dans diverses exploitations, comparé les méthodes et les débouchés, étudié le marché des alcools et celui des textiles. Je souhaitais qu'il soit à l'aise, qu'il n'ait pas à tâtonner au début comme j'ai pu le faire. De mon temps, on était censé avoir la science infuse alors qu'en réalité on apprenait sur le tas. Et puis les choses avancent vite avec la mondialisation, tout ça... Il faut suivre !

Sans doute avait-il parlé d'un air trop satisfait car il vit Amélie se renfrogner. Bien qu'amoureux, il n'était pas stupide, il savait qu'elle pensait à l'avenir de ses propres fils et que fatalement elle essaierait de les lui imposer. Une perspective qu'il redoutait, cependant il allait devoir faire preuve de diplomatie pour avoir la paix. Lorsque Amélie était contrariée, elle lui tournait le dos le soir dans leur lit, le laissant dépité et frustré. Or il avait pris goût à son corps, au plaisir qu'elle lui donnait, dont il ne voulait pas se priver. Trop longtemps, il avait été un veuf solitaire, à présent qu'il était un « jeune » marié il comptait en profiter sans réserve.

— Tu as trois sociétés, Angus, Scott ne pourra jamais tout mener de front, c'est beaucoup trop pour un seul homme. Pourquoi n'essaierais-tu pas d'intéresser John, ou même George, à la filature par exemple ?

La question le prit de court. La filature ? Seigneur, c'était l'œuvre de Mary ! Jamais Scott ne s'encombrerait là-bas d'un des fils d'Amélie, il y verrait une injure à la mémoire de sa mère.

— Je te propose ça parce que je sens bien que les distilleries sont une chasse gardée ! Pourtant, je porte ton nom, moi aussi je suis une Gillespie.

— Pas tes enfants, répondit-il sèchement.

La réponse avait fusé malgré lui et Amélie le foudroya du regard.

— C'est parce que leur père est anglais que tu les rejettes, n'est-ce pas ?

— Mais non... D'ailleurs, je ne les rejette pas. Je suis même prêt à leur offrir de quoi améliorer leurs résultats scolaires. Il faudrait les envoyer en pension, Amélie. Je l'ai fait pour Scott, ce qui l'a rendu bon élève. Les établissements sérieux sont hors de prix, mais je peux m'en charger, pour tous les *trois*. Prends ma proposition comme un cadeau.

Elle parvint à contenir sa colère pour répliquer, d'une voix plaintive :

— Je refuse d'être séparée d'eux. Ils n'ont que moi ! S'ils vont en pension, nous n'aurons plus aucun échange. Ils seront loin de moi, de leur sœur...

— Vos « échanges » se résument à des querelles, et ils ne font que tourmenter leur sœur.

— Je te trouve sévère. Et buté ! Écoute, je ne les expédierai pas en pension pour m'en débarrasser. Si tu as eu le cœur d'imposer ça à ton fils, en ce qui me concerne je ne l'aurai pas. Je suis quelqu'un de très sensible, tu le sais, et les imaginer dans un pensionnat glacial, peut-être séparés, ou punis injustement, ou...

— Ils ont besoin d'être punis, or tu en es incapable.

Il comprit tout de suite qu'il était allé trop loin. Amélie se redressa de toute sa taille et le toisa.

— La discussion est close, articula-t-elle. Ne me fais pas regretter d'avoir eu confiance en toi et de t'avoir suivi jusqu'ici. Mes enfants sont sacrés pour moi, je t'avais prévenu. Maintenant, si tu penses que nous sommes indésirables sous *ton* toit, dis-le-moi.

— Amélie, voyons ! Vous êtes les bienvenus tous les cinq, et je me félicite chaque jour de t'avoir épousée. Cette maison est la tienne, je veux que tu t'y sentes bien.

— Alors arrête de me contrarier, arrête d'accuser mes fils de tous les maux, et arrête de chouchouter Scott au point de me le faire prendre en grippe.

Pour atténuer ses propos, elle le rejoignit, lui mit les bras autour de la taille et l'embrassa sur la bouche. La sentir collée contre lui déclencha aussitôt son désir. Il adorait ces instants où elle se montrait sensuelle, où elle le provoquait. Qu'avait-il fait pour mériter qu'une si belle femme veuille faire l'amour avec lui ? Il n'était ni jeune ni

séduisant, il en avait bien conscience, pourtant elle semblait prendre du plaisir lorsqu'il la caressait. Il remonta
son pull d'un geste maladroit, dégrafa le soutien-gorge,
prit ses seins à pleines mains. Fermant les yeux, elle laissa
échapper un petit grognement de satisfaction qui acheva
de le rendre fou.

Il voulait désespérément la rendre heureuse. Pas seulement la satisfaire mais aussi lui apporter du bonheur, et
peut-être finir – mais il osait à peine l'espérer – par remplacer Michael dans son cœur.

*

— On a le droit de venir avec qui on veut, répéta Kate.
Un parent, un ami, un frère, du moment qu'on a un cavalier. Mais moi, je ne connais personne.

Son regard plein d'espoir émut Scott, qui la gratifia
d'un sourire affectueux.

— Un frère ? Tu en as trois !

— Jamais je ne leur demanderais de m'accompagner
où que ce soit. Ils ne savent pas se tenir, tu les connais.
S'il te plaît, Scott... Ce sera une soirée amusante, même si
elle est surveillée par les professeurs.

— Et il faut se déguiser ?

— Il n'y a pas de thème précis, on peut choisir n'importe quel costume. L'école organise toujours cette fête
en novembre, mais l'année dernière je venais d'arriver et
je me sentais perdue, alors je n'y suis pas allée. Cette fois,
je ne peux pas me défiler. Il y aura un buffet, tous les
élèves apportent quelque chose, moi j'ai demandé à Moïra
de faire un gâteau au chocolat, et puis on va danser !

— Pas d'alcool, je suppose ?

— De la bière, uniquement pour les parents. Tu peux
être considéré comme un parent, vu ton âge. Allez, dis
oui...

54

Elle était si attendrissante qu'il finit par céder. Après tout, elle avait fait beaucoup d'efforts pour s'adapter à son école comme à Gillespie, et ça valait bien une récompense. Dès qu'il donna son accord, elle hurla de joie et lui sauta au cou.

— En quoi seras-tu déguisée ? voulut-il savoir. En lutin ? Blanche-Neige, Robin des Bois ?

— Pourquoi pas en princesse ?

— Sois un peu originale.

Déçue, elle esquissa une grimace.

— J'en discuterai avec Moïra, c'est elle qui va fabriquer mon costume. Et toi, Scott, en quoi t'imagines-tu ?

— Aucune idée. Sultan ? Non, trop compliqué.

— Guillaume le Conquérant ? suggéra-t-elle.

— Sûrement pas, il a envahi l'Écosse !

— Il y a mille ans de ça.

— Bravo, mademoiselle, tu apprends bien tes leçons d'histoire. Bon, je vais réfléchir à notre affaire. Quelle est la date exacte ?

— Le samedi 28.

— Oh…

Le bal costumé tombait en même temps que le dîner prévu à Édimbourg avec les parents de Mary. Mais il ne voulait pas décevoir Kate et il supposa que la rencontre pourrait être reportée d'une ou deux semaines sans que Mary s'en offusque.

— Ah, les femmes ! Vous avez l'art de nous compliquer la vie, dit-il en riant.

C'était évidemment une plaisanterie, pourtant Kate se troubla, baissant les yeux.

— Je t'ai vexée ? Désolé, ma puce.

Par jeu, il prit le bout d'une de ses nattes et lui en fit une moustache.

— En Charlie Chaplin, tu serais très bien aussi, Moïra a sûrement un chapeau melon dans un coin.

Après un dernier sourire, il s'éclipsa sous prétexte qu'il avait du travail. Restée seule, Kate laissa échapper un long soupir de frustration. Pour qui la prenait-il ? Une gamine de dix ans ? Ne voyait-il pas qu'elle avait changé ? Mais au moins, il allait l'accompagner, elle avait réussi à obtenir son accord, c'était inespéré. Scott comme cavalier ! Toutes les élèves de son école allaient s'en évanouir de jalousie. Et elle ne se déguiserait pas en clown ou en nain, ça non, au contraire elle comptait se montrer sous son meilleur jour. Une robe de princesse ou de fée, une coiffure qui la vieillirait, peut-être un décolleté ?

L'idée lui fit rougir les joues. Elle ignorait tout des méthodes de séduction. Du matin au soir elle ne voyait que les filles de sa classe, et les week-ends elle restait en famille. Elle n'avait jamais fait de *charme* à personne. Bien sûr, elle lisait beaucoup, regardait des séries et des films à la télé, mais elle se sentait incapable d'imiter les attitudes aguicheuses de certaines héroïnes. D'ailleurs, même si elle avait su comment s'y prendre, jamais elle ne se serait risquée à tester la méthode sur Scott. La dernière chose qu'elle souhaitait était qu'il se moque d'elle, la juge ridicule ou trouve son comportement déplacé. De toute façon, elle avait peur de lui déplaire, car s'il la fuyait elle perdrait ce qu'elle avait de plus précieux. Mais, bon sang, être traitée en bébé avait quelque chose d'insupportable !

Elle alla jusqu'au superbe miroir vénitien qui ornait l'un des murs. Le petit salon où elle se trouvait était moins imposant que les deux autres, destinés aux réceptions, et surtout moins austère. Kate aimait son atmosphère douillette et elle espérait que sa mère, qui n'en avait pas tout à fait fini avec les chambres, n'y changerait rien. Un instant, elle s'observa d'un œil très critique, repérant un bouton naissant sur sa joue, ses incisives toujours un peu écartées – et que ses frères appelaient aimablement des « dents de lapin » –, son teint trop pâle.

Quel âge pouvait-on lui donner ? Grandir, changer, dans combien de temps aurait-elle l'air d'une femme ? Ou au moins d'une jeune fille ? Pour l'instant elle n'était qu'une adolescente mal fagotée et mal coiffée avec ces horribles nattes ! Pour la centième fois, elle se demanda à quoi ressemblait cette Mary. Sans doute était-elle sublime, sinon Scott ne l'aurait pas choisie.

— Mary…, dit-elle au miroir.

Elle prononça le prénom à plusieurs reprises, l'articulant avec dégoût, puis elle se tira la langue.

— Tu parles toute seule ou tu répètes une pièce de théâtre ? lui lança George depuis le seuil.

Il était flanqué de Philip et tous deux s'esclaffèrent. Sans se retourner, elle les toisa dans le miroir. Si Scott avait refusé de l'accompagner, elle aurait renoncé au bal costumé plutôt que d'y traîner un de ses frères. Décidément, aucun des trois n'était fréquentable. Et dire que presque toutes les filles de son école avaient hâte d'exhiber les leurs !

— J'étudie un truc sur Mary Stuart, laissa-t-elle tomber d'un ton assuré.

Elle avait appris à ne plus trop les redouter, au moins quand elle était dans la maison car, contrairement à leur mère, Angus, Scott ou Moïra prenaient toujours sa défense.

— Le vilain canard devient une vraie pimbêche, on dirait, railla Philip.

— Tandis que vous trois, vous ne changez pas, toujours aussi grossiers et bornés !

Quand elle voulut sortir, ils restèrent en travers du seuil, lui en barrant l'accès, et chacun d'eux saisit une natte.

— Tu devrais te coiffer autrement…

— Fichez-moi la paix !

57

Ils tiraient alternativement, la faisant se balancer entre eux.

— Arrêtez, ça fait mal !

— Allez, petite squaw, danse un peu plus vite…

Elle tenta en vain de se dégager, le cuir chevelu douloureux.

— Lâchez votre sœur immédiatement.

La silhouette massive d'Angus venait d'apparaître dans le salon voisin et marchait vers eux à grands pas. Il avait donné son ordre calmement, mais sa voix de stentor portait loin.

— Qu'est-ce qui vous prend et où vous croyez-vous ?

— On s'amuse, répliqua George.

— Drôle de jeu. Vous n'avez rien d'autre à faire ?

Angus les considérait sans la moindre indulgence, et les deux garçons échangèrent un coup d'œil furtif. Kate savait qu'ils mouraient d'envie de provoquer leur beau-père, mais John n'était pas là pour leur en donner le courage. C'était lui le meneur, lui qui, chaque fois, parvenait à convaincre leur mère de leur innocence.

— Occupez-vous à quelque chose de plus intelligent. Ouste !

George hésita un instant à obéir, mais finalement il entraîna Philip.

— Merci, murmura Kate après leur départ.

— Tu n'as pas à les subir, n'hésite pas à appeler à l'aide s'ils t'ennuient.

— Ils ne sont pas méchants, dit-elle sans conviction.

Peu désireuse d'un incident supplémentaire, elle espérait qu'Angus s'en tiendrait là.

— Méchants, je ne sais pas, en tout cas ils sont stupides. S'ils ne l'étaient pas, ils seraient fiers de toi et ils te protégeraient.

Il la dévisagea puis voulut savoir :

— Avec Scott, j'espère que ça va ?

— Scott ? répéta-t-elle en essayant de garder l'air indifférent. Oh, il est toujours très gentil avec moi...

— Parfait.

Faisant volte-face, il s'éloigna de sa démarche lourde. Kate ne comprenait pas comment sa mère avait pu être séduite par cet homme, néanmoins elle commençait à éprouver une sorte d'affection craintive à son égard. Avec elle, il se montrait aimable, la félicitant pour ses résultats scolaires et allant jusqu'à la complimenter pour un manteau ou un béret neuf. Plusieurs mois avaient été nécessaires avant qu'il la remarque vraiment, mais un dimanche où personne ne voulait accompagner Angus à la messe, même pas Moïra qui ne pouvait pas lâcher ses fourneaux ce matin-là, elle s'était proposée. Durant l'office, il lui avait jeté deux ou trois regards empreints de curiosité, et sur la route du retour il l'avait interrogée à propos de sa foi. Elle n'était pas sûre d'elle, de ses convictions, et il avait compris qu'elle était venue uniquement pour lui tenir compagnie. Amusé, peut-être touché, il lui avait posé d'autres questions et, au bout du compte, ils avaient eu une discussion intéressante. Par la suite, il l'avait laissée libre d'aller à la messe ou pas, sans émettre la moindre réflexion à ce sujet. Il devait considérer, comme pour tout le reste, que c'était à Amélie de faire son travail de mère en donnant à ses enfants l'éducation la meilleure, religion comprise, selon ses propres choix. Il ne s'en mêlait quasiment jamais, mais son expression sévère trahissait parfois le jugement qu'il portait sur les garçons. Regrettait-il de s'être encombré de quatre beaux-enfants ? Kate espérait que non car à présent elle ne souhaitait plus quitter Gillespie. Ici, il y avait Scott, bien sûr, mais aussi ce parc merveilleux qu'elle pouvait arpenter à sa guise, suggérant même à David de nouvelles plantations, et puis la vue incroyable depuis le belvédère où elle montait souvent pour apercevoir la mer, ayant apprivoisé son vertige.

Enfin, d'une certaine manière, il y avait une ambiance familiale grâce à Moïra. Les soirs d'hiver, il régnait dans la cuisine une bonne chaleur, et du four s'échappaient toujours des odeurs alléchantes. Finalement, Kate avait trouvé au fond de l'Écosse tout ce qui lui manquait depuis le divorce de ses parents. Et parce qu'elle avait fait de Scott son dieu, elle parvenait à oublier l'indifférence de sa mère.

D'un geste décidé, elle ôta les élastiques de ses nattes, les dénoua et secoua la tête.

*

Amélie eut besoin de relire la lettre de Michael tant celle-ci la stupéfiait. Mais d'abord, elle alla donner un tour de clef à la porte de la chambre. En principe, Angus ne devait pas rentrer de sitôt, il était parti à la chasse juste avant l'aube avec sa paire de fusils, deux Verney Carron qui étaient à l'origine de son voyage en France. Il les avait achetés à Saint-Étienne avant de s'offrir quelques jours à Paris chez des amis, et c'est ainsi qu'il avait rencontré Amélie. Quand elle y songeait, elle se réjouissait d'avoir su saisir l'occasion. Elle se souvenait d'avoir commencé par lui poser des questions sur le gibier en Écosse et les méthodes de chasse, un sujet auquel elle avait fait semblant de s'intéresser jusqu'à ce qu'il se mette à la regarder avec des yeux de merlan frit !

Elle retourna près de la fenêtre, d'où elle pouvait surveiller les allées et venues des voitures dans le parc, et elle mit ses lunettes. L'écriture de Michael n'avait pas changé, mais le ton de sa lettre était d'une ironie lamentable.

Tu seras surprise d'avoir de mes nouvelles après tout ce temps, mais notre divorce est désormais lointain et les querelles sont donc oubliées. En ce qui me concerne, du moins, car je te sais rancunière.

*Te voilà **remariée** avec un Écossais... Quel choc quand j'ai vu sa photo ! Le monsieur n'est pas un don Juan, ou alors le photographe lui voulait du mal. En revanche, nos garçons ont acquis tous trois de bonnes bouilles, à défaut de physiques de jeunes premiers, et ils ont beaucoup grandi, ça me réjouit autant que **ça** me flatte. J'ai regretté que tu ne figures pas, et Kate non plus, dans cette galerie de portraits révélateurs. Maintenant, tu dois te demander où j'ai trouvé les photos, ton adresse et tant de détails, n'est-ce pas ? Et comme je me souviens que tu n'es pas la reine de l'informatique, tu ne penseras pas toute seule à Facebook. Nos fils, en revanche, passent pas mal de temps à communiquer là-dessus. Je n'ai pas voulu entrer en contact avec eux avant de t'avoir avertie, mais je vais le faire bientôt.*

*Si j'ai bien compris leurs diverses publications, ils n'apprécient que médiocrement leur beau-père, qu'ils traitent de rustre, et l'Écosse n'est pas l'endroit où ils auraient aimé vivre. Cependant, un si joli manoir doit présenter quelques avantages, **tout** comme la fortune de son propriétaire. De ce côté-là tu t'es bien débrouillée, en plus tu n'as pas traîné ! Les femmes sont remarquablement organisées, ce n'était pas la peine de me jouer la scène du désespoir au sujet de ton avenir. Par chance, je n'y ai pas cru.*

*Ainsi, tu es châtelaine, et nos enfants hobereaux... Dément ! Le plus fou étant qu'un homme puisse accepter de se charger, financièrement, de quatre gamins inconnus. Surtout un Écossais, avec la réputation d'avarice qu'ont ces gens-là. Le tien n'est ni pingre ni méfiant, vu la rapidité de votre union, tant mieux pour toi. Fais tout de même attention, d'après ce qu'ils expriment sur la Toile tes fils ne cherchent pas à me remplacer et n'ont nul besoin d'une pseudo-autorité paternelle. Je les reverrai en temps et en heure, pour les recadrer au besoin, **mais** je ne te cache pas que mon emploi du temps est surchargé. Comme toi, je suis remarié, j'ai deux enfants en bas âge et ma femme ne travaille pas. Nous habitons à Paris, que j'ai retrouvé avec bonheur, sauf que la vie y est hors de prix, **comme tu** sais, aussi n'attends rien de ma part sur un*

plan matériel, ce qui est de peu d'importance vu ta situation
confortable.

   Dis à ma petite princesse que j'ai souvent une pensée pour
elle. Est-elle ravissante ou encore dans les affres d'une adoles-
cence acnéique ? Ne la laisse surtout pas épouser un gros bon-
homme comme le tien, quel que soit le compte en banque du
prétendant !

   Je t'embrasse, et sans rancune,

Michael

Songeuse, Amélie replia la lettre. À la première lecture,
elle avait éprouvé un choc, puis une bouffée de colère,
mais soudain elle eut les larmes aux yeux. Ah non, elle
n'allait pas se mettre à pleurer, c'était bon pour Kate !
Toutefois, quel nom donner à l'émotion qui la submergeait brusquement ? Du regret, du dépit, ou l'immense
amertume d'avoir aimé cet homme ? Il avait été son premier grand amour et elle lui avait donné quatre enfants
parce qu'il les réclamait. Persuadée que la famille qu'ils
avaient fondée ensemble durerait toujours, elle avait foncé
tête baissée dans le piège du quotidien sans imaginer que
Michael se lasserait d'elle et irait voir ailleurs. Sans supposer qu'il oserait l'abandonner du jour au lendemain, ni
qu'il oublierait ses enfants derrière lui. Prêt à recommencer sa vie, il avait tout simplement effacé la précédente.
Pas d'argent, pas de recours, même pas une adresse où le
poursuivre. Pendant qu'Amélie était aux abois, il vivait de
son côté une nouvelle idylle, et tandis qu'elle se décidait,
le cœur gros, à saisir l'opportunité d'Angus Gillespie, il
faisait déjà des bébés à une autre ! Lui non plus n'avait
pas « traîné », comment osait-il le lui reprocher ? Quel
genre de monstre était-il donc pour afficher tant d'indifférence ? Apparemment « sa » Kate ne lui manquait pas,
ses fils non plus. Quant à Amélie, qu'il avait traitée avec
une désinvolture inconcevable, voilà qu'il lui envoyait une

lettre d'un cynisme révoltant. Pourquoi ? Avait-il été choqué de la découvrir bien à l'abri et capable de l'avoir vite remplacé ? Aurait-il préféré la savoir inconsolable, esseulée, misérable ? Pourtant, elle ne lui avait rien fait, c'était lui le traître. En tout cas, il ne donnait pas ses coordonnées, il resterait donc injoignable. Car même si Amélie n'avait, en effet, aucun besoin d'argent, ses enfants étaient en droit de demander des comptes à leur père. Il faudrait bien qu'il justifie son abandon, et avec eux il ne pourrait pas employer le même ton ironique.

Devait-elle montrer ce courrier à Angus ? Non, évidemment pas. Les phrases de Michael à son égard étaient blessantes, et les insinuations sur ses motivations à elle, trop précises. Une dernière fois, elle vérifia qu'il n'y avait aucune adresse ou aucun numéro de téléphone sur la lettre et sur l'enveloppe, puis elle alla les jeter dans la cheminée où se consumait le reste d'une bûche. Elle attendit que le papier s'embrase, éparpilla ensuite les cendres. Que dire à Kate, qui réclamait toujours des nouvelles de Michael ? Elle décida d'annoncer seulement qu'il allait bien et n'avait pas jugé bon de faire savoir où il se trouvait. L'exacte vérité, en somme.

3

— Regarde le travail des deux border collies, Kate !

Les bras croisés sur son volant, Scott suivait l'évolution des chiens d'un œil admiratif. Heureux de pouvoir jouir du spectacle, il avait arrêté sa voiture en apercevant les bêtes qui descendaient la colline et affluaient vers la route. Quelques pas derrière le troupeau, le berger restait appuyé sur son bâton et ne s'occupait de rien tandis que les moutons se regroupaient.

— Les border collies vont les faire traverser. J'adore voir ça, je ne m'en lasse pas...

Kate lui jeta un coup d'œil, amusée par son enthousiasme, mais elle reporta vite son attention sur le manège des chiens. Encadrés et poussés, les moutons semblaient suivre les ordres lancés par les aboiements. Après une hésitation, ils s'engagèrent en paquet sur le bitume, formant une marée de laine mouvante devant le capot de la Jeep.

— Comme ils ont l'air stupides, murmura Kate, à côté des border...

— Ces chiens sont fantastiques, ils font tout le boulot ! À la moindre erreur, le berger se contenterait d'émettre un sifflement, mais ils n'en font jamais. Ils ont très bien compris que ma voiture, arrêtée, ne représente pas un danger, et ils ont décidé que c'était le moment d'y aller. Ces chiens-là gèrent toutes les situations.

— Il faut du temps pour les dresser ?

— Je suppose. En principe, les bergers s'en occupent. Dès qu'un de leurs chiens vieillit, ils prennent un chiot qui apprend en regardant les aînés. La difficulté vient surtout de la bêtise des moutons.

L'ensemble du troupeau finissait de traverser dans un concert de bêlements, et en passant le berger leva son bâton dans la direction de Scott.

— Il te remercie ?

— Disons qu'il me salue.

— Tu le connais ?

— Nous sommes encore sur nos terres, Kate.

Elle médita la réponse tandis qu'il repartait vers la filature. Afin de ne pas paraître indiscrète, elle posait peu de questions sur l'étendue des possessions d'Angus, et elle se demanda si tout le cheptel ovin de la région lui appartenait.

Avec l'arrivée du printemps, elle se sentait légère et pleine d'énergie, en particulier ce matin où Scott avait accepté qu'elle l'accompagne. Saisissant le prétexte des congés scolaires, puisque le deuxième trimestre venait de s'achever, elle avait formulé sa requête sans trop y croire, et devant son air suppliant Scott s'était mis à rire avant de lui ouvrir la portière de la Jeep.

De part et d'autre de la route s'étendait un paysage extraordinaire. Les collines couvertes de bruyère sauvage et de chardons descendaient vers la mer, entrecoupées de forêts denses. Parfois le reflet d'un lac scintillait au fond d'une vallée, et Kate aperçut deux rapaces qui tournoyaient paresseusement très haut dans le ciel pur. À l'approche de la côte, les premières falaises abruptes commencèrent à se dessiner.

— Ta mère faisait la route chaque jour ? s'étonna-t-elle.

— Hélas, oui.

Kate se mordit les lèvres, consternée d'avoir posé une question si maladroite. Moïra lui avait raconté l'accident de Mary, et l'horreur de l'avoir retrouvée morte dans sa voiture, au fond d'un ravin. Scott n'était alors qu'un petit garçon de sept ans, mais il avait dû éprouver beaucoup de chagrin.

— Tu te souviens d'elle ?

— Durant des années j'ai regardé sa photo chaque matin pour être sûr de ne pas oublier son visage. Ensuite, je suis parti en pension et j'ai laissé la photo à la maison, au fond d'un tiroir. Avoir maman sous l'oreiller n'aurait pas fait très viril vis-à-vis des copains ! Aujourd'hui, elle est dans un cadre posé sur mon bureau, à la distillerie. Mais je n'ai jamais mis les pieds au cimetière, je n'ai pas envie d'y penser. Et puis… Dans mes souvenirs elle n'était pas très maternelle, pas très tendre. Autant Moïra m'a câliné par la suite, autant les petits baisers rapides de ma mère étaient rares.

L'imaginer malheureux donna à Kate envie de pleurer, mais elle parvint à se dominer. Verser des larmes à la moindre émotion était infantile, elle devait absolument se comporter en adulte, surtout lorsqu'elle se trouvait en compagnie de Scott.

— Sous ce ciel, la mer paraît bleu marine, fit-il remarquer. Tu as vu ? Et au prochain tournant, tu vas apercevoir les ruines d'un château qui a été magnifique…

À l'évidence, il ne tenait pas à parler de sa mère plus longtemps. Celle-ci, d'après Moïra, avait été une très belle femme, et Scott lui ressemblait. Au lieu de regarder le monument qu'il lui désignait, elle lui jeta un coup d'œil à la dérobée. Elle adorait son nez droit, sa mâchoire volontaire, la couleur de ses yeux. Dès qu'il lui souriait, son cœur s'emballait, et être assise à côté de lui dans la Jeep la rendait folle de joie.

— Nous voilà arrivés, jeune fille…

Ils venaient de pénétrer dans l'enceinte de la filature, une cour entourée de hauts bâtiments de briques rouges.

— Je vais demander à l'une de nos ouvrières de t'accompagner et de tout t'expliquer ! annonça-t-il gaiement.

Déçue qu'il ne soit pas son guide, Kate allait protester lorsqu'elle avisa une belle jeune femme qui venait vers eux, le sourire aux lèvres. Grande et mince, elle portait un long manteau militaire à boutons dorés et des bottes à talons hauts. Le foulard négligemment noué autour de son cou semblait un authentique carré Hermès. Ses cheveux courts, d'un blond scandinave, et ses grands yeux bleus soulignés par un maquillage savant lui donnaient l'allure d'une gravure de mode.

— Mary, je te présente Kate, la fille de ma belle-mère. Kate, voici mon amie Mary.

Se sentant ridiculement gauche et gamine devant cette femme, Kate eut l'impression que la matinée venait d'être gâchée. Que s'était-elle imaginé ? La fameuse Mary, qu'elle voyait pour la première fois, était celle dont Scott était amoureux, celle qu'il épouserait sans doute bientôt.

— Enchantée, murmura-t-elle.

Elle devait à tout prix cacher son humiliation, qui n'avait pas lieu d'être, ainsi que son désespoir de ne pouvoir lutter avec une personne adulte. À quinze ans, elle était considérée comme une adolescente exclue des jeux de la séduction et de l'amour, et Mary n'était pas sa rivale.

— Avec Kate, j'ai découvert le bonheur d'avoir une petite sœur, dit gentiment Scott en la prenant par les épaules. Elle travaille bien à l'école, en plus elle est la gentillesse incarnée. À qui allons-nous la confier pour qu'elle découvre tout ce qu'il y a d'intéressant ici ?

— Fiona sera parfaite, je vais la chercher.

La voix de Mary était grave, mélodieuse. Dans d'autres circonstances, Kate aurait apprécié la jeune femme, mais elle s'aperçut qu'elle la détestait d'emblée. Les mots « école » et « gentillesse », dans la bouche de Scott, la ramenaient à un statut de petite fille qui lui était odieux. Combien de temps encore avant qu'elle devienne enfin une femme ? Et, bien sûr, à ce moment-là, Scott aurait fait sa vie et ne serait plus pour elle. Il n'avait *jamais* été pour elle ! Leur différence d'âge les séparait, et plus encore leur lien de parenté, même s'il ne s'agissait que d'une famille recomposée. Kate savait tout cela, néanmoins elle avait entretenu une petite lueur d'espoir, contre toute logique, et ses innombrables rêveries lui avaient fait perdre de vue la réalité. À présent, elle l'avait sous le nez. Scott regardait Mary avec une expression d'amour pour laquelle Kate se serait damnée. Et Mary lui adressait en retour le sourire d'une femme heureuse, comblée.

Accablée mais essayant de faire bonne figure, Kate se laissa entraîner par la fameuse Fiona, qui se mit à parler avec entrain dès qu'elles pénétrèrent sous le premier hangar.

— C'est une chaîne complète de transformation que vous voyez là ! Nous faisons tout sur place, d'abord le lavage grâce au cours d'eau qui se trouve derrière nos bâtiments, ensuite les étapes de cardage, filature, tissage, tricotage et confection. Nous traitons plusieurs tonnes de laine chaque année, en essayant de conserver le savoir-faire d'autrefois, mais avec des machines modernes. La maman de notre Scott, Mary Gillespie, avait déjà commencé à investir pour les remplacer. Elle a fait beaucoup pour la filature, et ceux qui l'ont connue, à l'époque, parlent d'elle avec respect. Par chance, notre Scott semble avoir trouvé sa Mary à lui ! Cette jeune femme dessine des gilets et des écharpes vraiment fantastiques, qui plaisent énormément. Nous avions besoin d'une styliste inspirée, parce que le temps du tweed est mort. Et on ne va pas s'amuser à copier les Irlandais avec leurs pulls torsadés, n'est-ce pas ? En fait, la vogue de l'écologie nous profite, les gens veulent revenir à des matières naturelles comme la laine des moutons.

Kate écoutait d'une oreille distraite, peu désireuse d'entendre chanter les louanges de Mary. En revanche, l'expression « notre » Scott ne lui avait pas échappé. Toutes les femmes de la filature devaient lui faire les yeux doux.

— Alors, jeune demoiselle, que voulez-vous savoir ? C'est un travail pour l'école que vous préparez ?

Furieuse, Kate se retourna et planta son regard dans celui de Fiona.

— Quel âge me donnez-vous donc ?

— Euh… Je ne sais pas, treize, quatorze ?

— Quinze !

— D'accord, mais vous allez bien en classe, non ?

La colère de Kate tomba d'un coup. À quoi bon lutter contre la réalité ? En plus, ce matin, comme elle n'avait pas prévu que Scott accepterait sa compagnie, elle était vêtue d'un kilt banal, de grosses chaussettes rouges dans des mocassins plats, et ses longs cheveux étaient attachés en queue-de-cheval.

— Eh bien, bredouilla-t-elle, à quoi servent toutes ces machines ? Je sais que la laine doit d'abord être lavée, mais ensuite…

Elle ne voulait pas être désagréable avec cette Fiona, sans doute une brave femme qui travaillait ici du matin au soir pour un modeste salaire. Servir de guide devait lui procurer une récréation, autant lui faire plaisir.

— Oui ! s'enthousiasma Fiona. Lavée avant d'être préparée, ce qui consiste à faire ouvrir les agglomérats de fibres par un loup-carde. Ça se passe sur un tapis d'alimentation, ensuite c'est envoyé dans des casiers. Là, c'est cardé pour de bon sur de larges cylindres, en plusieurs étapes. À la fin, ça forme une sorte de voile qui est découpé en lanières. Je vais vous montrer les assortiments

70

de cardes, qui sont alimentés par de gros moteurs électriques.

De nouveau, Kate cessa d'écouter. Pourquoi s'intéresser à la filature, domaine de Mary ? Ici, tout le monde admirait la jeune styliste recrutée par Scott, et le jour où ils annonceraient leur mariage tous les employés se réjouiraient pour eux.

— Oh, je vois bien que vous avez du mal à suivre, constata Fiona. Je vous passe le tordage et tout le reste pour vous emmener directement à la mise en écheveaux. Ou plutôt, à la teinture ! Après, vous aurez le droit d'admirer la pelotonneuse, une machine qui reproduit le mouvement d'une tricoteuse enroulant son fil en pelote. Mais si vous préférez on peut changer de bâtiment, de l'autre côté de la cour on fabrique des pulls et des écharpes. Vous voulez regarder le montage, le remaillage, tout ça ?

— Vous êtes très gentille, merci. Oui, je crois que j'aimerais bien assister à la confection d'un vêtement. Je n'imaginais pas la complexité de votre métier.

— Chacune de nous travaille à un poste défini, nous ne sommes pas interchangeables, précisa Fiona.

— Naturellement. En revanche, vous semblez très impliquée dans l'entreprise, il doit y avoir un formidable esprit d'équipe...

Kate s'en voulait de son manque d'attention mais elle n'avait qu'une hâte : en finir avec la visite imposée. Elle allait être obligée de s'extasier devant les créations de Mary, et sur la route du retour Scott ne parlerait sans doute que d'elle. Enfonçant les mains dans ses poches, elle suivit Fiona. Elle se sentait déplacée, distraite, de mauvaise foi. Avec quelle joie et quel intérêt elle aurait écouté les explications de Scott, s'il avait été son guide ! Mais il n'avait ni le temps ni l'envie de s'occuper d'elle, il n'était pas en vacances.

« Et même s'il l'était, il ferait autre chose que s'encombrer d'une *gamine* ! Quand il m'a accompagnée au bal costumé de l'école, il s'est comporté avec moi quasiment comme un père, alors que j'avais stupidement cru, parce qu'il s'était libéré, qu'il prendrait du plaisir à cette soirée et qu'il me verrait autrement… Non, il a seulement fait son devoir de grand frère qui chaperonne la benjamine. Il m'a dit que j'étais bien déguisée, pas que j'étais jolie… Mon Dieu, il faut absolument que j'arrête de penser à lui à chaque instant. Je m'entête, je m'obsède, je suis grotesque. »

Pourtant, la voix de la raison ne parvenait pas à s'imposer. Elle avait bien essayé quelques sorties avec ses frères, pour tenter de dénicher un garçon intéressant, mais elle les trouvait tous stupides et mal dégrossis. De toute façon, personne ne lui avait fait d'avances, elle ne faisait pas partie des jeunes filles qu'on drague. Ou alors, être accompagnée de trois grands frères était une très mauvaise idée. Mais comment rencontrer des jeunes gens de son âge ? Les filles de sa classe ne l'invitaient pas souvent, peut-être à cause de son air trop réservé, ou simplement parce qu'elle était la belle-fille d'Angus Gillespie. Dans la région, les Gillespie étaient considérés comme des gens riches, à cause du succès du whisky issu de leurs distilleries, cependant Angus avait longtemps eu la réputation d'être un ours. Son remariage avec une Française divorcée d'un Anglais et mère de quatre enfants n'avait rien arrangé. Les mauvaises langues ricanaient, prétendant que pour agrandir son clan il avait choisi le pire. Dans ces commentaires peu flatteurs entrait évidemment une part de jalousie car le manoir et les terres faisaient des envieux.

Alors qu'elles se trouvaient devant les métiers à tricoter et que Fiona expliquait les étapes de l'assemblage d'un pull, Scott les rejoignit enfin. Il semblait connaître chaque employée par son prénom, adressant un mot gentil ici et là.

— Navré de vous interrompre, mais je dois partir tout de suite, s'excusa-t-il. Viens, Kate, je vais te ramener à la maison. Merci pour tout, Fiona, je suis sûr que vous avez été un très bon professeur !

Il retraversa en hâte tout le bâtiment, Kate peinant à le suivre.

— Tu t'es bien amusée ? demanda-t-il en montant dans la Jeep.

Après un démarrage sur les chapeaux de roue, il ajouta :

— J'ai un souci urgent à la distillerie, dommage, je serais bien resté. Les croquis que Mary m'a montrés sont fantastiques ! Originaux mais faciles à porter, vraiment très réussis. À mon avis, nous ferons un tabac, la saison prochaine... Et nous en avons besoin, parce que la filature était déficitaire jusqu'à l'année dernière. Sans l'arrivée de Mary, je n'aurais pas réussi à m'y intéresser, exactement comme papa. D'ailleurs, je suis en train de reproduire son schéma.

— C'est-à-dire ?

— Il était passionné par la fabrication du whisky, mais la laine n'était pas son affaire, il laissait ça à maman. Je crois que j'en ferai autant quand nous serons mariés, Mary et moi.

Kate eut l'impression de recevoir une gifle. Elle dut avaler sa salive avant de pouvoir demander :

— Vous allez vous marier ? Mais...

— Oh, rien n'est encore décidé, je n'ai pas fait ma demande officielle ! Il faut d'abord que je la présente à la famille. À mon avis, ils vont l'adorer, non ? Comment l'as-tu trouvée ?

— Très... belle, articula-t-elle avec un petit sourire contraint.

— Oui, belle, intelligente, et bourrée de talent. Mais j'ai encore un peu de mal à accepter l'idée de m'engager pour la vie.

— Tu es jeune.

— C'est mon principal argument, qu'elle balaie d'un revers de main !

Il éclata de rire, avec l'air de vraiment s'amuser.

— Les femmes veulent toutes le mariage, Kate, tu verras que toi aussi, plus tard, tu auras cette idée fixe. Je suis très amoureux de Mary, je l'avoue, en revanche la perspective de fonder une famille m'angoisse. Un tel engagement me semble prématuré, je préférerais attendre.

— Si tu n'es pas sûr de toi, rien ne t'oblige à céder !

Sa véhémence parut surprendre Scott, qui lui jeta un coup d'œil intrigué.

— Je n'aurais pas dû te parler de tout ça, excuse-moi.

— Non, non, au contraire...

Kate sentait son cœur battre à grands coups. Pour la première fois, Scott la prenait pour confidente, hélas ce qu'il disait la crucifiait. Elle ne pouvait pas s'adresser à lui comme une amie, et il n'attendait évidemment aucun conseil d'une adolescente. De toute façon, elle était trop concernée, trop bouleversée.

— Tu comprends, reprit-il, papa serait heureux que j'assure la descendance des Gillespie, et Moïra appréciera de savoir que Mary est une Écossaise de vieille souche. Dès qu'elle apparaîtra, tout le monde va la trouver ravissante, ensuite on va me harceler pour que je fixe une date !

Apparemment, il parlait plus pour lui-même que pour Kate.

— D'un autre côté, toujours différer est une preuve d'immaturité. Et, pour ne rien te cacher, je quitterais volontiers la maison, où tes frères font parfois régner une ambiance détestable. En revanche, je t'assure que tu me manqueras !

La dernière phrase, ajoutée par gentillesse, fit fondre Kate en larmes. Elle s'était retenue le plus longtemps pos-

74

sible, mais soudain le désespoir la submergeait. Secouée de sanglots incontrôlables, elle mit sa tête entre ses mains pour se cacher.

— Kate, voyons… Attends, je me gare.

Il s'arrêta sur le bas-côté, déboucla sa ceinture et la prit dans ses bras.

— Ma puce, ma petite chérie, ne pleure pas, qu'est-ce qu'il y a ? Je t'ai fait de la peine ? J'ai été stupide d'évoquer tes frères, ils ne sont pas méchants.

— Si, oh si !

— Écoute, je n'ai pas réussi à m'entendre avec ta mère, mais ce n'est pas grave. Les choses ne sont jamais parfaites, nulle part, et nous n'échappons pas à la règle. Mais au moins, tu sais que je t'adore, jolie petite sœur ? D'ailleurs, il est impossible de ne pas t'aimer, même papa craque devant toi !

Serrée contre lui, elle respirait dans son cou, percevant l'effluve discret d'un after-shave ainsi que l'odeur de sa peau.

— Une fois marié et installé ailleurs, je viendrai souvent à la maison, je te le promets. Et tu pourras toujours compter sur moi ! Quoi que l'avenir nous réserve, je serai là pour toi.

Quelque chose était en train d'arriver à Kate, qu'elle ne comprenait pas et qui la bouleversait. Elle éprouvait l'envie impérieuse de se blottir davantage contre Scott, à la fois de se laisser aller et de s'accrocher à lui. Quand il caressa tendrement ses cheveux, elle tressaillit et dut étouffer un soupir. L'élan qui la faisait vibrer était celui d'un désir jamais ressenti, inconnu et délicieux, à la limite du supportable.

— Allez, dit-il en s'écartant d'elle, on rentre ?

À l'instant où il la lâcha, elle eut l'impression de tomber dans le vide. Durant plusieurs secondes, elle en oublia de respirer et finit par reprendre bruyamment son souffle.

— Ça va mieux, hein ? lui lança Scott d'un ton encourageant.

— Oui, merci, réussit-elle à murmurer.

À présent, elle n'était plus innocente, elle le savait. Désormais, chaque contact physique avec Scott serait ambigu et hypocrite, parce qu'elle allait les espérer autant que les redouter. Mais Scott était sincère, affectueux, fraternel, il n'avait pas remarqué son trouble et elle pria pour qu'il en soit toujours ainsi. Que penserait-il d'elle s'il s'en apercevait ? Serait-il scandalisé, dégoûté, horrifié ? Jusqu'à ce qu'il la dépose devant le manoir, elle resta silencieuse, et dès qu'elle descendit de la Jeep elle s'élança vers le perron sans se retourner.

*

— Je pense avoir toujours géré la maison au mieux ! s'insurgea Moïra.

Son regard étincelant de fureur ne quittait pas Amélie. Celle-ci se contenta d'esquisser un sourire dubitatif.

— Bien sûr, bien sûr... Mais j'ai besoin de savoir précisément ce que nous dépensons, et de quelle manière nous pourrions éventuellement faire des économies.

— Je vous prie de croire que je ne jette pas l'argent par les fenêtres !

— C'est évident. Néanmoins, je veux être tenue au courant.

Moïra avait l'habitude de présenter un compte global à la fin du mois, et Angus lui faisait alors un virement. Exiger d'elle le détail de toutes les sommes consacrées à l'intendance du manoir revenait à la traiter comme une employée et non comme la sœur du maître de maison. Néanmoins, Amélie était *chez elle*, puisqu'elle était l'épouse, et bien que vexée Moïra ne pouvait pas refuser.

— À l'avenir, je garderai toutes les factures et jusqu'au moindre ticket de caisse, accepta-t-elle amèrement.

— Parfait. Nous contrôlerons ensemble. Vous comprenez, Angus trouve que les repas coûtent cher et...

— Nous sommes nombreux, rappela Moïra sur un ton de défi, et les jeunes gens ont bon appétit !

La bouche d'Amélie se pinça, effaçant son sourire. Tout ce qui suggérait une critique à l'égard de ses fils la faisait aussitôt se cabrer.

— C'est normal à leur âge, et je n'ai pas dit que nous devions nous priver. Mais peut-être un effort est-il possible sur le choix des menus ?

— Je peux faire des pâtes ou des pommes de terre tous les soirs.

— Vous vous formalisez, railla Amélie, c'est bête... Angus a choisi, avec moi et les miens, d'agrandir sa famille, et il n'apprécierait pas qu'on le lui reproche. Comme *justement* je m'inquiète de ces dépenses supplémentaires, il m'a conseillé de voir avec vous de quelle manière nous pourrions être moins prodigues.

— Ce ne sera pas si simple, riposta Moïra, car vous avez sûrement remarqué qu'Angus aime la bonne chère et les bons vins. J'ai toujours veillé à ce que sa table soit bien fournie, en quantité et en qualité, mais je ne vais pas m'accrocher à la queue des casseroles, je peux sans problème vous passer le relais !

— Mon Dieu, non, vous avez votre utilité ici, et je vous la concède volontiers.

Satisfaite, Amélie vit blêmir Moïra. En lui rappelant qu'elle était à la charge d'Angus et qu'en échange elle devait rendre des services, elle venait de l'humilier délibérément. Ce n'était pas ce que lui avait suggéré Angus, qui respectait le rôle de Moïra et éprouvait beaucoup d'affection pour elle, mais lorsqu'il s'était alarmé des sommes englouties dans la maison, Amélie avait sauté sur l'occasion et promis de tout gérer. Une façon pour elle d'ôter à Moïra certaines de ses prérogatives. Tenir les comptes la réjouissait d'avance, car avec elle Angus ne serait pas regardant. D'ailleurs, contrairement à ce qu'elle avait pu craindre, vu la triste réputation des Écossais, il n'était pas avare. Certes, il se montrait économe dans certains domaines, n'était ni frivole ni fantaisiste et privilégiait l'essentiel, mais lorsqu'il désirait un beau fusil, par exemple, le prix importait peu. Quand elle souhaitait un vêtement de luxe ou un bijou, il ne se faisait pas prier, et pour leur deuxième anniversaire de mariage il venait de lui offrir une magnifique bague.

— Par exemple, reprit-elle, toutes ces plantations de David qui ne poussent jamais, voilà bien des frais qu'on pourrait éviter.

— Réglez cela avec lui directement, je ne m'occupe pas du jardin.

— Pourtant, je vous vois soigner les roses.

— Ça ne coûte rien, que je sache ! De toute façon, le parc ne peut pas être laissé en friche. Vous aviez l'habitude d'un appartement parisien, ce qui n'a rien à voir avec une propriété comme Gillespie, qui génère des *frais* incompressibles.

Si Moïra pensait lui avoir cloué le bec, elle se trompait, car Amélie répliqua :

— Oh, on peut toujours faire mieux !

Pivotant sur ses talons, elle quitta la cuisine, certaine de laisser Moïra très dépitée. Pour le cousin David, elle allait encore y réfléchir. Cet homme-là savait s'effacer et ne contrariait jamais personne, mais lui aussi était à la charge d'Angus qui l'entretenait entièrement, poussant la bonté jusqu'à lui verser un peu d'argent de poche. Son statut mal défini d'intendant-homme-à-tout-faire était-il indispensable ? Un véritable employé aurait-il coûté plus ou moins cher ?

En réalité, Amélie se moquait bien d'éventuelles économies, elle savait qu'Angus possédait une certaine fortune, même s'il ne lui laissait pas voir ses papiers de banque. Sur ce sujet, il était discret et ne lâchait que de rares informations. Ce serait le dernier bastion qu'Amélie devrait conquérir. Une ou deux fois, elle avait parlé d'ouvrir un compte commun, mais il avait fait la sourde oreille. Pour qu'elle n'ait pas à réclamer, il lui virait une mensualité couvrant largement ses besoins personnels et ceux de ses enfants, toutefois elle se sentait exclue. Quand Angus s'enfermait avec Scott dans son bureau pour discuter « affaires », elle bouillait de rage. Et puis Scott était sa bête noire, surtout lorsque Angus l'appelait son « fils unique ». Si seulement John, George et Philip avaient l'intelligence de mieux se comporter avec leur beau-père ! Quelques jours plus tôt, elle avait eu une longue conversation avec John et espérait l'avoir convaincu. Gagner les faveurs d'Angus pouvait lui être très profitable, il n'avait que des avantages à en tirer. Pourquoi ne pas faire semblant de s'intéresser aux distilleries, à la fabrication du whisky ? Sans diplôme, on ne l'attendait nulle part, elle le lui avait répété sur tous les tons. Entrer dans l'une des sociétés d'Angus, de surcroît par la grande porte, serait inespéré pour lui ! Mais, même si John acceptait d'y mettre du sien, la partie n'était pas gagnée d'avance. Est-ce que Scott ferait barrage ? Il ne s'entendait pas avec les fils d'Amélie et sans doute voudrait-il préserver son territoire. Comment le contraindre ? Ou, plus habile, comment le discréditer aux yeux d'Angus ? Jusqu'ici, elle s'était contentée d'y réfléchir, mais elle ne devait plus tarder à passer à l'action. L'avenir de ses enfants demeurait sa priorité, et peu importaient les moyens à employer pour les caser. Résignée, elle avait fini par admettre qu'ils ne feraient pas leur chemin tout seuls, qu'ils n'arriveraient à rien sans son aide. La lettre de Michael lui avait méchamment rappelé qu'elle les avait déracinés et qu'elle était depuis ce jour responsable de leur sort. Si elle ne voulait pas qu'ils ratent leur vie ou partent loin d'elle… La perspective de se retrouver sans eux, de vieillir entre Angus et Moïra au fond de ce manoir battu par les vents lui faisait horreur. Pour Kate, ce serait beaucoup plus simple, elle devenait ravissante et trouverait sans peine un mari d'ici quelques années. Ce problème-là n'était pas une priorité ; d'abord les garçons, comme toujours.

*

Scott revint à sa table avec les deux pintes de bière qu'il était allé chercher au comptoir. Il choqua la sienne contre celle de Graham et lui demanda de recommencer ses explications.

— Affaire à saisir, mon vieux, je te le répète ! C'est ce que j'ai de mieux dans mes cartons, et je l'ai gardé spécialement pour toi. Tu n'es pas loin de St Vincent Street, en plein centre, et toutes les petites rues vers Blythswood Square sont charmantes. Tu ne seras même pas dépaysé, dans ce coin-là l'architecture est plutôt victorienne ou néoclassique, comme à Gillespie. Tu peux louer pour un an, renouvelable bien sûr, et c'est joliment meublé. Visite-le, tu vas adorer et tu signeras sur-le-champ.

— Le loyer n'est pas donné, fit remarquer Scott, qui cherchait à gagner du temps pour réfléchir.

— Tu veux rire ? D'abord, tu n'es pas dans la misère, que je sache, ensuite il y a cinquante-cinq mètres carrés ! Tu te rends compte ? Belle cuisine, vraie salle de douche avec placards, séjour spacieux, une chambre où tu auras même la place d'installer un bureau… Si je mets ce truc sur le marché, je vais avoir la queue dans l'escalier !

— Arrête ton baratin d'agent immobilier.

— Je suis gérant de biens, protesta Graham. Gérant de fortunes, plus exactement, et j'attends de gérer la tienne un jour. Écoute, je te donne la priorité parce que tu es mon *ami*. Mais le propriétaire est pressé de relouer, décide-toi.

— Mary sera furieuse.

Graham écarta les bras d'un geste fataliste.

— Et alors ? Tu m'as dit que tu avais envie de louer un truc de *célibataire* à Glasgow, ce qui prouve que tu n'es pas mûr pour le mariage. Elle comprendra.

— Crois-tu ? Après tout, tu la connais bien, c'est toi qui me l'as présentée.

— Je sais qu'elle est volontaire, déterminée... Des qualités qui la servent dans sa vie professionnelle mais qui vont te donner du fil à retordre dans votre vie de couple, parce que tu es tout aussi volontaire qu'elle.

— Tu nous promets de beaux jours !

— En te la recommandant comme styliste, je pensais bien que vous alliez vous plaire et finir au lit. De là à se mettre la corde au cou, il y a un monde.

Scott éclata de rire car il était le témoin de Graham pour son mariage, qui devait avoir lieu deux semaines plus tard.

— Toi, tu n'as pas hésité à sauter le pas, je t'admire. En ce qui me concerne, je résiste sans comprendre pourquoi. J'aime Mary, je la désire, je l'estime, j'étais sur le point de céder mais...

— Mais tu ne veux pas faire des bébés avec elle.

— Pas maintenant.

— Dans ce cas, à quoi bon s'unir devant Dieu ? Continuez donc à batifoler.

Redevenu sérieux, Scott considéra rêveusement le fond de son bock.

— Elle attend de moi un engagement précis, murmura-t-il.

— Eh bien, on n'obtient pas toujours ce qu'on attend ! Pat et moi avons fait des compromis, c'était plus simple. Toi, pour l'instant, tu as envie de liberté. Hormis ton année sabbatique, tu as toujours vécu à Gillespie et aujourd'hui tu cherches un peu d'indépendance. Quoi de plus normal ?

— Les femmes n'ont pas la même notion du temps que nous. Mary dit que, en ce qui la concerne, l'horloge biologique tourne. Un enfant ne se fait pas en cinq minutes, alors, plusieurs…

— Elle est un peu plus âgée que toi, mais elle n'a pas encore trente ans, elle peut patienter un peu ! Si c'est avec *toi* qu'elle veut fonder une famille, elle devra te laisser mûrir d'abord.

— Tu me trouves immature ? s'indigna Scott.

— En amour, oui, en affaires, non. Je vais nous chercher une autre tournée.

Grand et massif, Graham entreprit de traverser le pub bondé. Dehors, le long de la vitre, des groupes de fumeurs buvaient leurs verres agglutinés sur le trottoir. Depuis quelques années, l'interdiction de fumer avait rendu l'atmosphère des pubs plus légère, mais l'odeur des cigarettes était désormais remplacée par celle de la bière et de la sueur, un mélange moins toxique mais plus désagréable. Scott promena son regard autour de la salle et salua quelques connaissances d'un signe de la main. Tout le monde avait dû remarquer qu'il était lancé dans une conversation sérieuse avec Graham et personne n'était venu les interrompre. Amis depuis de longues années, Scott et Graham n'avaient pas cessé de se voir depuis la fin de leurs études. Issu d'un milieu plus modeste, Graham s'était d'abord moqué du fils de famille qu'était Scott Gillespie, puis ils avaient rivalisé en cours pour les meilleures notes, et sur les terrains de sport dans des équipes adverses. À un moment donné, ils s'étaient aperçus qu'ils aimaient beaucoup parler ensemble et que, au lieu de s'opposer, ils feraient mieux de s'unir. Dès lors, ils étaient devenus inséparables. Souvent invité à Gillespie, Graham ne s'était pas montré envieux, au contraire, il avait spontanément adoré le manoir. Comme il plaignait Scott d'avoir perdu sa mère si jeune, à son tour il l'avait convié chez lui pour lui présenter sa famille, composée de gens très chaleureux et un peu bohèmes qui riaient à tout bout de champ. Durant son année sabbatique, Scott avait appelé ou envoyé des SMS chaque semaine. Il racontait l'Europe à Graham qui, pendant ce temps, effectuait un stage professionnel dans un groupe bancaire. Il avait décroché son premier poste de conseiller fiscal et patrimonial au moment où Scott regagnait l'Écosse pour reprendre les affaires d'Angus. Ils étaient donc entrés simultanément dans la vie active, chacun pouvant confier ses soucis à l'autre, et leur amitié en avait été fortifiée.

— Alors, que décides-tu ?

Graham posa les bocks et planta son regard dans celui de Scott, attendant une réponse claire.

— Si je dis que je laisse tomber, tu vas me traiter de lâche.

— Et comment !

— Donc, je suis d'accord, je loue.

— Bravo ! Tu ne le regretteras pas, et une année sera vite passée. Ensuite, tu choisiras en connaissance de cause. Ou tu renouvelleras ton bail, ou tu iras acheter une bague à Mary. Et à ce propos…

Fouillant dans sa poche, il en sortit un petit écrin de velours.

— Les alliances, pour mon mariage. C'est toi qui t'en charges, c'est le rôle du témoin.

— Tu me les confies un soir de beuverie ? railla Scott.

— Trois bières ne font pas de nous des ivrognes, et de toute façon tu ne perds jamais rien.

— J'aimerais bien ne pas perdre Mary à cause de tes conseils.

— Tu n'es pas influençable, Scott. Je suis ton *alibi*, pas ton mauvais ange. Si tu racontes à Mary que c'est à cause de moi que tu loues un appartement, elle te rira au nez.

— Je sais. Mais je vais lui faire de la peine, soupira Scott.

Il goûta une gorgée de bière et faillit la recracher.

— Seigneur ! Qu'as-tu mis là-dedans ?

— Quatre centilitres de whisky. C'est un *Boilermaker*. Le barman prétend que ça requinque.

— On va finir sous la table.

— D'où l'intérêt d'habiter Glasgow, tu pourras te soûler sans remords. Où dors-tu ce soir ?

— À cette heure-ci et dans cet état, chez toi.

— Parfait. Pat sera contente de te voir. On te dépliera le canapé car figure-toi que nous avons transformé la chambre d'amis en nursery.

— Déjà ? Oh, ne me dis pas que… Graham ? Graham !

— Garde ça pour toi, c'est tout récent et ça doit rester secret jusqu'au mariage.

— Tu vas être père à vingt-six ans ?

— Vingt-sept, le temps que le bébé arrive. N'oublie pas qu'à l'école on était dans la même classe mais que j'avais un an de plus que toi.

— Eh bien, cette fois, tu seras en avance, félicitations !

Scott se réjouissait pour son ami et mourait d'envie de lui demander s'il pourrait se mettre sur les rangs lorsqu'il serait question de choisir un parrain. Mais il savait que Graham était superstitieux et il préféra se taire. Comment Mary prendrait-elle la nouvelle dans quelques semaines ? Sans doute en profiterait-elle pour harceler Scott et revenir à la charge en citant l'exemple de Pat et Graham. Au fond, louer un appartement de son côté était une bonne idée car cette marque d'indépendance, même mal acceptée, mettrait momentanément un frein à leur sempiternelle discussion à propos du mariage. Ou bien ce seraient les cris, les larmes, peut-être la rupture. Cette éventualité consternait Scott mais ne suffisait pas à le faire changer d'avis. Il était soulagé d'avoir enfin pris une décision et il comptait s'y tenir.

*

Angus tournait dans son bureau comme un fauve en cage. Il avait fumé un cigare qui, pour une fois, ne l'avait pas apaisé et ne lui avait pas procuré le plaisir attendu. Son âpre discussion avec Amélie le laissait complètement perturbé. Que décider ? Et surtout, comment refuser ? Elle défendait John bec et ongles, voulait qu'Angus lui mette au moins le pied à l'étrier. Mais ce garçon ne tiendrait jamais en selle, c'était une évidence ! D'un autre côté, ne pas lui offrir une seule chance pouvait sembler très injuste. Seulement, voilà, Angus détestait qu'on lui force la main, et Scott était pire que lui. Introduire John dans une distillerie, même en choisissant la moins prospère des deux, allait créer des problèmes. Scott commençait tout juste à s'imposer, il avait autre chose à faire que « former » un débutant qui, de surcroît, risquait de se révéler mauvais élève. Car l'idée venait d'Amélie, pas de son fils aîné. Celui-ci aurait certainement préféré continuer à paresser, et se retrouver sous les ordres de Scott allait lui faire grincer des dents. Quant à savoir s'il éprouvait le moindre intérêt pour la fabrication du whisky... Ni lui ni ses frères, depuis leur arrivée en Écosse, n'avaient jamais manifesté de curiosité à ce sujet. Pourtant, il arrivait fréquemment qu'Angus et Scott en parlent au cours des repas si une question particulière les préoccupait. Kate les écoutait, elle était bien la seule ! Mais Kate possédait des qualités que ses frères n'avaient pas. En plus, elle devenait vraiment jolie. Ses yeux noisette pailletés d'or, ses longs cheveux couleur de miel et son sourire timide devaient commencer à plaire aux garçons de son âge. À côté d'elle, ses frères, avec leur tignasse blond filasse, leur peau pâle d'Anglais et leur air arrogant, avaient sans doute du mal à séduire les filles. Ils se racontaient des anecdotes avec des rires bêtes et force coups de coude, avides de conquêtes qu'ils ne faisaient apparemment pas.

Le pas de Scott résonna soudain dans le couloir, et Angus se prépara à l'affrontement.

— Entre ! cria-t-il en retournant s'asseoir derrière son bureau.

— Amélie m'a dit que tu voulais me voir ?

Bien entendu, Scott n'avait jamais accepté d'appeler sa belle-mère autrement que par son prénom. Mais autant elle exigeait que ses enfants disent « père » à Angus, autant elle ne tenait pas à ce qu'un jeune homme de l'âge de Scott utilise pour elle le mot « mère ». Sur ce point, au moins, ils étaient d'accord.

— Assieds-toi. Je souhaite discuter avec toi de quelque chose qui va te déplaire…

Étonné par cette entrée en matière, Scott le dévisagea.

— Tu veux me parler de Mary ? s'enquit-il, sur la défensive.

— Mary ? Non… Enfin, si. Depuis le temps que tu la fréquentes, je trouverais normal que tu l'invites à déjeuner ici. J'ai envie de la connaître, et après tout, puisqu'elle travaille pour nous à la filature, une rencontre n'aurait rien de trop personnel.

— Papa, je t'ai expliqué que je ne tiens pas à me marier maintenant.

— J'ai bien compris. Mais je suis curieux.

Angus employait un ton sec, se préparant à ce qui allait suivre. Il attendit que Scott acquiesce d'un signe de tête pour poursuivre.

— Maintenant, venons-en à ce qui me préoccupe et qui concerne John.

— Quelle nouvelle bêtise a-t-il inventée ?

— Ne sois pas caustique. Amélie s'inquiète pour lui, je la comprends.

— Moi aussi !

— Scott, s'il te plaît. Je ne peux pas ignorer les angoisses, d'ailleurs justifiées, de mon épouse. Tu comprends ça, j'imagine ? Après avoir retourné le problème en tous sens, j'en suis arrivé à la conclusion suivante : je vais offrir à John une chance d'apprendre un métier.

— Lequel ? demanda Scott, qui s'était raidi.

— Il doit entrer dans l'une de nos distilleries.

— Lui ? Pour quoi faire, à part balayer ? Il n'a aucune envie d'apprendre quoi que ce soit.

— Tu n'en sais rien.

— En tout cas, je ne me chargerai pas de lui.

Bien droit dans son fauteuil, Angus plongea son regard dans celui de son fils.

— Si, tu vas le faire.

— Tu veux me mettre un boulet au pied ? explosa Scott. J'ai du travail par-dessus la tête et tu le sais très bien ! Comprendre la fabrication du whisky et sa commercialisation m'a pris un temps fou, alors que j'étais né là-dedans. Figure-toi que ce petit crétin de John raconte à ses copains que « beau-papa produit du *whiskey* ». David a essayé de lui expliquer que ce mot était valable en Irlande, pas ici, tout comme bourbon est l'appellation aux États-Unis, s'il y a au moins une moitié de grains de maïs. Mais John a haussé les épaules en disant que tout ça l'emmerdait ! Et je suis censé le former ?

— Il est jeune, il joue les rebelles.

— Il l'est pour de bon. Réfractaire aux études, mal élevé et content de lui. Je ne serai pas son mentor. Pourquoi m'infliges-tu ça ?

— Si j'étais encore en activité, je m'en serais chargé. Mais c'est toi qui as repris nos affaires.

— Selon ton désir.

— Non, Scott. Tu as la chance d'être mon fils et d'avoir eu ainsi un destin tout tracé avec un métier passionnant, des revenus conséquents… Si je me souviens bien, tu étais impatient de commencer. Je me trompe ? Et ne remets pas sur le tapis cette ridicule idée de faire médecine, tu l'aurais regretté toute ta vie. Même si tu travailles dur en ce moment, avoue que tu aimes ça.

— Bien sûr.

— Donc, grâce à moi tu n'es pas malheureux et tu n'as pas à te soucier de l'avenir. Tant mieux pour toi ! Mais tu vas prendre John avec toi et lui laisser le temps de découvrir le fonctionnement d'une distillerie. En fait, je ne te le demande pas, Scott, je te l'annonce.

L'effort visible que fit Scott pour se maîtriser inquiéta Angus. Son fils avait un caractère entier, il ne pliait pas facilement et pouvait se révolter.

— Fais-moi plaisir, s'empressa-t-il d'ajouter. Sinon, Amélie ne me laissera pas en paix.

— Cette femme obtient vraiment ce qu'elle veut de toi, répliqua Scott d'une voix sourde. Elle te transforme en pantin sans volonté propre, elle…

— Ne dis pas des choses que tu pourrais regretter ! s'emporta Angus en tapant du poing sur son bureau.

Il se leva et marcha sur Scott, hors de lui.

— Je ne te permets pas de me traiter de pantin. Et si tu manques de respect à ta belle-mère, nous nous fâcherons, toi et moi. Je ne suis pas gâteux, au besoin tu l'apprendras à tes dépens. Allez, je ne te retiens pas !

Blessé dans son orgueil, il tourna le dos à son fils et croisa les bras. Malgré sa colère, il ne voulait pas aggraver les choses. Une seconde plus tard, il entendit la porte claquer. Toujours immobile, il attendit jusqu'à ce que le moteur de la Jeep ronfle sous ses fenêtres. Scott partait sans doute à Glasgow, où il venait de louer un appartement. Il avait promis de rentrer à Gillespie un ou deux soirs par semaine pour discuter affaires avec son père, mais qu'en serait-il à présent ? Ah, pourquoi fallait-il qu'une histoire de femme les oppose ! Angus se flattait d'avoir toujours maintenu une bonne relation avec son fils pendant son enfance et son adolescence, malgré la mort de Mary et grâce à Moïra, puis aux années de pension. Devenu adulte, Scott avait continué à respecter son père, et ensuite s'était établie une sorte de complicité affectueuse très agréable à partager. Hélas, l'arrivée d'Amélie et de sa progéniture avait tout changé entre eux. Aujourd'hui, Scott le jugeait, il avait osé utiliser le mot « pantin », qu'Angus ne digérait pas. Il n'était pas devenu une marionnette entre les mains d'Amélie ! Amoureux d'elle, certes, mais lucide. Du moins l'espérait-il. Scott aurait dû comprendre que, en tant que mari, il ne pouvait ignorer les désirs de son épouse. Et que celle-ci veille à l'avenir de ses enfants était normal. Avec les distilleries et la filature, Angus possédait trois bonnes affaires, s'il en interdisait l'accès à ses beaux-fils il aurait l'air de les rejeter. Se confronter au monde du travail déclencherait peut-être chez eux des vocations ? Même si Angus n'y croyait pas, il devait leur laisser une chance. En fait, il y était *obligé*. Tout ce qu'il demandait à Scott se résumait à un petit effort de patience, un peu de bienveillance. Rien d'insurmontable. De toute façon, en tant que chef du clan Gillespie, il incombait à Angus de faire régner l'ordre dans sa famille.

Il retourna s'asseoir à son bureau et se mit à jouer nerveusement avec sa guillotine à cigare. Un bel objet en argent, gravé à ses initiales, que Scott lui avait offert quatre ans auparavant. À cette époque-là, son fils prenait des jobs intérimaires hors de ses heures de cours pour augmenter

89

son argent de poche. Angus en avait fait autant à son âge, il était très formateur de se retrouver serveur ou livreur de journaux. En revanche, pour donner un coup de main lors des moissons de l'orge ou de la tonte des moutons, pas question d'être payé, il s'agissait d'apprendre et Scott ne s'en plaignait pas. Entre eux, il n'avait presque jamais été question d'argent, jusqu'à ce que Moïra fasse remarquer à Angus qu'il n'était pas très généreux avec son fils. Du coup, Scott avait obtenu sa première voiture, une Austin d'occasion qui l'avait rendu fou de joie. Ces souvenirs firent sourire Angus et il s'aperçut que sa colère s'estompait. Sur la route de Glasgow, Scott devait lui aussi se calmer. Dans quelques jours, au pire quelques semaines, les choses rentreraient dans l'ordre. Et en attendant, Angus allait pouvoir donner satisfaction à Amélie, ce qui lui promettait une bonne soirée, suivie d'une nuit délicieuse.

4

Rouge de colère, David fit irruption dans la cuisine, où Moïra préparait une soupe de lentilles.

— Je ne suis pas un... domestique ! bredouilla-t-il.

— Bien sûr que non, David. Qu'est-ce qui te prend ?

— Amélie m'a parlé sur un ton inacceptable. On dirait qu'elle espère me voir faire mes valises !

— Allons, ne sois pas ridicule. Tes valises ? Enfin, David, ta place est parmi nous.

— Pas pour être traité comme un larbin. Je suis un *intendant*, j'ai des responsabilités à Gillespie, et Angus compte sur moi. Si je n'étais pas là, à quoi ça ressemblerait, ici ? À une bâtisse à l'abandon entourée d'une jungle ! Cette femme n'a aucune idée de la gestion d'un domaine comme le nôtre. Elle pérore avec son petit accent français qu'elle croit très chic, mais elle n'y connaît rien.

Moïra posa sa louche et se retourna pour dévisager David. Peu bavard, il en avait dit davantage en une minute qu'en une semaine.

— Elle voudrait qu'on embauche un *vrai* jardinier, quelqu'un de *compétent*. Tu sais quoi ? Elle va ruiner Angus avec sa folie des grandeurs. Remarque, je le connais mieux qu'elle, il ne se laissera pas faire. Enfin, j'espère...

Secouant la tête, Moïra murmura :

— Oui, contente-toi d'espérer.

Ils échangèrent un long regard, jusqu'à ce que David hausse les épaules avant d'aller s'asseoir près du feu. Depuis l'arrivée d'Amélie en Écosse, il avait évité tout commentaire à son sujet, estimant que l'épouse d'Angus avait droit au respect. Angus était son dieu, il éprouvait envers lui une infinie reconnaissance et ne se serait jamais permis de le critiquer. Bien des années auparavant, en venant à Gillespie demander de l'aide à son cousin, il ne s'était pas attendu à être accueilli si généreusement et si spontanément. Angus avait eu l'air de sauter sur une aubaine car il cherchait depuis longtemps quelqu'un de confiance pour gérer la propriété. Accaparé par ses affaires, il ne pouvait s'en occuper lui-même mais refusait d'engager un étranger. Son cousin tombait à pic, il le lui avait affirmé avec chaleur.

David n'était pas niais. Désargenté après la faillite puis le suicide de son père, qui s'était ruiné dans le tourisme, il avait failli devenir alcoolique. Trop timide pour draguer les filles, trop renfermé pour se faire des amis, il avait collectionné les petits boulots, s'employant ici ou là comme homme à tout faire. Il aimait bien les travaux manuels, et aussi être dehors par tous les temps. N'ayant pas fait d'études, il préférait écouter les autres, et par manque de moyens il s'habillait n'importe comment. Néanmoins, il avait reçu une bonne éducation, qu'il n'avait pas oubliée. À la table des Gillespie, malgré son silence et ses vêtements de jardinier, il ne faisait pas honte.

Dès la première minute, Angus avait compris quel parti il pouvait tirer de son cousin. Bien qu'ayant frôlé la déchéance, David était honnête, prêt à rendre au centuple l'aide qu'on lui accorderait. Le marché avait été conclu sur-le-champ, comprenant le gîte, le couvert, une place de membre à part entière au sein de la famille, mais ni salaire ni contrat. Traiter David sur un pied d'égalité en faisait un débiteur ravi, Angus ne s'était pas trompé. Et la main qu'il avait tendue à un parent démuni n'était pas seulement altruiste. Pour se l'attacher davantage, il lui glissait de temps à autre quelques billets, comme de l'argent de poche, avec un clin d'œil complice.

Moïra savait tout cela, mais elle n'avait jamais cherché à détromper David. S'il voulait faire d'Angus son bienfaiteur, elle ne serait pas celle qui provoque la désillusion. Cependant, aujourd'hui, que lui dire ? Qu'il n'avait aucun poids, aucune espèce d'importance face à Amélie ? Qu'en cas de conflit Angus le chasserait sans état d'âme ?

— Essaie de l'ignorer, suggéra-t-elle. Le parc ne l'intéresse pas vraiment, tu n'as qu'à approuver ce qu'elle raconte et elle ira s'occuper d'autre chose.

— Elle n'est pas une Gillespie, elle n'arrive pas à entrer dans le moule, grogna David. Elle n'est même pas écossaise ! Et plus assez jeune pour refaire des enfants, merci, mon Dieu.

— Elle pourrait. De nos jours, les femmes n'hésitent pas à en avoir de plus en plus tard.

— Angus accepterait ça ? s'indigna David en roulant des yeux.

— Qui sait ?

— Tu imagines la tête de Scott ?

— Non, je préfère ne pas y penser.

— Au lieu de remercier Dieu, je vais Lui demander de nous préserver. Tiens, pour une fois, j'irai à l'église mettre un cierge.

David parlait plus lentement à présent, et de manière moins véhémente. Peut-être se résignait-il à des bouleversements à venir qui ne dépendaient pas de lui. Moïra, en revanche, s'était mis en tête de protéger son frère. Elle voyait bien qu'il cédait aux désirs d'Amélie, mais davantage pour avoir la paix dans son ménage que parce qu'il était sous influence. Il possédait trop de personnalité et de force de caractère pour accepter n'importe quoi. Il transigeait, donnait d'une main et reprenait de l'autre, avec Amélie comme avec tout le monde. Il avait cédé pour John, contraignant Scott à lui ouvrir les portes de la distillerie, mais il s'était débarrassé du jeune homme par la même occasion. Il entretenait les enfants d'Amélie, mais jamais il ne les coucherait sur son testament, Moïra en était quasiment certaine. À moins que... Que la tentation de la chair ne soit plus puissante que la raison ? Angus aimait les femmes et n'avait pas été très gâté jusque-là. Mary s'était refusée à lui après son accouchement, et lorsqu'il s'était retrouvé veuf il n'avait pas fait beaucoup de conquêtes. Moïra supposait que, pour satisfaire ses besoins, il s'était parfois offert les services de professionnelles, ou au moins de femmes faciles. Alors, à soixante ans, avoir dans son lit une jolie épouse de vingt années sa cadette devait le combler. Au point d'en oublier ses valeurs ? Comment savoir, puisque l'amour était un domaine inconnu pour Moïra, qui n'avait jamais eu de prétendant ? Dans sa jeunesse, quelques flirts lui avaient fait battre le cœur, mais nul ne s'était aventuré avec elle au-delà d'un baiser furtif. D'une part elle ne possédait pas un physique très avenant, d'autre part Angus était un frère trop protecteur, qui écartait d'elle les garçons. Sœur et frère se ressemblaient, massifs et patauds, et les traits de leur visage manquaient de finesse. Mais ce qui pouvait passer pour une virilité de joueur de rugby chez Angus devenait simple laideur chez Moïra. Comme elle était gentille et peu délurée, bien des années durant Angus l'avait surveillée jalousement sans comprendre qu'il l'empêchait d'exister. De jeune femme, elle était passée à vieille fille. Pourtant, elle n'en concevait aucune amertume. Elle avait vu certaines de ses amies d'enfance se marier en grande pompe puis divorcer dans les larmes. Les couples se faisaient et se défaisaient, le bonheur n'était pas toujours au rendez-vous. Et puis, à défaut d'avoir trouvé un mari, Moïra avait eu Scott. Ce petit garçon de sept ans qui venait de perdre sa mère avait besoin d'affection, sans hésiter elle lui avait donné son cœur tout entier.

— Le repas sera bientôt prêt, annonça-t-elle à David d'une voix apaisante.

Elle ne voyait pas l'intérêt de jeter de l'huile sur le feu. Ce soir, Scott venait dîner, il y aurait sûrement une nouvelle prise de bec à propos de John et Angus serait de mauvaise humeur, inutile que David en rajoute avec ses problèmes. D'ailleurs, la menace de faire ses valises était ridicule, où aurait-il bien pu aller, le pauvre ? Sa vie était à Gillespie, il le savait bien, et il finirait par s'incliner devant les caprices d'Amélie parce qu'il n'avait pas le choix. Moïra non plus, hélas.

*

À peu près au même moment, à la distillerie de Greenock, John se promenait près des alambics, mains dans les poches et avec un air de profond ennui. Il avait décidé d'adopter cette attitude parce qu'elle exaspérait Scott. Leur antipathie réciproque s'était muée en franche hostilité au fil des semaines et transformait le moindre échange en altercation.

Lors de son passage près d'Inverkip, dans la plus artisanale des distilleries Gillespie, John s'était fait détester de tout le monde tant il avait mis de mauvaise volonté à effectuer les tâches les plus simples. Là-bas, Scott l'avait confié à un contremaître qui, au bout de dix jours, avait jeté l'éponge, refusant purement et simplement de s'occuper du jeune homme. Scott s'était donc résigné à emmener John à Greenock pour pouvoir le surveiller lui-même. John avait alors eu l'idée de réclamer, au choix, qu'on lui loue un studio ou qu'on lui achète une voiture. Scott, qui dormait de moins en moins souvent à Gillespie, ne pouvait pas le véhiculer, et si on voulait qu'il soit à l'heure chaque matin… Son exigence était logique, mais bien sûr Angus avait opté pour une voiture afin qu'il rentre tous les soirs au manoir. Et, au lieu de pouvoir chercher lui-même une occasion amusante, John s'était vu attribuer d'office une vieille Vauxhall cabossée qui avait jusque-là servi à David, tandis que ce dernier avait droit à un break neuf ! John avait protesté auprès de sa mère, hélas Angus était resté inflexible.

Il s'éloigna des alambics et gagna le fond de la cour pavée, où il alluma une cigarette. Les bâtiments de la distillerie, avec leurs toits caractéristiques en forme de pagode, ne manquaient pas d'élégance. Malgré son indifférence affichée, John avait fini par comprendre vaguement les principes de la fabrication du whisky. Déjà, l'expression « single malt » était facile à interpréter, il fallait que le whisky soit produit à partir d'orge maltée et dans une seule distillerie. En revanche « pur malt » n'était pas une appellation officielle, et « blend » annonçait un mélange de malt et de grain. L'originalité des Gillespie était de produire un single malt artisanal, alors qu'en Écosse le whisky finissait par s'apparenter à la grande industrie. John voyait apparaître des noms familiers pour lui, comme Rémy Cointreau ou Pernod Ricard, dans les listes de propriétaires des plus grosses distilleries, mais celles-ci étaient tournées vers le commerce international, avec des productions de millions de litres. Angus, lui, s'était farouchement accroché au maintien des traditions. Son alcool, riche et raffiné, s'adressait exclusivement aux Écossais, seuls vrais connaisseurs à ses yeux. Il avait connu une période difficile quinze ans plus tôt, bousculé par la concurrence des géants et de leurs campagnes publicitaires, mais il n'avait pas changé de cap. Aujourd'hui, un mouvement de retour vers la tradition lui donnait raison, et Scott pouvait profiter du succès.

Malgré toute sa mauvaise foi, John devait admettre que Scott travaillait pour de bon. Qu'il soit sur l'aire de maltage en train de surveiller la germination de l'orge, devant les fours alimentés de tourbe où séchaient les graines, près des cuves de brassage ou encore au pied des alambics à feu ouvert, Scott surveillait tout avec l'air d'y prendre du plaisir. Il se rendait fréquemment à la tonnellerie voisine pour faire réparer ses fûts de chêne ou en acheter d'occasion, ayant pris le temps d'expliquer à John l'importance de la qualité du bois dans le vieillissement de l'alcool. « Jamais de tonneaux neufs ! Au pire, on peut utiliser ceux ayant contenu du sherry, du bourbon, et même du bordeaux. Les whiskies vont passer une douzaine d'années là-dedans et leur arôme sera dû au bois. Comme c'est un matériau poreux, il laisse entrer l'air ambiant, or ici nous sommes proches de la mer, ça donne un goût spécial, à peine salé mais très reconnaissable. Évidemment, ça marche dans les deux sens, le tonneau laisse aussi s'évaporer un ou deux pour cent de son contenu par an, c'est ce qu'on appelle la "part des anges". »

Ces considérations assommaient John, néanmoins, au fil des jours, il finissait par éprouver malgré lui une vague curiosité. La seule chose qui ne se faisait pas sur place était l'embouteillage, les fûts étant expédiés à des firmes spécialisées, mais la responsabilité de la mise en bouteilles relevait de la distillerie. À deux reprises, John avait accompagné les fûts dans les faubourgs d'Édimbourg, et il n'avait pas détesté ce petit voyage.

— Tu vas fumer là toute la journée ?

Scott, qu'il n'avait pas vu arriver, venait de lui taper sur l'épaule, le faisant sursauter.

— Si tu n'as rien à faire, viens avec moi.

Dès que John essayait de se tenir à l'écart, en simple observateur, Scott surgissait et lui trouvait une corvée. Dans ces conditions, comment ne pas prendre en horreur la distillerie ? Ils gagnèrent le bâtiment réservé à l'administration, où trois secrétaires et une comptable travaillaient à plein temps. Dans ces locaux régnait toujours une certaine effervescence, avec des employés et des chauffeurs qui entraient ou sortaient, et des téléphones qui n'arrêtaient pas de sonner.

— Je vais t'initier aux problèmes des livraisons, déclara Scott en ouvrant la porte de son bureau.

La pièce était entièrement lambrissée de chêne et décorée par des appliques de cuivre surmontées de globes d'opaline ainsi que de quelques gravures anciennes ayant toutes trait au whisky. Devant un grand bureau d'acajou, deux inévitables fauteuils Chesterfield au cuir vert patiné attendaient les visiteurs.

— Il ne manque que des rideaux écossais ! ironisa John.

— Nous n'avons touché à rien depuis mon grand-père, répliqua Scott. J'adore cette ambiance, et mes clients aussi.

— Très cosy, très chauvin… C'est là qu'on travaille, ce matin ?

— Moi, oui, mais pas toi. Tu vas aller trouver Janet et te faire expliquer en détail les expéditions.

— Pas très rigolo comme programme.

— Tu préfères retourner l'orge à la pelle sur un plancher de maltage ? Ou bien agiter le liquide dans les cuves de brassage ?

— Tu m'as déjà fait le coup, pas la peine de t'acharner.

Scott s'assit à son bureau, laissant John debout.

— Il n'y a pas d'acharnement de ma part. Pour l'instant, tu apprends. C'est ce que tu voulais, non ? D'ailleurs, l'été prochain, tu feras *aussi* les moissons de l'orge pour prendre les choses au commencement.

— Ah, ça, pas question ! L'été, je suis en vacances, et je compte aller me promener loin de l'Écosse. J'ai mon père à voir, en France, ce sera plus intéressant pour moi que tes petites brimades.

— Ne te pose pas en victime, John. Qu'est-ce que tu croyais ? Qu'on allait t'offrir un poste bien payé et pas fatigant sans que tu aies fait l'effort de comprendre ce métier ? C'est d'une complexité et d'une subtilité que tu n'imagines même pas.

— Mais je m'en fous, Scott ! Je ne suis là que pour faire plaisir à ma mère, nous le savons tous les deux.

— Elle est vraiment la seule qui y prenne du plaisir. En ce qui me concerne, traîner un cancre paresseux derrière moi à longueur de journée est une sacrée corvée !

Vexé parce que Scott avait touché un point sensible en le traitant de cancre, John riposta :

— Pourquoi me détestes-tu ? À l'évidence, tu ne supportes pas que je mette un pied dans ton territoire ! Tu me mènes la vie dure pour que je renonce, tu fais tout pour me dégoûter.

— C'est faux.

— Ne me raconte pas d'histoires. Tu as très mal accepté le remariage de ton père, tu voulais rester fils unique et garder le contrôle de tout jusqu'au dernier penny. Mais il va falloir partager et ça te reste en travers de la gorge !

— Partager quoi, au juste ? Le travail, les responsabilités ? Tu en es incapable. Contrairement à ce que tu penses, j'aimerais avoir quelqu'un pour me seconder ici. La reprise du marché du whisky est une formidable opportunité et je compte en profiter pour développer nos deux affaires. Du temps de papa, les choses allaient cahin-caha, il a parfois eu du mal à se maintenir à flot. Aujourd'hui, neuf distilleries sur dix appartiennent à de grands groupes prêts à tout pour écraser ceux qui restent indépendants, mais quand on s'accroche à une qualité irréprochable et constante, quand on respecte toutes les traditions du sol écossais, on peut résister. C'est ce que mon père a fait, mais moi, je veux progresser, aller plus loin. Pour ça, j'ai besoin de gens de confiance autour de moi. Tu pourrais être l'un d'eux car après tout, que ça me plaise ou non, tu fais plus ou moins partie de ma famille.

— Te *seconder* ? Après cinq ou dix ans d'apprentissage que tu t'arrangerais pour rendre odieux ? Très peu pour moi ! Mon ambition dans la vie n'est pas de servir sous tes ordres pour t'aider à vendre ta bibine ! Et puis quoi encore ? Tu vas embrigader mes deux frères pour avoir de la main-d'œuvre gratis ?

John s'était mis à crier, et dans le silence qui suivit sa tirade il se sentit soudain mal à l'aise. Scott le regardait avec une expression indéchiffrable. Au bout d'un moment, il laissa tomber :

— « Main-d'œuvre » est très excessif, vous êtes trois bons à rien.

Sans hâte, il se leva, contourna son bureau et alla ouvrir la porte.

— Je t'ai demandé de t'adresser à Janet pour qu'elle t'explique le fonctionnement des expéditions. Si tu ne veux pas le faire, tu es libre de quitter la distillerie.

— Vraiment ?

— Tu n'es pas très intelligent, John, et je peux retourner tes armes contre toi. Rentre donc à la maison, plains-toi à ta mère, tu verras que pour une fois elle va mal t'accueillir. Bien sûr, elle compte sur toi pour me pourrir la vie, mais surtout pour que tu t'imposes ici et qu'ainsi elle puisse vanter tes mérites auprès de mon père. Elle imagine qu'il finira par voir en toi un autre successeur. Malheureusement pour toi, il connaît ce métier par cœur et il ne jure que par un apprentissage sur le terrain. Il me l'a imposé et il ne t'en fera pas grâce. En fuyant, tu n'as pas la moindre chance de le convaincre que tu peux occuper une quelconque place dans nos affaires. Il est très amoureux de ta mère, nous sommes d'accord, mais ça n'en fait pas un imbécile pour autant.

— Tu mésestimes le pouvoir des belles femmes sur les vieux messieurs ! répliqua John, que la rage faisait trembler.

Il aurait voulu mettre Scott hors de lui, peut-être provoquer un esclandre ou, mieux encore, la bagarre dont il rêvait. Mais Scott restait imperturbable et le toisait, attendant une réponse. John céda d'un coup, conscient de n'avoir aucune échappatoire.

— Bon, c'est laquelle, Janet ?

— La blonde, avec des lunettes.

Il sortit et claqua violemment la porte. Scott prit une profonde inspiration puis ferma les yeux une seconde pour se calmer. Ne pas donner suite aux multiples provocations de John le frustrait et le rendait amer. À certains moments, il l'aurait volontiers attrapé par le cou et secoué comme un chiot. Sa seule consolation, aujourd'hui, était de lui avoir enfin dit qu'il manquait d'intelligence et qu'il n'était bon à rien. Des propos qui seraient rapportés à Amélie le soir même.

Il regagna son bureau, consulta son agenda. En principe, il accompagnait Mary à un concert de jazz au Cottier's, donc il ne rentrerait pas au manoir. Il en avait d'ailleurs de moins en moins envie. Il le regrettait pour Moïra, pour son père, et pour l'adorable petite Kate. Enfin, plus si *petite* que ça ! Mais toujours vulnérable face à ses frères qui la traitaient encore en gamine alors qu'elle ne l'était plus. Philip prenait le même chemin que son frère aîné, il allait rater son examen de fin de scolarité et n'aurait pas accès aux études supérieures. De son côté George se maintenait à peu près dans la moyenne de sa classe depuis quelques mois, son cas semblait moins désespéré. Il était aussi un peu plus aimable, et dans l'ensemble se tenait mieux. Scott ne ressentait pas d'antipathie à son égard, mais décidément seule Kate lui inspirait de l'affection. Était-il injuste ou intolérant, ainsi que le prétendait John ? Il n'avait jamais vu les enfants d'Amélie comme une menace. Connaissant son père, il était presque certain que celui-ci ne se laisserait pas mener par le bout du nez. Pourtant, la phrase de John à propos du pouvoir d'une belle femme sur un vieux monsieur le faisait réfléchir. S'il entrait en guerre ouverte avec Amélie, quel camp choisirait Angus ? Il continuait d'afficher une indifférence bienveillante vis-à-vis de ses beaux-fils, néanmoins Amélie avait fini par marquer des points. Imposer John à la distillerie, lui fournir une voiture, assumer tous les frais des quatre enfants, accepter des changements de décor dans presque toutes les pièces de la maison, mécontenter Moïra, vexer David… Jusqu'où pourrait-il aller pour plaire à sa femme ? Scott se savait la bête noire d'Amélie. Elle le voyait comme un obstacle aux projets concernant ses propres fils, et si convaincre Angus n'était pas trop difficile pour elle, en revanche Scott échappait entièrement à son influence. Il représentait le fils unique, le fils légitime, celui qui portait le nom de Gillespie, et elle devait l'écarter par tous les moyens pour parvenir à ses fins.

Songeur, il laissa errer son regard sur les gravures ornant les murs. L'une d'elles représentait la première étiquette du single malt Gillespie de douze ans d'âge. Au fil des décennies, le graphisme avait lentement évolué avec des changements infimes, mais en respectant la même élégance sobre. Dans les rayons, la bouteille se repérait de loin pour les connaisseurs. Le souci de Scott n'était pas d'écouler sa production, qui se vendait intégralement avec une demande supérieure à l'offre, mais plutôt de l'augmenter. Une décision délicate, car il devait tabler sur ce que serait le marché d'ici à une douzaine d'années, vu le temps nécessaire à la fabrication. Son père, inquiet pour l'avenir, n'avait pas voulu anticiper, surtout qu'une fois mis en bouteilles le whisky ne vieillit plus, contrairement au vin, et que le stocker ne lui donne donc aucune valeur supplémentaire. Néanmoins, Scott était jeune et avait du temps devant lui, il pouvait prendre des risques.

Oubliant John et les problèmes familiaux, il se replongea dans le travail. Pour commencer, il devait s'occuper d'un alambic dont les rivets donnaient des signes de fatigue.

*

Le jour baissait, mais Kate se promenait toujours. Elle s'était aventurée bien au-delà du parc, sur des sentiers qu'elle avait appris à connaître et qui l'emmenaient toujours plus loin. La boue s'accrochait aux semelles de ses chaussures, ralentissant sa marche, mais elle s'en moquait, tout au plaisir de sa balade. Elle avait longé la crête de la colline sur laquelle se trouvait Gillespie et savait que bientôt elle apercevrait la mer au loin, au moment du soleil couchant. Pour le retour, il faudrait qu'elle se dépêche avant que la nuit tombe.

Arpenter la campagne l'égayait, il y avait souvent de bonnes surprises comme apercevoir un coq de bruyère ou un tétras-lyre, un écureuil ou une martre, parfois un chat sauvage quand elle quittait la lande pour la forêt. Elle adorait le bruit du vent qui soufflait presque chaque jour, produisant un son différent dans les bois ou à découvert. Année après année, elle aimait davantage l'Écosse, fascinée par l'aspect sauvage de ces terres immenses. Gillespie, planté entre mer et montagne, offrait toute une palette de paysages à la beauté farouche dont Kate ne se lassait pas. Elle avait oublié Paris, ne pensait plus au jardin du Luxembourg, si petit et si bien ordonné. Même à son père, elle songeait rarement désormais. Blessée par tant d'indifférence, elle ne se révoltait plus. Les nombreuses lettres qu'elle avait rédigées en vain, sans savoir où les envoyer, lui paraissaient bien mièvres lorsqu'elle se remémorait certains passages. Conservées au fond d'un tiroir, elles ne seraient sans doute jamais lues par leur destinataire car Kate envisageait de les détruire. Tout cet amour perdu l'avait longtemps désespérée, mais aujourd'hui elle ne pleurait plus. Parfois, en cherchant un crayon ou un timbre, elle les apercevait et haussait les épaules. Son enfance était terminée, l'image de son père se diluait peu à peu et deviendrait bientôt un simple souvenir douloureux.

Lorsque John avait annoncé fièrement qu'il se rendrait en France l'été prochain pour voir leur père, Kate était tombée des nues. Le *voir* ? Aurait-il enfin donné signe de vie ? Oui, mais uniquement à son fils aîné, qu'il invitait à Paris ! John avait gardé la nouvelle un moment avant de la lâcher comme une bombe. Malgré les supplications de Kate, il s'était défendu de connaître l'adresse, expliquant que l'unique contact avait eu lieu sur Facebook. Kate avait failli pleurer, de dépit plus que de réel chagrin, mais elle s'était aperçue qu'elle n'avait plus de larmes, en tout cas pour leur père. Celui-ci se livrait à un jeu de cache-cache ignoble et cruel, qui pouvait même finir par dresser ses enfants les uns contre les autres, en conséquence il ne méritait pas qu'on s'intéresse à lui. Kate s'était juré qu'au retour de John elle ne lui poserait pas une seule question, et elle espérait avoir assez de volonté pour s'y tenir.

Ainsi qu'elle l'avait souhaité, elle parvint à l'endroit d'où l'on apercevait la mer, juste à temps pour profiter du soleil couchant qui était en train de s'enfoncer dans la ligne d'horizon. Verrait-elle le fameux rayon vert, au ras des flots, quand l'astre disparaîtrait tout à fait ? Elle ne croyait pas à cette légende écossaise citée par Jules Verne, mais elle ne pouvait s'empêcher de guetter le phénomène. Un long moment, elle resta debout face au vent, perdue dans la contemplation du spectacle. Quand elle se détourna, ses cheveux lui fouettèrent le visage et elle se mit à rire. Les promenades solitaires sur les collines lui procuraient toujours du plaisir. Marcheuse infatigable, elle traversait sans crainte les troupeaux de moutons, saluant de loin les bergers et les chiens, grimpant les côtes ou dévalant les pentes. Ni le froid ni les orages ne l'effrayaient, elle se sentait bien dehors. Parfois, elle rentrait trempée ou grelottante, et Moïra lui faisait la morale en se dépêchant de lui préparer un bol de thé noir. Devant la cheminée, les mains serrées autour de la porcelaine brûlante, Kate racontait sa promenade, et Moïra finissait toujours par dire : « Scott était comme toi, il adorait arpenter les collines et n'avait aucun sens de l'heure ! » Cette phrase était comme un signal, à partir de là Moïra racontait des anecdotes sur l'enfance de Scott, et Kate en savourait chaque mot. Loin de la quitter, son obsession pour Scott la nourrissait, la faisait vivre. Il était toujours le prince charmant de ses rêves, le seul à affoler son cœur, et il reléguait tout autre homme au rang de figurant. Car, depuis peu, Kate avait des soupirants. Les garçons de son âge commençaient à la regarder différemment, à lui sourire d'un air bête, à l'inviter. L'un d'eux, Neil, se montrait très assidu et s'était mis en tête de l'initier au golf, le sport national. En apprenant qu'elle s'y mettait, Angus avait été ravi. « Le dimanche, après la messe, nous pourrons partager un parcours de temps à autre ! » avait-il plaisanté. Puis, grand seigneur, il lui avait offert un équipement complet. Kate ne l'avait pas accompagné plus souvent à l'église, ce qu'elle faisait une fois par mois environ, mais désormais elle jouait volontiers avec lui et écoutait tous ses conseils. Entre eux deux, une sorte d'affection complice se développait. Angus s'amusait de l'endurance de sa belle-fille, capable de marcher des kilomètres durant sous une pluie battante tout en conservant son sens de l'humour, et il appréciait sa réserve, sa fraîcheur, ainsi que la finesse dont elle faisait preuve lors de leurs longues conversations. Ravie de les voir si bien s'entendre, Amélie estimait l'avenir de sa fille assuré, ne doutant pas qu'Angus lui trouverait un excellent parti le moment venu. Bien entendu, Kate n'y songeait pas puisqu'elle ne pensait qu'à Scott. Chaque jour, elle redoutait l'annonce de son mariage avec Mary, et lorsqu'il venait dîner à Gillespie elle était partagée entre la crainte et la joie. N'osant pas lui poser la question directement, elle se bornait à demander des nouvelles de Mary puis, vite, elle parlait d'autre chose.

Elle constata soudain qu'il faisait très sombre. La nuit était tombée tandis qu'elle flânait sur le chemin du retour, perdue dans ses pensées comme toujours. Elle savait où elle se trouvait, mais il lui faudrait encore une bonne demi-heure de marche pour regagner le manoir, et l'obscurité allait la retarder. Fouillant dans les poches de son manteau, elle en sortit la lampe électrique qui ne la quittait jamais. Prudente, elle en changeait régulièrement la pile, aussi dès qu'elle appuya sur l'interrupteur un faisceau puissant éclaira le chemin loin devant elle. Elle hésita à couper à travers le bois ou à rester en terrain découvert, quitte à faire un détour. Levant la tête, elle scruta le ciel noir, mais il était trop tôt et la lune était invisible. Haussant les épaules avec désinvolture elle se remit en route, persuadée que, au besoin, elle pourrait rentrer les yeux fermés. À l'instant où son pied heurta quelque chose de dur, une douleur fulgurante la fit hurler. Elle s'effondra et lâcha sa lampe, qui s'éteignit. En tendant les mains vers sa cheville, elle réalisa qu'un piège d'acier venait de se refermer sur elle.

*

Mary avait oublié le jazz et le concert. Lovée contre Scott, elle reprenait son souffle, un sourire béat errant sur ses lèvres.

106

— C'était divin…, murmura-t-elle enfin.

Elle sentit qu'il caressait ses cheveux, déplaçant les petites mèches dans sa nuque. Faire l'amour avec lui la comblait, elle adorait sa peau, son odeur, et aussi le moindre de ses gestes. Comme ils se connaissaient bien, chacun s'appliquait à provoquer puis satisfaire les désirs de l'autre, mais au-delà du plaisir donné et reçu, Mary était éperdument amoureuse. Depuis le début de leur aventure elle s'était attachée à lui un peu plus chaque jour. Non seulement elle le trouvait beau et intelligent, mais de plus elle avait découvert qu'il pouvait être tendre, délicat et plein d'humour malgré son fichu caractère.

— Il faut se rhabiller, constata-t-elle à regret, sinon on va rater le début du concert. Je prends une douche en vitesse et je te cède la place.

— Non, je viens avec toi, ce sera plus rapide.

Il la regarda se lever et esquissa une grimace.

— Quoique…, dit-il en tendant la main vers elle pour la retenir. Tu as vraiment envie d'aller au Cottier's ?

— J'ai eu un mal de chien à obtenir les places ! protesta-t-elle en riant. D'ailleurs, Graham et Pat nous attendent là-bas, on ne peut pas leur faire faux bond.

Amusée par son air déçu, elle fila à la salle de bains. Accrochés aux patères, leurs deux peignoirs ne signifiaient malheureusement pas qu'ils vivaient ensemble. Malgré toutes ses tentatives, elle n'avait pas obtenu de Scott qu'il abandonne son indépendance. Elle venait chez lui ou il allait chez elle, bref ils se recevaient comme des amants de fraîche date alors que leur liaison s'éternisait. Il lui avait confié une clef de son appartement, mais elle ne s'en servait pas et le prévenait toujours de sa visite, à tout hasard. Avec beaucoup de tact, il lui avait rappelé qu'il dormait parfois à Gillespie, qu'il n'était pas forcément là. Voulait-il la dissuader d'une irruption inattendue ? Elle le supposait fidèle, croyait à ses mots d'amour, et elle ne comprenait pas pourquoi il maintenait une sorte de distance entre eux. Il se prétendait trop jeune pour un véritable engagement, une excuse de moins en moins valable.

La porte de la salle de bains s'ouvrit à la volée et Scott se précipita sous la douche, mais ce n'était pas pour la prendre dans ses bras.

— Je crois qu'ils sont inconscients, à la maison ! lança-t-il en attrapant le savon. Figure-toi que Kate a disparu et qu'ils n'ont même pas appelé la police !

— Kate ?

Éberluée, elle le regarda se laver à toute vitesse, bondir vers une serviette.

— Elle a l'habitude de se promener seule dans les collines, expliqua-t-il.

— C'est dangereux, non ?

— Pas plus qu'autre chose... Enfin, si, tu as raison. Kate est une jeune fille, il peut arriver n'importe quoi.

— N'imaginons pas forcément le pire. Elle s'est sans doute perdue.

— Je ne crois pas. Elle possède un bon sens de l'orientation et elle est raisonnable. Des heures de retard, c'est inexplicable.

— Elle a un téléphone portable ?

— Oui, mais elle ne répond pas.

— Tu vas y aller ?

— Bien sûr ! Même si j'arrive après les flics, je connais mieux le relief du terrain.

— Je viens avec toi, décida-t-elle.

— Non, ça ne servirait à rien. Je t'appellerai.

Sans écouter ses protestations, il fila s'habiller. Deux minutes plus tard, alors qu'elle finissait de se sécher, elle entendit claquer la porte. Évidemment, il était inquiet pour la petite Kate, mais il aurait pu se montrer moins sec. Le ton sans réplique qu'il venait d'utiliser laissait une impression désagréable.

Perplexe, Mary regagna la chambre. Si elle voulait rejoindre Graham et Pat, elle devait se dépêcher, pourtant elle avait envie de s'attarder car c'était la première fois qu'elle se trouvait seule chez Scott. Jamais elle ne se serait abaissée à fouiller dans ses affaires, toutefois elle se surprit à observer le décor différemment. Dans cet appartement, elle se sentait invitée, un peu étrangère, n'ayant jamais tout à fait accepté le choix de Scott. N'était-il pas ridicule de payer deux loyers, d'avoir chacun un univers distinct ? Ici, les meubles n'appartenaient pas à Scott et ne révélaient rien de sa personnalité ou de ses goûts. Pour un jeune homme de vingt-cinq ans, il était assez ordonné, ses affaires ne traînaient pas partout, mais peut-être rangeait-il avant l'arrivée de Mary. Sur son bureau, des dossiers rapportés des distilleries étaient classés en piles. Seuls objets personnels, quelques photos encadrées trônaient çà et là : son père en kilt, Moïra avec une écharpe de tartan jetée sur l'épaule, Graham et Scott en tenue de rugby, David tenant d'une main une grouse et de l'autre un fusil. Enfin Mary elle-même, devant les bâtiments de la filature, riant aux éclats. Dans le dernier cadre, plus petit, se trouvait une photo en pied de Kate, cheveux au vent, sans doute prise sur la lande. Aucune trace de la mère de Scott, dont il ne parlait jamais. Il était finalement assez secret, abordant rarement des sujets personnels. Lorsqu'elle tentait de le pousser dans ses retranchements, il éludait les questions par un rire ou un mot tendre. Quant au mariage, dès qu'elle l'évoquait il se fermait et refusait la discussion. Sa seule concession avait été ce déjeuner à Édimbourg, toutefois il était resté très réservé avec les parents de Mary, n'évoquant l'avenir à aucun moment. Et il ne lui avait toujours pas proposé de venir à Gillespie pour la présenter à Angus.

— C'est l'occasion ou jamais ! lâcha-t-elle à voix haute.

Il n'avait pas voulu qu'elle l'accompagne là-bas, mais elle pourrait toujours prétendre qu'elle était très inquiète pour la petite Kate et n'avait pas pu s'empêcher de venir aux nouvelles. Après tout, elle la connaissait, d'ailleurs Scott lui en parlait souvent comme d'une petite sœur qu'il avait prise sous sa protection et à laquelle il s'était attaché.

Soudain fébrile, Mary saisit son portable pour envoyer un texto d'excuses à Graham, puis elle enfila ses vêtements à la hâte.

*

Avec la nuit sans étoiles et la pluie qui tombait dru, la police estimait que les recherches seraient difficiles. Peut-être valait-il mieux attendre que le jour se lève. Et puis la famille était-elle en mesure d'affirmer que la jeune fille n'avait pas fait une fugue ? À son âge, c'était fréquent, surtout au sein d'une famille recomposée qui pouvait poser problème.

Amélie avait regardé les policiers avec des yeux ronds, horrifiée, et Angus s'était mis en colère. Sa famille allait très bien, merci, et la petite se plaisait beaucoup à Gilles-pie. Il s'agissait d'une gamine adorable, qui travaillait bien à l'école et n'avait pas de petit copain. L'idée d'une fugue était ridicule, la preuve, elle n'avait rien emporté, elle était seulement partie se promener, ce qu'elle faisait quotidien-nement.

Les policiers avaient demandé à voir sa chambre, sans cesser de poser des questions ineptes sur ses « fréquen-tations ». Scott était arrivé peu après, fou d'inquiétude, et, mesurant la situation, il avait décidé de se lancer à la recherche de Kate sans perdre une seconde de plus. Avec David, ils s'étaient munis de torches, de cordes, de cou-vertures, puis s'étaient éclipsés tandis que le ton montait entre Angus et les policiers.

La Jeep Patriot pouvait emprunter n'importe quel chemin, aussi à l'aise pour grimper une pente raide que pour tracer sa route dans la boue. La difficulté consistait à savoir où chercher, par où commencer.

— Kate aime bien aller voir les moutons, rappela David. Elle connaît tous les bergers et tous les chiens. S'il lui était arrivé quelque chose de ce côté-là, on nous l'aurait signalé.

Scott s'efforçait de conduire lentement, les mâchoires serrées et les mains crispées sur le volant. Il avait allumé toute la rangée de phares, qui trouaient l'obscurité loin devant la voiture.

— Regarde la route, suggéra David, moi j'inspecte le bas-côté. On peut aller vers la mer, mais si elle a coupé à travers bois...

— Quelles sont les bêtes sauvages qu'elle aurait pu rencontrer ? l'interrompit Scott. Un cerf ? Nous ne sommes pas en période de rut, ils n'ont aucune raison d'être agressifs. Un renard ?

— Mais non ! Ils ont peur des humains, tu sais bien. Et il n'y a plus de cas de rage, la maladie est éradiquée.

— Faux ! Les chauves-souris la transmettent encore.

— Ne sois pas idiot. Tu préfères envisager qu'elle soit tombée sur un animal plutôt que sur un humain, hein ? Parce que la vraie mauvaise rencontre, c'est ça...

Scott ne répondit rien, concentré sur sa conduite. Au bout de quelques minutes, David murmura :

— J'aurais dû partir à sa recherche sans attendre. Mais ton père, Moïra et Amélie se disputaient, personne n'était d'accord. Après, les flics sont arrivés. Heureusement que j'avais pensé à t'appeler. Toi, personne ne te contredit.

— Toi non plus, que je sache !

— Si, ta belle-mère. Elle est tout le temps sur mon dos.

— Parles-en à papa.

— Il ne m'écoutera pas, il est amoureux. Ralentis un peu, je n'arrive pas à regarder partout à la fois.

Scott repassa en première, se contraignant à rester calme. Le bruit régulier des essuie-glaces l'exaspérait, il aurait donné n'importe quoi pour apercevoir enfin Kate.

— Crois-tu qu'elle saurait se défendre ? finit-il par lâcher.

— Contre quoi ?

— Elle n'est pas méfiante, alors si elle a croisé un cinglé ou un sale type, elle n'est sûrement pas partie en courant.

De nouveau, ils restèrent silencieux, jusqu'à ce que David reprenne :

— J'espère qu'elle n'a rencontré personne de mal intentionné.

— Tous les hommes ne sont pas des pédophiles.

— Ça n'a rien à voir. Kate est une jeune fille, plus une enfant.

Scott médita ces paroles jusqu'à ce qu'ils parviennent en lisière du bois.

— Quel chemin forestier vaut-il mieux prendre ?

— On va les faire un par un, suggéra David. Mais il y en a qui sont vraiment étroits, la Jeep ne passera pas.

— Elle ne craint rien. On cassera des branches au besoin.

Il avait abaissé sa vitre et s'arrêtait de loin en loin pour prêter l'oreille. La pluie, qui tombait de plus en plus dru, entrait dans l'habitacle et trempait son blouson et son jean.

— Ses frères ne se sont pas lancés à sa recherche ? voulut savoir Scott.

— Amélie n'a pas voulu. John n'était pas encore rentré, mais elle a interdit à George et à Philip de franchir la porte.

— Elle en fera des poules mouillées. Remarque, autant qu'ils ne s'en mêlent pas. Ils ne connaissent rien alentour, ils ne se promènent jamais !

Privés de leur meneur, les deux garçons s'enfermaient dans leurs chambres pour écouter de la musique ou jouer avec leurs ordinateurs. Angus leur reprochait de ne pas faire de sport, alors qu'il avait pu initier Kate au golf et qu'elle se révélait là aussi bonne élève.

— Je ne comprends pas qu'ils ne soient pas morts d'inquiétude pour leur sœur, marmonna Scott.

— Tant s'en faut ! Philip a dit qu'elle était capable de lire des poèmes au clair de lune en oubliant l'heure.

— Elle n'est pas irresponsable, s'il s'intéressait à elle, il le saurait, cet abruti. De toute façon, il n'y a pas de clair de lune.

— Je crois que c'est George le moins mauvais des trois, fit remarquer David. Tourne à droite ici.

La Jeep pénétra dans le bois, ses phares déchirant l'obscurité. Sous cette lumière crue et mouvante, les arbres semblaient avancer vers eux, fantomatiques. Scott roulait au pas et s'arrêtait souvent pour crier le nom de Kate, écouter, scruter les taillis. Il se sentait à la fois frustré, impatient et découragé.

— Mettons qu'elle soit allée voir la mer, marmonna-t-il. Au retour elle n'avait qu'une alternative, la lande ou la forêt. On va repartir de l'endroit où elle avait le choix entre les deux options et on ira à pied, chacun d'un côté.

— Si tu veux. Mais alors laisse la voiture dans un endroit dégagé, bien visible avec les lumières allumées, qu'elle puisse la distinguer de loin si jamais...

— En tout cas nous sommes seuls au monde ! ragea Scott. Les flics ont dû décider d'attendre le jour.

— À ce moment-là, ils pourront mobiliser un hélicoptère.

— Pas s'ils s'obstinent à croire à une fugue.

— C'est ridicule quand on connaît la petite, mais ce n'est pas leur cas.

— Et pourquoi Amélie ne s'est-elle pas jetée dehors à la recherche de sa fille ? Pour un de ses fils, elle serait partie comme une folle.

— Tu n'aimes pas cette femme, hein ? ironisa David. Moi non plus…

Scott s'arrêta à l'endroit convenu et entama une manœuvre pour positionner la Jeep de manière qu'elle serve de point de repère. À l'instant où il braquait à gauche, ses phares éclairèrent quelque chose d'insolite à une cinquantaine de mètres, en lisière du bois.

— Tu vois ça, là-bas ? dit-il d'une voix fébrile. Est-ce que Kate portait son manteau rouge ?

Il n'attendit pas la réponse de David pour se jeter hors de la voiture.

— Kate ! Kate ! hurla-t-il en courant vers elle.

Recroquevillée sur un tapis de feuilles et de terre, Kate gémissait et claquait des dents, les yeux fermés, le pied toujours prisonnier du piège d'acier. Scott se laissa tomber à côté d'elle et lui souleva délicatement la tête.

— Je suis là, ma puce, tout va bien…

De sa main libre, il sortit une torche de sa poche et éclaira les jambes de Kate. Autour de la cheville, du sang avait coagulé mais ne semblait plus couler. Les dents du piège étaient profondément enfoncées dans la chair, qui paraissait très enflée autour de la blessure. Depuis combien de temps la malheureuse était-elle couchée là, la peur s'ajoutant à la douleur ?

— Kate, tu m'entends ? Tu as très mal ?

Des sanglots étranglés furent la seule réponse qu'il obtint.

— Je vais chercher des outils dans la voiture, dit David derrière lui.

114

Scott posa la torche sur le sol et prit son téléphone portable. Angus décrocha dès la première sonnerie et Scott lui résuma la situation en quelques mots.

— Préviens les flics, qu'ils me fassent envoyer une ambulance.

— Là où vous êtes, elle ne passera pas, elle finira embourbée.

— Alors, je ramène Kate à la maison avec la Jeep. On va faire le plus vite possible. Que l'ambulance attende à l'entrée de l'allée, on fera le transfert.

— Est-ce que ça te paraît grave, Scott ?

— Je ne sais pas. J'ai peur d'ouvrir le piège, mais il faut qu'on la dégage de là.

David revenait, portant une barre de fer.

— J'essaie de faire levier au niveau de la charnière, d'accord ?

Scott hésita une seconde avant de hocher la tête.

— Kate ? On va libérer ta cheville et il se peut que ce soit douloureux, je ferai le plus doucement possible...

Elle ouvrit les yeux, parut accommoder sa vision à travers ses larmes, puis elle jeta ses bras autour du cou de Scott, s'accrochant à lui comme si elle était en train de se noyer.

— Ça fait mal, tu sais, bredouilla-t-elle, vraiment mal ! Sauf dans mon pied. Au début c'était horrible, mais maintenant je ne le sens plus du tout. Est-ce qu'il est toujours là, dis ?

— Oui, oui, tu es seulement blessée. Ne t'inquiète pas pour ton pied, ta jambe est bien plus solide qu'une patte de renard, hein ? Serre-moi bien fort et ne regarde pas. Tu peux crier si tu veux, mais essaie de ne pas bouger pendant que David écarte les mâchoires du piège.

— Saloperie de truc..., ahana ce dernier en s'arc-boutant. Attraper les bêtes là-dedans, c'est du sadisme ! Vas-y, Scott, je le tiens ouvert.

Avec d'infinies précautions, Scott souleva la jambe de Kate, qui hurla et se remit à sangloter. Il y eut un claquement sec de l'acier, puis David se redressa.

— Va chercher la Jeep, lui demanda Scott.

Il sentait Kate trembler contre lui mais elle s'agrippait toujours à son cou. À l'aide de la torche, il regarda de nouveau la blessure et se mordit les lèvres. Le bas du tibia semblait présenter une fracture ouverte. Comment Kate allait-elle pouvoir supporter qu'on la bouge ? Devait-il soutenir son pied ou surtout ne pas le toucher ? Il pensa à la flasque de whisky qui se trouvait dans le vide-poche de la voiture, mais si Kate devait être opérée rapidement, lui faire ingurgiter de l'alcool était une très mauvaise idée.

— Écoute-moi, chérie, tu auras sûrement mal, parce qu'il faut que je te porte jusqu'à la banquette, où je t'allongerai du mieux possible. Je ne peux rien faire pour te soulager tout de suite, mais une ambulance t'attend et tu seras soignée très vite.

Il était malade à l'idée d'aggraver les choses, mais il ne pouvait pas la laisser là et il n'avait pas le choix. La lumière éblouissante des phares lui fit cligner les yeux quand David approcha le véhicule puis l'arrêta juste à côté d'eux. Sous cet éclairage cru, il s'aperçut que la plaie recommençait à saigner.

— Serre-moi de toutes tes forces, murmura-t-il.

Glissant une main sous ses genoux, il se redressa tandis qu'elle poussait un cri déchirant.

— Oh, mon Dieu…, souffla David.

Accroché à la portière qu'il tenait ouverte, il semblait sur le point de s'évanouir.

— Passe de l'autre côté et prends-la par les épaules !

Les sanglots de Kate lui étaient odieux, il aurait donné n'importe quoi pour qu'elle cesse de souffrir. Sur la banquette, le pied formait un angle affreux avec la jambe. David s'agenouilla derrière le siège du conducteur afin de maintenir Kate pendant que Scott s'installait au volant. Obligé de rouler lentement à cause des ornières, il sentait sa chemise collée à son dos par la sueur malgré le froid.

— Elle a tourné de l'œil, annonça David.

— Tant mieux ! Déplie la couverture sur elle, je mets le chauffage.

Combien de temps la jeune fille était-elle restée clouée au sol sous la pluie ? Avait-elle aggravé sa blessure en essayant de se dégager ? Il l'entendit gémir puis se remettre à pleurer.

— Elle revient à elle, dépêche-toi !

— On arrive, on arrive, dit-il entre ses dents.

*

Dans le grand salon de Gillespie, Angus avait servi du whisky et Moïra présentait un plateau de sandwiches qu'elle venait de confectionner. L'ambulance était partie depuis près d'une heure, emportant Kate vers un hôpital de Glasgow. Amélie était montée avec elle mais avait refusé la présence de qui que ce soit d'autre. Elle n'avait pas eu un mot de reconnaissance ou de remerciement pour Scott et David, pendue à la main de sa fille comme si elle l'avait sauvée elle-même.

Scott se sentait en colère, non pas à cause de l'indifférence d'Amélie, qui ne le surprenait pas, mais de la présence incongrue de Mary. Il l'avait découverte avec stupeur au milieu de la famille et des policiers, et maintenant elle était installée dans un fauteuil à côté d'Angus, lui parlant à mi-voix. Apparemment très à l'aise, elle semblait avoir conquis tout le monde.

— Elle est jolie comme un cœur, ta fiancée, souffla Moïra à l'oreille de Scott.

Il esquissa un sourire contraint et annonça qu'il allait prendre une douche. Une fois dans sa chambre, il se débarrassa de ses vêtements trempés, tachés de boue et de sang. Comme il vivait à moitié à Gillespie et à moitié à Glasgow, il avait laissé de nombreuses affaires dans ses placards. Après s'être lavé sous un jet brûlant, il enfila un jean et un pull propres, pressé de descendre. Mary devait continuer son numéro de charme tout en observant les choses et les gens. Dévorée par la curiosité depuis longtemps, elle avait sauté sur l'occasion de s'introduire à Gillespie, abandonnant sans état d'âme Graham et Pat. Pourtant, elle savait qu'elle ne serait d'aucune utilité ici, Scott le lui avait fait comprendre clairement. Comment pouvait-elle croire qu'en lui forçant la main elle changerait les choses ?

Lorsqu'il revint dans le grand salon, ce fut pour entendre Moïra annoncer une collation « sur le pouce » et prier Mary de se joindre à eux. Bien entendu, elle accepta avec un sourire reconnaissant et parut seulement après chercher l'approbation de Scott. Il se détourna, exaspéré. Quitte à présenter la jeune femme à sa famille, il aurait préféré d'autres circonstances. Mais le désirait-il ? La voir ici, chez lui, le contrariait vivement. Dès le lendemain, son père le harcèlerait en réclamant une date pour le mariage, or il n'en était pas question. Jusque-là, il s'était contenté de repousser l'idée, d'imposer un délai, de trouver des prétextes, et mis au pied du mur il s'apercevait qu'il ne voulait *pas du tout* épouser Mary. Ni vivre sous le même toit qu'elle, ni s'engager pour l'éternité, encore moins fonder une famille.

Il alla se servir un verre de whisky, qu'il vida d'un trait.

— Tu bois comme un cow-boy ! railla Angus.

Néanmoins, il posait sur son fils un regard affectueux.

— Je suis fier de toi, ajouta-t-il. Et de David. Vous valez mieux que deux douzaines de policiers.

— On connaît le terrain, marmonna David, on savait à peu près où chercher la petite. Imaginer une fugue était ridicule !

— Ils ne pouvaient pas le savoir, tempéra Angus.

— Ils ne pouvaient pas savoir non plus si elle n'avait pas été enlevée, et dans cette éventualité ils auraient dû se lancer à sa recherche sans perdre une seconde.

— Je crois qu'ils étaient sur le point d'organiser une battue.

— Le temps qu'ils s'y mettent, le jour se serait levé !

David semblait outré et Scott prit son parti.

— L'hypothèse d'un accident était la plus vraisemblable, et là non plus il ne fallait pas tarder. Kate était en état de choc et en hypothermie quand on l'a découverte. Je préfère ne pas penser à ce qu'elle a vécu...

— Ni à ce qui serait arrivé si vous ne l'aviez pas retrouvée.

— Est-ce qu'Amélie va nous appeler dès qu'elle aura des nouvelles ?

— Je le lui ai fait promettre, affirma Angus.

— Kate sera sûrement opérée en urgence, la fracture ouverte n'était pas belle à voir.

— Je veux savoir qui pose des pièges, Scott. C'est scandaleux !

— En principe, ils sont destinés aux renards. Celui-ci semblait un peu surdimensionné, vieux et complètement rouillé. Kate est-elle à jour de ses vaccins ?

— Amélie a dû y veiller, et il y a aussi le contrôle médical de l'école.

Angus se tourna vers David, l'air soucieux.

— Écoute, rends-toi utile, essaie de découvrir qui a eu le culot d'installer des pièges.

— David s'est *déjà* rendu utile ce soir, il me semble ! protesta sèchement Scott.

Son intervention arracha un sourire contrit à Angus.

— Bien sûr. C'était juste une façon de parler. À vrai dire, cette histoire me met hors de moi. Sommes-nous encore sur nos terres à cet endroit ?

— Non, elles s'arrêtent en lisière du bois.

Moïra les interrompit pour demander qu'on passe dans la salle à manger, où elle avait préparé un repas froid.

— Nous serons mieux assis à table qu'à grignoter sur nos genoux, déclara-t-elle en les invitant à prendre place.

Elle s'était donné du mal, sans doute en l'honneur de Mary, mais elle expliqua qu'il s'agissait de fêter le sauvetage de Kate.

— Toujours pas de nouvelles ? s'inquiéta Scott.

Angus secoua la tête puis fit signe à Mary de venir s'installer à sa droite. Scott s'assit de l'autre côté, davantage par politesse que par réelle envie de se trouver auprès d'elle.

— J'ai un texto de maman ! annonça John. Kate a passé une radio, sa cheville est fracturée au niveau des malléoles interne et externe. Elle est au bloc, où on l'opère.

Jusqu'ici, les trois frères étaient restés silencieux, se tenant à l'écart. Ils n'avaient aucun rôle à jouer, n'ayant pris part à rien. Sans doute vexés d'avoir proclamé que leur sœur « se baladait au clair de lune en oubliant l'heure », ils retrouvaient un peu d'importance grâce au message de leur mère. Que celle-ci ait préféré s'adresser à son fils aîné plutôt qu'à Angus était très significatif. Dans l'urgence, elle ne se tournait pas vers son mari mais vers ses enfants.

— Je voulais venir avec vous, tout à l'heure, mais tu as démarré tellement vite que je n'ai même pas eu le temps d'ouvrir la portière.

Surpris par ces mots que George venait de lui chuchoter à l'oreille, Scott se tourna vers lui.

— Vraiment ?

— Oui. J'étais inquiet moi aussi. Et je trouvais les flics bien empêtrés dans leurs doutes et leurs questions idiotes.

— Pas tant que ça, protesta Philip en se mêlant enfin à la conversation. À l'âge de Kate, les filles font des tas de bêtises. Elles sont tellement romantiques ! Et si on pense à Neil qui est fou d'elle, ils auraient très bien pu…

— Qui est Neil ? l'interrompit Scott.

— Un garçon de l'école. Il est en extase devant elle.

Tombant des nues, Scott le dévisagea. Kate avait un petit copain ?

— Neil Murray ? voulut savoir Angus. Le Murray qui est propriétaire du golf ?

— Oui, c'est son père.

— Tu en as parlé à la police ? insista Scott.

— Évidemment non ! Je ne tenais pas à ce que Kate m'arrache les yeux si elle avait décidé de passer la soirée avec lui.

— Tu es inconscient, ou quoi ?

— Je ne suis pas un délateur, se rengorgea Philip.

— Tu es un petit con.

— Scott ! protesta Angus.

— Eh bien, quoi ? Sa position est indéfendable ! Si Kate était réellement partie avec ce Neil, Philip aurait gardé l'info pour lui ?

— Je savais ce que j'avais à faire, affirma le jeune homme. Et il s'agit de *ma* sœur, pas de la tienne. Tu veux jouer au gentil grand frère, mais en réalité tu nous détestes tous, alors lâche-moi !

Un silence de plomb s'abattit sur la tablée. Philip le narguait, bras croisés, John affichait un petit sourire amusé et George gardait les yeux baissés. Scott regarda son père avant de répondre, d'un ton calme :

— Si je détestais ta sœur, je ne serais pas allé la chercher. Je ne suis pas son frère, tu as raison, pourtant j'ai agi comme tel. Pas toi. Je ne sais pas si c'est par paresse, par bêtise ou par lâcheté, mais ce n'est pas glorieux, tu devrais te faire oublier.

Rouge de colère, Philip se leva et quitta la table. George resta à sa place sans faire un mouvement tandis que John semblait hésiter sur la conduite à tenir. Mary, qui connaissait bien le caractère de Scott, admira son sang-froid. Pour lui manifester son soutien, elle voulut lui prendre la main et fut désagréablement surprise de le sentir se dégager. Il ne devait pas apprécier sa présence ici, néanmoins elle était ravie de s'être imposée. Angus et Moïra se montraient charmants avec elle, ainsi Scott n'aurait-il plus aucune raison de l'écarter de Gillespie. D'ailleurs, vu l'heure tardive, il ne pourrait pas la renvoyer à Glasgow, elle dormirait donc dans sa chambre de jeune homme et s'en réjouissait. Autant son appartement meublé ne révélait rien de lui, autant l'endroit où il avait grandi trahirait forcément quelques petits secrets.

— Je vais vous préparer la chambre d'amis, annonça Moïra. Pas question de prendre la route ce soir, vous restez avec nous.

Le sourire de Mary se figea. Une chambre d'amis ? Pour sauver les apparences ? Angus et Moïra étaient-ils rétrogrades à ce point ? Ses propres parents avaient l'esprit plus ouvert, sans doute parce qu'ils vivaient à Édimbourg et non pas dans une campagne perdue ! La manière dont ils avaient accueilli Scott chez eux prouvait leur flegme, ils ne s'attachaient pas bêtement aux convenances d'une autre époque. Quoi qu'il en soit, elle irait rejoindre Scott dans son lit cette nuit. Se glisser le long des couloirs sur la pointe des pieds serait très amusant. De nouveau, elle chercha sa main et la pressa doucement.

*

Amélie somnolait, mal installée sur une chaise inconfortable dans la salle d'attente. L'opération serait longue, les chirurgiens l'avaient prévenue. Elle ouvrit les yeux pour regarder de nouveau la pendule, mais les aiguilles se déplaçaient avec une lenteur exaspérante.

Pauvre Kate, elle avait l'air de tellement souffrir avant qu'on lui fasse enfin une piqûre ! Puis, soulagée mais à moitié assommée, elle avait bredouillé quelques phrases où il était question de Scott, du *merveilleux* Scott qui l'avait secourue.

Scott, oui, tant mieux s'il avait su où chercher, après tout il était chez lui dans ces forêts et sur ces collines, on n'allait pas en faire un héros pour autant. Sauf qu'Angus et Moïra chanteraient forcément ses louanges au cours des prochains jours, impossible d'y échapper.

Bien sûr, Amélie était heureuse que le calvaire de sa fille n'ait pas duré trop longtemps. Si Scott avait été injoignable, est-ce que David l'aurait retrouvée tout seul ? Probablement. Et puis, avec des « si », on mettrait Paris en bouteille, comme disait le proverbe. De toute façon, plus question pour Kate d'aller se promener des heures sans qu'on sache où elle était, Amélie y veillerait. En attendant, sans doute serait-elle immobilisée pour un moment, puis contrainte à une longue rééducation. Avec plâtre et béquilles, pourrait-elle prendre le bus scolaire ? Sinon, Amélie devrait se transformer en chauffeur.

Ces pensées l'empêchaient de revenir à la question qui la taraudait insidieusement : pourquoi ses fils n'avaient-ils pas été plus concernés par la disparition de leur sœur ? Angus prétendait qu'elle faisait d'eux des enfants gâtés, et au fond... Mais non, à leur âge on ne s'angoissait pas, on prenait tout à la légère, on avait l'optimisme et aussi l'égoïsme de la jeunesse. En revanche, ils avaient été catastrophés de découvrir l'état de Kate. George aurait même voulu monter dans l'ambulance avec elle !

Refermant les yeux, elle se demanda si elle allait devoir passer la nuit à l'hôpital. Elle pouvait aussi téléphoner à John pour qu'il vienne la chercher. Après tout, Kate serait à moitié inconsciente et ne ferait que dormir jusqu'à demain, elle n'avait pas besoin de compagnie. Amélie risquait de gêner les médecins ou les infirmières en insistant pour rester au chevet de sa fille. Celle-ci n'était plus un bébé, et ses jours n'étaient pas en danger. Néanmoins, il fallait attendre la fin de l'opération, le chirurgien ayant promis de venir lui faire un compte rendu.

Quoi qu'il en soit, elle était bien décidée à appeler John plutôt qu'Angus. Au moins, par son fils, elle saurait ce qui s'était dit ce soir à Gillespie. Scott avait-il triomphé avec son arrogance habituelle ? Ah, le *merveilleux* Scott lui tapait décidément sur les nerfs ! D'ailleurs, en l'absence d'Amélie, il était bien capable d'avoir provoqué une de ces querelles qui gâchaient les repas familiaux. Pourquoi fallait-il qu'Angus ait un fils aussi pénible ? Sans lui, John, George et Philip auraient pu trouver leur place, participer aux affaires... Amélie en avait rêvé. Elle s'était imaginé que tout serait facile dans sa nouvelle vie, mais ce n'était pas le cas. S'imposer à Gillespie relevait du parcours du combattant, avec des obstacles récalcitrants tels que Scott, Moïra ou David. Parfois, elle regrettait la France. Et dire que John allait y retourner l'été prochain, qu'il verrait enfin Michael ! Contrairement à Kate, qui n'avait cessé de demander l'adresse de son père et de réclamer des nouvelles, les garçons s'en étaient désintéressés. Ou bien ils avaient fait semblant. Pour eux, l'indifférence paternelle représentait sans doute une humiliation, une blessure, et à l'évidence ils n'avaient pas reporté leur affection sur Angus.

Une fois encore, elle consulta la pendule avant de lâcher un profond soupir. Tout ce temps pour réparer une malheureuse cheville ! Mais peut-être l'avait-on oubliée ? Elle se leva, s'étira, fit quelques pas et jeta un coup d'œil dans le couloir désert. L'atmosphère d'un hôpital, la nuit, avait quelque chose de sinistre. Des bruits lointains témoignaient toutefois d'un semblant d'activité. Devait-elle aller de ce côté ? Elle hésita puis choisit de se rasseoir dans la salle d'attente. Si le chirurgien tenait parole et venait la voir, il ne comprendrait pas qu'elle soit partie. Sortant son téléphone de son sac, elle découvrit qu'elle avait un message d'Angus. Il s'inquiétait pour Kate, assurait Amélie de tout son amour et souhaitait désespérément qu'on le tienne au courant. Elle prit le temps de réfléchir à sa réponse. Angus devait se sentir bouleversé et coupable, puisque l'accident s'était produit chez lui.

Quand le chirurgien vint enfin la rejoindre, elle était plongée dans une profonde réflexion.

*

Scott ne dormait pas, mais restait immobile afin de ne pas réveiller Mary. Comme il s'y attendait, elle était venue le rejoindre dans sa chambre avec une mine réjouie de conspiratrice, trouvant l'expérience très amusante. Moïra lui avait fourni un peignoir trop grand pour elle dont elle s'était débarrassée à peine la porte franchie.

Bien qu'il n'en ait pas envie, ils avaient fini par faire l'amour parce que, lovée dans ses bras, elle lui avait prodigué d'irrésistibles caresses. Cependant Scott continuait de penser à Kate, à ce qu'elle avait dû vivre seule dans l'obscurité et le froid, ravagée de douleur et de terreur. Il entendait encore le cri qu'elle avait poussé lorsqu'il l'avait soulevée, avec sa cheville désarticulée qui pendait.

Certain de ne pas trouver le sommeil, il glissa lentement hors de la couette, traversa la chambre à pas de loup et sortit. Une fois dans le couloir, il eut l'impression d'être libéré d'un poids. Il gagna la salle de bains où il se rhabilla, puis il dévala les deux étages. Rentrer immédiatement à Glasgow le tentait, mais comment réagirait Mary en se réveillant seule ? Il décida de lui laisser un mot qu'il déposerait sur son oreiller, dans la chambre d'amis. De toute façon, elle était venue avec sa voiture et n'avait pas besoin de lui pour rentrer.

— Tu t'en vas au milieu de la nuit ?

Emmitouflée dans une robe de chambre en tartan, Moïra arrivait de la cuisine, un bol de thé fumant à la main.

— Je n'arrivais pas à dormir, et j'aimerais me rendre à l'hôpital demain matin à la première heure, avant d'aller travailler. Le plus sage est de rentrer maintenant, je serai sur place.

— Veux-tu un peu de thé avant de partir ? Je suis comme toi, je ne pouvais pas fermer l'œil. Toute cette histoire m'a retournée… Et puis Angus était de très mauvaise humeur, quand il est monté se coucher. C'est John qui est allé chercher sa mère à Glasgow alors qu'Angus voulait le faire. Il y mettait un point d'honneur, même s'il éprouve quelques difficultés à conduire la nuit, mais John n'a pas voulu.

— Pas *voulu* ? Il n'a pas d'ordre à donner, papa aurait dû passer outre.

— Je crois qu'il en a assez des disputes, répondit prudemment Moïra.

Elle remit la bouilloire à chauffer avant de sortir un mug du placard. Comme toujours, la cuisine était parfaitement rangée et sentait bon.

— Bref, ils sont arrivés il y a une demi-heure. Amélie dit que la petite va bien, que le chirurgien était satisfait de l'intervention et que la rééducation sera longue.

— Sais-tu si Kate a besoin de quelque chose ?

— Amélie n'en a pas parlé.

Scott leva les yeux au ciel et énuméra :

— Pyjamas, peignoir, chaussons, radio, journaux, biscuits…

— Je suppose qu'elle s'en occupera demain.

Moïra s'assit face à lui et le dévisagea avec attention.

— Maintenant, Scott, explique-moi pourquoi tu pars comme un voleur, avec ta fiancée qui dort seule là-haut ?

Il ouvrit la bouche, hésita, soupira. Sa tante le connaissait par cœur, elle l'avait élevé et elle savait le deviner.

— Vous l'appelez tous ma « fiancée », alors que c'est juste... Je ne sais pas comment dire. « Petite amie » n'est pas très flatteur.

— C'est réducteur. Tu es toujours amoureux d'elle ?

— Oui, je crois. Enfin, je n'en suis plus vraiment sûr. Nous passons de très bons moments ensemble, on s'entend bien, elle me plaît et j'apprécie ses qualités, mais ce n'est pas suffisant pour bâtir une vie entière. Mary rêve de mariage et d'enfants, elle s'impatiente, et plus elle m'en parle, moins j'en ai envie. Sa décision de venir ici ce soir m'a exaspéré. Je lui avais dit de ne pas le faire, ce n'était pas le bon moment.

— Elle devait penser que ce moment n'arriverait jamais.

— Tu crois ? Je ne veux pas lui faire de peine mais...

— Tu vas lui en faire. Elle t'adore, ça se voit. C'est ta première grande histoire, Scott, ne la gâche pas par un comportement indigne. Dis la vérité à Mary, ce sera moins dur pour elle que si tu entretiens ses illusions.

Scott but son thé en silence, méditant les paroles de Moïra. Même si elle n'avait sans doute aucune expérience de l'amour, son jugement était celui du bon sens. Depuis des mois, Scott se contentait d'éluder la question de l'avenir avec Mary, mais il ne s'était pas exprimé assez clairement. Ses sentiments pour la jeune femme n'étaient plus ceux du début de leur liaison. La location de son appartement avait été un premier recul, qui ne faisait que se confirmer.

— As-tu quelqu'un d'autre en tête ? demanda carrément Moïra.

— Non ! Bien sûr que non. Je ne suis pas malhonnête...

Il leva les yeux, croisa le regard de sa tante. Elle l'observait avec curiosité et semblait sur le point de poser une autre question, mais elle se ravisa et esquissa un sourire affectueux.

— Sauve-toi si tu veux avoir le temps de dormir un peu chez toi.

La fatigue commençait à se faire sentir et il avait de la route devant lui. Après avoir rangé son mug dans le lave-vaisselle, il se pencha sur Moïra et embrassa ses cheveux.

— Mon vrai chez-moi, murmura-t-il, c'est ici, à Gillespie.

Elle le suivit des yeux tandis qu'il traversait la cuisine. Toute la soirée, elle avait remarqué son extrême angoisse pour Kate, sa froideur envers Mary. Se pouvait-il que... Non, quelle idée absurde ! Toutefois, elle éprouvait des doutes. Cette insistance pour être à l'hôpital le lendemain à la première heure, et surtout cet air de désespoir quand Kate avait été embarquée dans l'ambulance... Peut-être ne le savait-il pas lui-même, mais son affection pour la jeune fille pouvait se transformer en attirance. De son côté, Kate l'avait toujours regardé avec des yeux émerveillés, fascinés.

Parcourue d'un frisson, Moïra releva le col de sa robe de chambre et enfouit ses mains dans ses poches. Elle espérait se tromper du tout au tout car rien de pire ne pourrait arriver. Scott et Kate ? Un effroyable drame familial en perspective ! Amélie deviendrait enragée, et Angus risquait de se montrer intraitable, quitte à se brouiller avec son fils unique.

Scott et Kate... Dans cinq ans, ils pourraient former un beau couple, mais ce serait toujours un couple impossible. Bon sang, comment s'appelait ce garçon dont Philip avait parlé ce soir ? Un certain Neil Murray. Eh bien, il faudrait encourager cette amourette, pousser Kate à s'intéresser aux garçons de son âge. Quant à Mary, Moïra pouvait lui donner quelques clefs pour que sa liaison avec

Scott s'épanouisse au lieu de se faner. La jeune femme ne devait plus lui parler de mariage mais seulement d'amour. Qu'elle l'éloigne un peu de Gillespie, même si c'était un crève-cœur pour Moïra.

Elle se leva, grimaçant sous la douleur des rhumatismes. Comme elle n'avait toujours pas sommeil, elle décida de se lancer dans la confection de gâteaux. Un shortbread millionnaire pour Mary au petit déjeuner, et des sablés destinés à Kate. La pâtisserie la distrayait toujours de ses soucis, elle espéra qu'il en irait ainsi cette nuit.

5

Tout le début du printemps, Kate avait dû conserver un plâtre et se déplacer avec des béquilles. Malgré cet inconvénient, ses notes étaient restées excellentes. Au début du mois de mai, elle commença une rééducation douloureuse, qu'elle affronta pourtant avec le sourire. Une fois par semaine, elle se rendait à l'hôpital, à Glasgow, pour travailler avec un kiné, puis elle répétait quotidiennement les mêmes exercices à la maison. Son accident semblait l'avoir mûrie même si, malgré la promesse faite à sa mère de ne plus s'aventurer seule à travers les collines et les bois, elle rêvait en secret de reprendre ses longues promenades. Elle sortit de son immobilisation forcée avec une silhouette changée, grandie et amincie, qui faisait d'elle, désormais, une très belle jeune fille.

Introduit par Philip, Neil Murray avait multiplié les visites à Gillespie. On voyait bien qu'il était sous le charme de Kate, l'aidant à rattraper ses cours ou cherchant à la faire rire. À plusieurs reprises, Angus avait emmené les deux jeunes gens sur ses parcours de golf, censément pour aider Kate à remarcher. Puis, comme si c'était la chose la plus naturelle du monde, il avait invité les parents de Neil à déjeuner. Amélie s'était montrée ravie de cette initiative car, bien que Kate n'ait pas encore fêté ses dix-sept ans, la voir fréquenter des garçons intéressants la réjouissait. D'après elle, il n'était jamais trop tôt pour bien faire.

Très pris par les distilleries, Scott ne venait à Gillespie qu'en coup de vent, et Mary ne l'accompagnait presque jamais. Cependant ils paraissaient heureux ensemble. Scott parlait d'elle tendrement, sans doute rassuré par l'attitude de la jeune femme qui ne le harcelait plus avec ses projets d'avenir. Du coup, il lui avait demandé de travailler sur le graphisme des étiquettes du single malt Gillespie qu'il voulait moderniser discrètement, sans que son père saute au plafond. Entre lui et Angus, les désaccords portaient presque toujours sur les changements. Accroché à la stricte tradition, Angus ne comprenait pas la nécessité du marketing. « Coller au marché » lui paraissait vulgaire et il diabolisait volontiers les initiatives de son fils.

Pour leurs amis, Scott et Mary formaient un très beau couple. Leur choix d'un mode de vie indépendant ne surprenait personne, après tout il s'agissait de deux fortes personnalités très accaparées par leurs métiers respectifs, et ils avaient bien le temps de fonder une famille. Seule Mary savait ce que lui coûtait cette prétendue légèreté, mais elle avait mis à profit les conseils discrets de Moïra. Elle faisait bonne figure, patientait sans en avoir l'air, et finalement Scott paraissait de nouveau très amoureux.

Au mois de juin, John prit des vacances auxquelles il n'avait pas encore droit, et il monta dans un train pour Londres, d'où il comptait emprunter l'Eurostar pour Paris. Revoir son père était la raison majeure de son voyage, mais il désirait aussi échapper à la famille Gillespie, à l'ambiance du manoir, aux contraintes de la distillerie. Il avait pris l'Écosse en horreur et espérait pouvoir rester en France grâce à Michael.

*

Une atmosphère estivale régnait le long des trottoirs où les bistrots avaient installé leurs tables et leurs chaises sous des stores. La chape de pollution ne parvenait pas à masquer le ciel bleu tandis qu'un vent tiède faisait voler les jupes des femmes.

À peine sorti de la gare du Nord, John fut entraîné par son père vers la terrasse de la première brasserie venue. Même s'ils n'avaient pas échangé de photos sur Facebook, ils n'auraient eu aucun mal à se reconnaître. Ils s'étaient tombés dans les bras et donné de grandes tapes dans le dos.

— Le moins qu'on puisse dire, c'est que tu as changé ! s'exclama Michael. Tu n'as plus rien à voir avec l'adolescent que j'ai vu à Paris pour la dernière fois ! Maintenant, tu es un superbe jeune homme. Et tu vas tout me raconter de ta vie là-bas, mais d'abord, commandons quelque chose, tu es sûrement affamé.

Pendant que son père étudiait la carte, John en profita pour le détailler. Depuis combien de temps ne s'était-il pas trouvé face à lui ? Il se souvenait encore du jour où leur mère avait annoncé qu'il ne reviendrait plus dans le bel appartement de la rue de Rennes où ils vivaient alors. Et, en effet, ils ne l'avaient plus revu. Le divorce avait été l'affaire des avocats, la conciliation avait eu lieu loin d'eux, au Palais de justice. Les quatre enfants s'étaient retrouvés sans père du jour au lendemain. Cinq ans plus tard, Michael avait vieilli, ses cheveux étaient clairsemés, des cernes creusaient son regard, mais il restait mince et s'habillait à la mode. Pour plaire à sa seconde épouse ?

— Un foie gras en entrée, ça te dirait ? Ensuite, des ris de veau aux morilles. Allez, on fait la fête, je suis sûr que tu ne manges pas comme ça chez les Écossais !

— On bouffe de la panse de brebis, du porridge, une horrible soupe de tête de mouton et des galettes d'avoine. Tu imagines ? Il n'y a que le pain qui soit bon. Et les crustacés, bien sûr.

— Pas de gibier, pas de saumon ?

— Si, aussi.

— Avez-vous un cuisinier, dans votre château ?

— C'est juste un manoir, papa. Sans personnel à part un cousin limite simple d'esprit. La sœur d'Angus, qui est vieille fille, se tape tout le boulot. Elle vibrionne du matin au soir !

Ils rirent ensemble, puis Michael dicta leur choix à un serveur et opta pour un beaujolais frais.

— En tout cas, je ne veux pas rester dans ce trou, déclara John de façon catégorique. Maman pense que je pourrais avoir un avenir dans les affaires de mon beau-père, sauf que son fils, Scott, n'a pas l'intention de me confier la moindre responsabilité. Nous nous entendons très mal, lui et moi. Il est d'une telle arrogance ! Je crois qu'il se prend pour un aristocrate ou quelque chose comme ça.

— Les Écossais ne sont pas de vrais nobles. À une époque, ils ont eu le droit d'acheter…

— Les terres et les titres qui vont avec, je sais. Mais à défaut de lignée prestigieuse, Angus possède de grandes affaires. Deux distilleries qui tournent plutôt bien depuis que le whisky est redevenu à la mode, et une filature assez prospère. Bref, il brasse pas mal de pognon, ce qui ne l'empêche pas d'être avare, comme il se doit. Et pour prendre du bon temps avec maman, dont il est très fier, ou pour pouvoir jouer au golf et chasser, il a tout refilé à son fiston chéri. Ce qui me met dans une impasse.

— Je comprends, approuva Michael sans réelle conviction. Il joue au golf, ton beau-père ?

— Tout le monde joue au golf en Écosse ! Il y a des terrains partout, c'est le sport national. Moi, je déteste. Je ne suis jamais en phase avec eux, je me sens complètement décalé dans ce pays de malheur.

— Alors, que comptes-tu faire ?

— Eh bien… Je compte un peu sur toi pour m'aider.

— T'aider à quoi, mon grand ? Comme ta mère, j'ai refait ma vie.

— Oui, mais…

— Écoute, je vais être franc avec toi. Ma femme est un amour, mais elle est d'une jalousie féroce. En l'épousant, j'ai promis de ne pas l'encombrer avec mon passé. Depuis, nous avons eu deux enfants, d'adorables fillettes. Tes demi-sœurs, c'est vrai, sauf que ma femme ne voudra jamais entendre parler d'une rencontre. Je ne peux pas t'emmener chez moi, ça ferait un drame. Je ne lui ai même pas dit que je déjeunais avec toi, j'ai inventé un prétexte.

Abasourdi, John resta sans voix. S'il avait espéré l'appui de son père, il perdait brusquement toute illusion.

— Mais ne t'inquiète pas, avant ton départ je nous organiserai la tournée des grands-ducs. Rien que toi et moi pour une nuit de folie dont tu te souviendras ! Quand serais-tu libre ? Dis-moi, je te réserve ma soirée. Tu dois avoir un programme chargé depuis le temps que tu n'as pas vu Paris, n'est-ce pas ? Et à propos, où loges-tu ?

La rafale de questions prit John au dépourvu. Il n'avait pas imaginé un instant aller ailleurs que chez son père. En fait, il n'y avait pas songé du tout tant c'était pour lui une évidence. Il disposait du peu d'argent qu'Amélie lui avait donné avant son départ, mais ça ne suffirait jamais à son séjour s'il devait assumer une chambre d'hôtel et tous ses repas. Pour lui, son père ayant beaucoup à se faire pardonner, les retrouvailles étaient acquises, hélas il en allait tout autrement.

— Je n'ai rien réservé, finit-il par avouer d'un ton piteux. Je croyais que…

Il s'interrompit, trop humilié pour poursuivre.

— Je suis navré, mon grand, murmura Michael.

Le serveur fit diversion en déposant devant eux leurs assiettes.

— Que ça ne te coupe pas l'appétit. On va te trouver quelque chose. Évidemment, à cette saison, il y a beaucoup de touristes, tout est pris d'assaut.

Saisissant un toast, il attaqua son foie gras.

— Tu n'avais rien prévu du tout ? ajouta-t-il, la bouche pleine. Tu es venu la fleur au fusil ?

John le toisa sans indulgence et riposta :

— Tu es mon père ! Tes petits mots sur Facebook étaient plutôt gentils, et tu m'as encouragé à faire le voyage.

— Mais oui, bien sûr… Je suis heureux de te voir, et j'aurais aimé voir tes frères, et aussi Kate. Seulement j'ai une autre vie, à présent. Tu verras ça plus tard, on est obligé de faire des choix. Pour avoir Evelyne – à propos, elle s'appelle Evelyne –, j'ai dû accepter de faire table rase. J'ai pris un nouveau départ. Tu comprends ?

John ne tenait pas à comprendre, il se sentait écœuré. Même Angus, pour qui il n'avait aucune considération, n'aurait jamais fait un coup pareil à Scott. En se remariant avec Amélie, il n'avait pas renié ou effacé son fils. Au contraire, il l'imposait. Est-ce qu'Angus valait mieux que Michael ? L'idée était odieuse, inacceptable. Et pire encore celle de devoir rentrer à Gillespie sans que son propre père ait levé le petit doigt pour l'aider. Ne lui restait-il aucune autre solution que de continuer à crever d'ennui dans cette satanée distillerie ?

— Evelyne est française, comme ta mère, poursuivait Michael avec insouciance. À croire que je n'aime que ces femmes-là ! Mais, vois-tu, la Parisienne a du chic, du chien, quelque chose que les autres n'ont pas. Les Anglaises s'habillent n'importe comment, et je suppose que les Écossaises ne font pas mieux. As-tu une petite copine ?

— Qui veux-tu que je rencontre au milieu de nulle part ? répliqua John rageusement.

— Eh bien... On dit que Glasgow est devenue une ville très vivante, très jeune, qu'elle n'a plus rien d'une cité industrielle sinistre. N'a-t-elle pas été élue capitale européenne de la culture, loin devant Édimbourg, Cambridge ou Bath, qui étaient pourtant favorites ?

— La culture du whisky et de la bière ! explosa John.

— Justement, à propos de whisky, ces distilleries de ton beau-père, tu n'envisages vraiment pas d'y trouver ta place ? Si tes études ont vraiment été un échec, tu tiens peut-être là une planche de salut.

— Tu parles comme maman.

— Elle n'a sans doute pas tort. La crise est partout, tu le sais bien.

— En somme, tu me conseilles de caresser Angus dans le sens du poil, de m'aplatir devant son fils et de faire ma vie au fin fond de l'Écosse ?

— Pas *toute* ta vie. Juste le début. Il faut bien commencer par quelque chose. De l'alcool, il s'en distille partout. Si tu apprends ce métier, tu auras une carte à jouer, tu pourras...

John se leva si vite que sa chaise se renversa bruyamment sur le trottoir. Il empoigna son sac de voyage, toisa son père qui demeurait saisi, puis s'éloigna à grands pas vers une bouche de métro.

*

— Son projet est ambitieux, mais je suis si contente ! répéta Amélie.

137

Pour une fois qu'elle pouvait mettre en avant l'un de ses fils, elle ne s'en privait pas. En effet, George avait pris l'incroyable décision de s'inscrire à l'université d'Édimbourg, en Business School, or c'était l'école de commerce la plus prestigieuse d'Écosse. Étrangement, il suivait les traces de Scott, qu'il avait d'ailleurs consulté à ce sujet. Ses notes, médiocres depuis des années, s'étaient soudain améliorées, et il se démarquait de ses frères en choisissant de poursuivre ses études.

— Il préfère rester en Écosse, il s'est mis à aimer ton pays ! Et, crois-moi, ce n'est pas par hasard qu'il postule en Business School. Au contraire de John, il est très intéressé par tes distilleries. Je l'ai vu poser des questions à Scott, lire des livres sur le sujet…

— Et aussi tester un certain nombre de bouteilles, ironisa Angus.

Moins convaincu qu'Amélie par le revirement de l'un de ses beaux-fils, il se demandait combien il allait devoir débourser pour cette nouvelle fantaisie. Sa deuxième famille lui avait coûté assez cher jusqu'ici avec quatre scolarités à assumer, cinq personnes supplémentaires à nourrir, les frais médicaux de Kate sur lesquels il n'avait pas lésiné, les folies de décoration d'Amélie, la voiture de John et mille autres choses.

— Il faudra donc qu'il loge à Édimbourg, conclut-il.

Voyant son air morose, Amélie le rejoignit, s'assit sur ses genoux.

— Angus, je suis bien consciente de tout ce que tu fais pour mes enfants, mais tu sais à quel point ils comptent pour moi. Ils seront bientôt tirés d'affaire et tu ne les auras plus à ta charge. D'ailleurs, John va peut-être rester en France, je crois qu'il en avait très envie. Il n'aime pas ce qui touche au commerce, on ne peut pas lui en vouloir, et il n'aime pas non plus…

— Dis-moi plutôt ce qu'il aime, ça ira plus vite.

— Eh bien, oui, il n'aime pas trop Scott ! C'est ce que tu sous-entends, n'est-ce pas ? Parce que tu prends ton fils pour un ange et le mien pour un démon.

— Ni l'un ni l'autre. Mais regardons les choses en face : Scott s'occupe très bien de mes affaires.

— Rien de plus facile pour lui, il est né dedans !

Angus faillit hausser les épaules mais se retint par égard pour sa femme, qui détestait ce genre de geste. Il savait quelle tournure allait prendre la situation : il lui faudrait louer une chambre d'étudiant pour George, régler les frais d'inscription et lui fournir un minimum d'argent de poche pendant plusieurs années. Sauf si le jeune homme abandonnait en cours de route, ce qui transformerait les dépenses en fonds perdus. Hélas, il ne voyait pas comment échapper à l'obligation de l'aider, ce qu'Amélie tenait pour acquis. Et, au fond, en l'épousant, il avait pris la responsabilité d'assumer ses enfants, il devait donc s'y astreindre. Bien sûr, à ce moment-là, ébloui, il ne s'était pas beaucoup interrogé au sujet des quatre gamins. La fille était mignonne, les garçons sympathiques – du moins l'avait-il cru. Et puis l'idée d'une famille nombreuse ne lui déplaisait pas. Naïvement, il avait supposé que tout le monde s'entendrait à merveille, que Scott serait ravi d'endosser le rôle de grand frère, qu'il y aurait désormais des rires et des chahuts à Gillespie. Une grosse erreur, au bout du compte, mais il ne pouvait pas revenir en arrière. Afin de se donner du courage, il pensa à nouveau à la compensation non négligeable d'avoir Amélie dans son lit, de l'avoir à son bras, aussi, lorsqu'il se rendait chez des amis. Les hommes de sa génération lui enviaient tous sa femme et le croyaient heureux d'avoir agrandi son clan.

— Si George est accepté à l'université, finit-il par déclarer, il pourra compter sur mon soutien.

Amélie eut un sourire satisfait. Elle lui passa les bras autour du cou, l'embrassa derrière l'oreille. La connaissant, il savait qu'elle se montrerait câline la nuit. En revanche, s'il avait refusé sa requête, elle lui aurait tourné le dos plusieurs soirs de suite. Cette dépendance au bon vouloir de la femme qui partageait son nom n'était pas glorieuse. Il se sentait sans volonté face au désir qu'elle lui inspirait, et il était conscient de perdre un peu de son autorité chaque jour. Mais pourquoi lutter ? À défaut de grand bonheur, il avait au moins le plaisir. Peu à peu, Scott avait pris ses distances avec Gillespie afin de ne pas envenimer les conflits familiaux, et d'une certaine façon Angus lui en était reconnaissant, néanmoins il souffrait de ne plus être complice avec son fils. Était-ce le prix à payer ? Dans ce cas, il faudrait qu'il en ait pour son argent. Pour éviter d'y penser, il serra Amélie contre lui, l'embrassa goulûment sur la bouche.

*

Neil Murray était un jeune homme très séduisant. Grand, athlétique, avec de pétillants yeux noisette et un sourire irrésistible. N'ayant pas vraiment conscience de son charme, il se montrait poli et réservé, mais sans timidité. Il se destinait à la médecine et avait tout d'abord décidé de s'inscrire à l'université d'Édimbourg, pourtant il choisit finalement d'effectuer son premier cycle à celle de Glasgow, prétextant que les méthodes y étaient très novatrices. En réalité, il ne souhaitait pas s'éloigner de Kate, dont il était éperdument amoureux.

Pour sa part, Kate le trouvait gentil, amusant et bien élevé. Sensible aux attentions dont il l'entourait, elle se plaisait en sa compagnie mais n'éprouvait pour lui que de l'amitié. Comme il était intelligent, il avait compris dès le début qu'il ne devait pas la brusquer en étalant ses sentiments ou en cherchant à flirter. Ce qu'il ne pouvait évidemment pas savoir était que Scott Gillespie régnait dans le cœur de la jeune fille. Son obsession pour lui ne l'avait pas quittée, aucun autre homme ne le valait. Même en sachant que rien ne serait jamais possible entre eux, elle continuait à s'endormir en pensant à lui, et à s'impatienter dès qu'il annonçait son arrivée. Avec elle, il conservait le ton fraternel dont il usait depuis le premier jour, mais elle le sentait plus distant et se désespérait d'avoir pu lui déplaire. Vingt fois elle s'était excusée pour ce maudit accident, cependant il se contentait d'en rire, comme si tout cela était sans importance. Bien au contraire, elle se souviendrait toute sa vie de ce qu'elle avait éprouvé en entendant sa voix cette nuit-là, en se retrouvant dans ses bras malgré sa souffrance. Il l'avait sauvée, conforme à son image de prince charmant, et Neil Murray n'avait pas la moindre chance de rivaliser avec lui.

Cela dit, Kate voyait bien quel intérêt sa mère ainsi qu'Angus portaient au jeune homme. La famille Murray était l'une des plus influentes de la région, et Neil représentait un parti inespéré pour elle. Car elle n'était pas une Gillespie, seulement la fille d'une Française et d'un Anglais divorcés puis remariés, et elle ne possédait rien. Amélie lui répétait que son principal atout était sa fraîcheur, et que celle-ci disparaîtrait vite. À travers ce conseil, Kate devinait l'empressement de sa mère à la « caser ». Une personne de moins à la charge d'Angus, pas de longues études à financer, et surtout une alliance avec les Murray qui ravirait son beau-père : tout le monde serait content. Sauf Kate, évidemment, car à défaut de Scott elle rêvait de devenir un jour professeur de français et d'acquérir ainsi son indépendance.

Installés dans la bibliothèque de Gillespie où ils aimaient avoir de longues conversations littéraires, Neil et Kate avaient ouvert les fenêtres et profitaient de la douceur de l'air tout en bavardant.

— Tu marches vraiment mieux, fit-il observer tandis qu'elle allait ranger un volume sur une étagère.

— J'en ai fini avec les allées et venues à l'hôpital, mon kiné m'a libérée ! À condition que je continue les exercices, ce que je fais.

Elle esquissa quelques pas légers sur l'un des tapis puis se mit à rire.

— Ce n'est plus qu'un mauvais souvenir, je ne veux plus y penser. Et j'aimerais bien que tout le monde en fasse autant parce que j'ai hâte de repartir me balader sans surveillance.

— Sois raisonnable.

— Et toi, ne hurle pas avec les loups, d'accord ?

— Pourquoi ne pas te promener avec moi ? J'adore ça, je ne te ralentirai pas ! En plus, ici le paysage est sublime.

— Mes frères trouvent l'endroit trop sauvage, ils disent que nous habitons un trou.

— Ils ne se plaisent pas en Écosse. Philip rêve de partir d'ici. Il espérait rejoindre John à Paris, mais il paraît que ça s'est mal passé avec votre père...

— Quoi d'étonnant ? Un homme capable d'oublier ses enfants pendant des années ne pouvait rien lui offrir. Il aurait dû y penser avant.

Le ton rageur de Kate parut surprendre Neil, qui ne put s'empêcher de demander :

— Tu lui en veux ?

— Naturellement. Quand j'étais petite, je l'adorais. Et en arrivant ici j'étais désespérée. Je lui écrivais de longues lettres que je ne pouvais pas lui envoyer car nous n'avions même pas son adresse. Tu te rends compte ? Il aurait pu nous arriver n'importe quoi, il ne l'aurait pas su. J'en ai pleuré des nuits entières !

— Mais tu avais ta mère...

— Oui, sauf qu'elle préfère les garçons. Par chance, tous les Gillespie ont été gentils avec moi. Au début,

Angus me terrorisait, ensuite j'ai appris à l'apprécier. Et il y avait Scott, qui a tout fait pour que je me sente bien.

— C'est sans doute un type formidable, approuva Neil. Les gens qui le connaissent sont admiratifs parce qu'il reprend les affaires de son père avec succès et se donne à fond dans le travail. Mais tes frères le détestent.

— Je sais. Ils ont tort, comme d'habitude !

Elle eut un rire gai et insouciant. La terre entière aurait pu détester Scott, elle aurait continué de l'aimer.

— Quand je pense que tu as vécu toute ton enfance en France, reprit Neil, j'ai du mal à le croire. On dirait une véritable Écossaise à présent !

— Est-ce un compliment ?

— Bien sûr ! Je suis très chauvin, comme toute ma famille. Nous sommes implantés ici depuis des siècles, et je n'en partirai jamais.

Il eut un de ces sourires charmeurs qui plaisaient tant aux filles puis demanda doucement :

— Et toi ? Voudrais-tu retourner à Paris, un jour ?

— Je ne crois pas... J'ai envie de choisir l'enseignement, je me verrais bien professeur.

— Si tu continues à avoir d'aussi bonnes notes, tu pourras choisir ce que tu veux ! Professeur, ça te tenterait vraiment ?

— Je crois que j'adorerais. De français, bien sûr, ou de littérature, à condition de décrocher l'agrégation.

— Est-ce que fonder une famille fait partie de ton programme à venir ? s'enquit-il.

Il avait utilisé un ton désinvolte mais gardait les yeux baissés. Devinant où il voulait en venir, elle hésita un instant avant de répondre :

— Je n'y pense pas encore, Neil. Je suppose que oui, plus tard...

— Bien sûr. Tu n'as que dix-sept ans, c'est bien trop tôt. Mais nous avons tous des rêves d'avenir, n'est-ce pas ?

— Comme tu dis ! Des rêves secrets qui ne se réaliseront sans doute jamais.

— Pourquoi ? Je suis persuadé que si on désire les choses avec assez de force, elles finissent par arriver.

Kate réprima un sourire incrédule. Elle désirait Scott de toute son âme mais ce ne serait pas suffisant pour changer le destin.

— Quel est ton souhait le plus cher ? demanda-t-elle étourdiment.

— Que tu me regardes autrement que comme un ami.

Elle se mordit les lèvres, regrettant sa question. Neil avait saisi la perche tendue, et maintenant il attendait sa réponse avec une angoisse visible.

— Peut-être, risqua-t-elle, que pour ça aussi je suis trop jeune.

— Ah non, Kate, pas pour ça ! Si ton cœur ne bat pas un tout petit peu plus vite quand nous sommes ensemble, alors le mien va tomber en mille morceaux.

Il essayait de plaisanter, mais accusait le coup. Un silence contraint s'installa entre eux, puis Neil soupira.

— Tu es si jolie, Kate… La plus jolie fille que je connaisse, c'est certain, et en plus j'adore parler avec toi. Tu n'es pas une de ces idiotes qui minaudent devant les garçons et ricanent entre elles dès qu'ils ont le dos tourné. Tu ne passes pas ton temps pendue à ton portable, tu n'as peur de rien sous ton allure sage, tu…

— Oh, là là, Neil ! N'en fais pas trop, ou ce ne sera plus crédible. Je n'ai pas que des qualités, je suis têtue, secrète, gourmande, et aussi rancunière, pense à ce que je viens de te dire à propos de mon père.

— Secrète ? répéta-t-il comme s'il n'avait retenu que ce mot. Que caches-tu ?

Elle n'avait aucune intention de lui répondre. Jamais elle n'avouerait à quiconque qu'elle était tombée amoureuse de Scott le jour même de son arrivée à Gillespie, que c'était grâce à lui qu'elle s'était mise à aimer l'Écosse, qu'il lui arrivait d'être honteusement jalouse de Mary. Pour échapper aux questions de Neil, elle retourna chercher le livre qu'elle avait rangé un peu plus tôt.

— Alors, que dis-tu de mon idée à propos de ce mémoire que je dois rendre ? Une étude sur le théâtre de James Barrie me tente beaucoup.

— *Peter Pan* ?

— Pas uniquement. Il a beaucoup écrit, il a même signé quelque chose avec son ami Conan Doyle.

— Je crois me souvenir qu'il était petit et tout fin, comme son héros, et que sa femme a exigé le divorce parce qu'elle le trouvait asexué !

— Neil, je ne vais pas étudier sa vie mais son œuvre. En particulier ses pièces.

— Iras-tu voir sa maison, qui a été transformée en musée ?

— Je voudrais bien. Mais Kirriemuir, c'est loin d'ici.

— J'ai le permis, rappela-t-il, je peux t'y conduire.

La porte venait de s'ouvrir et Scott demanda depuis le seuil :

— La conduire où ?

— Chez feu James Barrie, répondit Neil en souriant.

Scott le toisa, apparemment surpris.

— Eh bien, je suppose que vous prendrez l'avis d'Amélie et de papa d'abord ?

Il semblait de mauvaise humeur et considérait Neil sans indulgence.

— Tu restes un peu ? bredouilla Kate. Tu n'es pas venu depuis longtemps...

— J'ai un travail fou à Greenock. Je voulais voir deux ou trois choses avec papa mais, d'après Moïra, il est encore sur le green en train d'essayer ses nouveaux fers.

Angus s'adonnait au golf avec passion dès l'arrêt de la saison de chasse. Car il n'était pas question pour lui de s'abaisser à tuer ces lapins ou ces pigeons qu'on pouvait tirer toute l'année. Respectueux des règles, il attendait d'avoir le droit de poursuivre un chevreuil ou un cerf, de viser une grouse, de débusquer un lièvre. Aussi, dès le printemps, il arpentait avec plus d'assiduité ses terrains de golf de prédilection, en particulier les links situés en bord de mer.

— Il ne va sûrement pas tarder, s'empressa d'affirmer Kate. Dîne avec nous, ça lui fera plaisir.

L'air préoccupé, Scott acquiesça distraitement.

— D'ici là, je vais m'installer dans son bureau.

Il jeta un dernier regard scrutateur à Neil avant de quitter la pièce, dont il laissa la porte ouverte.

— En général, il est plus chaleureux, fit remarquer le jeune homme. Je suppose qu'il doit avoir des soucis. À moins qu'il n'ait imaginé que nous étions en train de comploter ! Il veille sur toi comme un grand frère, on sent qu'il t'adore.

Kate se sentit rougir et se détourna. Si seulement Scott pouvait l'« adorer » ! Mais à l'évidence il n'éprouvait pour elle qu'une affection fraternelle.

— Il se fait tard, tu devrais rentrer chez toi, suggéra-t-elle.

— Je regarderai dans la bibliothèque de papa, peut-être a-t-il des James Barrie méconnus.

— Ton père aime la littérature ?

— Énormément. Il sera ravi d'en discuter avec toi à l'occasion.

Elle avait déjà été invitée chez les Murray et y serait volontiers retournée si la déclaration de Neil ne l'avait pas refroidie. Pas question de passer pour sa petite amie, qui deviendrait vite sa fiancée aux yeux de tous. Ils étaient seulement des *amis*, et elle souhaitait qu'ils le restent.

*

Scott travailla plus d'une heure sur l'ordinateur d'Angus, ensuite il imprima une synthèse des changements qu'il prévoyait pour les mois à venir. Tenir son père au courant de chacune de ses décisions lui semblait normal, même en sachant que cela provoquait toujours des discussions, et parfois des querelles. Sur le point d'acquérir de nouveaux fûts pour la distillerie d'Inverkip, Scott avait choisi une tonnellerie de Jerez, et il hésitait encore entre le chêne d'Amérique, au caractère plus vanillé, ou le traditionnel chêne pédonculé. Angus allait sauter au plafond, pourtant c'était bien à Inverkip, distillerie plus modeste et plus artisanale que celle de Greenock, que Scott pouvait se livrer à des recherches, des essais. Sauf que, avec le whisky, tout devait se planifier sur une douzaine d'années, voire une quinzaine, et qu'à moins d'être devin...

Son regard tomba sur la guillotine à cigare. Ce cadeau lui avait coûté cher quelques années auparavant, mais il se souvenait de la fierté éprouvée lorsqu'il l'avait offert à son père. Il tendit la main et caressa les deux initiales gravées, esquissant un sourire mélancolique. Qu'était devenue leur complicité ? À plusieurs reprises, ces derniers temps, ils s'étaient affrontés âprement. Certes, Angus avait du mal à lâcher la totalité de ses affaires, il n'approuvait pas toujours la gestion de Scott et voulait conserver un droit de regard sur le fonctionnement des distilleries dont il restait le principal actionnaire. Mais ce n'était pas la raison de leur éloignement. Amélie détestait Scott, elle souhaitait imposer ses fils et, pour y parvenir, n'hésitait jamais à jeter de l'huile sur le feu. Que racontait-elle à Angus dans l'intimité ? Quel genre de poison lui instillait-elle jour après jour, ou plutôt nuit après nuit ? S'il s'était montré peu influençable au début, à présent Angus cédait du terrain.

Il parlait moins gentiment à Moïra, de façon dédaigneuse à David et agressive à Scott. Cette attitude n'évoquait pas précisément un homme comblé. Était-il anxieux à l'idée qu'Amélie, insatisfaite, se lasse de lui ?

En entendant le pas lourd de son père dans la galerie voisine, il reposa à sa place la guillotine à cigare.

— Tu m'attendais ? lui lança Angus en entrant. J'ai eu du mal à boucler mon parcours, il y avait trop de vent.

— Tes nouveaux fers te conviennent ?

— Tout à fait. Mais tu n'es pas resté pour me parler de golf, j'imagine ?

— En effet.

— Tu n'as jamais aimé ce sport. Tu préférais le rugby ou l'équitation. Même la boxe, du moment que c'était violent.

— Chacun ses goûts. Je ne voulais pas te contrarier mais je débordais d'énergie.

Il l'avait dit assez gentiment pour qu'Angus finisse par sourire.

— Je sais. Et à propos, tu as tout arrêté ?

— Mon emploi du temps est assez chargé, et mes loisirs sont consacrés à Mary, sinon elle m'arracherait les yeux.

— Toujours pas de mariage en vue ?

— Pas maintenant.

— Tu vas reporter d'année en année jusqu'à ce qu'elle te préfère quelqu'un d'autre ?

— Si ça doit arriver...

Sans préciser sa pensée, il désigna les feuillets qu'il avait imprimés un peu plus tôt.

— Je t'ai fait un résumé des prévisions pour le second semestre, et une note sur les options que je souhaite prendre, en particulier à Inverkip.

— Tu ne peux pas simplement me le dire ?

— J'ai chiffré mes propositions, ce sera plus explicite.

Angus fit quelques pas et alla se planter devant une fenêtre. Il considéra le parc avant de déclarer :

— Tu me demandes mon avis par politesse ou il t'importe vraiment ?

— Il s'agit de l'avenir de nos sociétés, ton avis compte.

— Pourtant, tu n'en feras qu'à ta tête. Tu me ménages mais tu m'écartes.

— Pas du tout. Qui te met ce genre d'idées en tête ?

— Ah non ! Tu ne vas pas encore t'en prendre à Amélie ? Dès que nous ne sommes pas d'accord, toi et moi, tu penses que c'est sa faute à elle !

— Je crois qu'elle aimerait bien nous voir fâchés, et je suis triste que tu ne t'en aperçoives pas.

Faisant volte-face, Angus toisa Scott.

— Tu es de mauvaise foi.

— Je suis ton fils unique, or elle en a trois à caser. Elle ne *peut pas* me trouver sympathique, je suis un obstacle à ses projets.

— C'est ridicule.

— Elle a tout fait pour que je me sente mal ici.

— Faux ! Tu es parti parce que tu voulais ton indépendance, et aussi pour vivre avec Mary, et...

— Je ne vis pas avec elle. L'indépendance est une bonne chose, mais dans mon esprit Gillespie reste chez moi.

— Écoute, Amélie est mon épouse, elle est chez elle aussi.

— Je l'admets volontiers. En revanche, être traité en invité, parfois en intrus, m'est assez pénible.

— Tu exagères, marmonna Angus sans conviction.

— Eh bien, j'espère que tu sais qu'elle m'a demandé si elle pouvait récupérer ma chambre, sous prétexte que je n'habite plus vraiment la maison. Comme s'il n'y avait pas assez de chambres vides ! Elle veut la redécorer avec son goût affreux ?

149

— Scott, s'il te plaît.

Ils se turent, puis Scott reprit, d'un ton plus calme :

— Je trouve qu'on voit beaucoup Neil Murray, ces temps-ci.

— Il fait la cour à Kate.

— Elle n'est pas un peu jeune pour ça ?

— Neil est un très beau parti, et il me semble assez bien élevé pour qu'on lui fasse confiance.

— Au point de le laisser emmener Kate en voyage ? Ils veulent aller ensemble à Kirriemuir.

— Quoi faire ?

— Sur les traces de *Peter Pan* ! Les routes sont abominables à partir de Dundee et Neil ne conduit pas depuis très longtemps. Ils ne feront pas l'aller et retour dans la journée, donc ils dormiront sur place.

— Je suppose qu'ils vont demander la permission d'abord et nous soumettre leur organisation. Ce sera à Amélie d'en juger, il s'agit de sa fille.

— Elle s'en occupe si peu… Tu sais bien que seuls ses fils l'obsèdent.

— Ne t'inquiète pas, je garde un œil sur Kate. Et je suis heureux de constater que pour elle, au moins, tu éprouves un peu d'affection.

Scott hocha la tête, vaguement mal à l'aise. Il s'était toujours senti proche de Kate, et très concerné par son sort, mais il était conscient que son intérêt pouvait paraître suspect. Aujourd'hui, Kate était une séduisante jeune fille, courtisée par des garçons de son âge, comme cet exaspérant Neil Murray.

— Tu dînes avec nous ? Tout le monde sera ravi, à condition que tu ne te querelles pas avec John ou Philip, ou…

— Une invitation sous conditions, en quelque sorte, ironisa Scott.

150

Afin de ne pas répondre à la provocation, Angus mit ses lunettes et parcourut les feuillets restés sur son bureau. Fronçant les sourcils, il les relut avec plus d'attention.

— Que de changements ! finit-il par maugréer.

— Il en faut.

— Je sais, je sais... Mais là, tu y vas fort. Es-tu sûr de toi ?

— De moi, oui. De ce que sera le monde dans quinze ans, bien sûr que non. Néanmoins, je crois que nous devons prendre des risques.

— Pour passer de douze à quinze ans d'âge tu bloques tes stocks trois ans de plus. De quoi vivra la distillerie d'Inverkip pendant ce temps ? Et nous aussi nous subirons une baisse de revenus. Tu as toute la vie devant toi, mais pas moi !

— Il reste Greenock, dont le chiffre augmente. Et la filature n'est plus déficitaire, les comptes sont à l'équilibre cette année pour la première fois.

— J'ai vu.

— Écoute, tu pourras y repenser à tête reposée.

— Justement, je ne veux plus y penser. Je suis à la retraite et c'est toi qui as les rênes en main à présent. Fais pour le mieux, je ne t'encombrerai pas de mes conseils. Tant que tu y es, tu peux aussi t'augmenter un peu.

— *Un peu ?* Tu me sous-paies comme si j'étais à l'essai !

Scott éclata de rire avant d'ajouter, hilare :

— Je compte renégocier mon contrat au 1ᵉʳ janvier prochain.

— Vraiment ? As-tu d'autres mauvaises nouvelles à m'annoncer ?

L'atmosphère s'était soudain détendue, ils auraient presque pu se croire revenus quelques années en arrière. Angus jeta les feuilles sur son bureau et alla se planter devant Scott.

— Tu te débrouilles très bien. Je n'ai pas flanqué mon argent par la fenêtre en t'offrant des études.

— Non, tu as fait un bon placement.

— Il ne manque plus qu'une chose à mon bonheur. Une ambiance familiale sereine me comblerait.

— Je ne suis pas l'unique responsable. D'ailleurs, je me suis rapproché de George, qui a beaucoup changé. Il me devient sympathique, comme quoi je ne suis pas buté. Mais pour John, c'est sans appel, je n'en veux plus à la distillerie.

— Nous allons pourtant devoir lui trouver une occupation. Il est rentré de France très déçu par son père, qui ne l'a même pas hébergé. Amélie a de la peine pour lui et elle se fait du souci. Est-ce que, à la filature par exemple, il n'y aurait pas…

— Mais pour faire quoi, grand Dieu ? Arrête de me le jeter dans les pattes comme un chien dans un jeu de quilles. Il est incapable du moindre effort, et tu le sais.

— Je ne peux pas le laisser tomber. C'est mon beau-fils, Amélie ne me pardonnerait pas de ne rien tenter pour lui.

— Nous avons *déjà* essayé.

— Il faut continuer.

— Toi, si tu veux. Moi, je jette l'éponge.

— Non, Scott. Tu fais ce que je te demande.

De nouveau, ils s'affrontaient, redevenus ennemis.

— Tu voudrais que je crée un poste fictif, avec un salaire inutile et ruineux, uniquement pour faire plaisir à ta femme ? C'est bien ce que tu me demandes ? Je ne te reconnais plus ! Autrefois tu avais une gestion rigoureuse de tes affaires, même à moi tu n'as jamais accordé de passe-droit. David travaille ici comme une brute pour trois fois rien, et il faudrait entretenir John à se tourner les pouces ? Je rêve ! Tu es tombé bien bas pour trembler devant une femme qui te mène à la baguette.

La gifle qu'il reçut, assenée à toute volée, fit vaciller Scott. Stupéfait, il regarda Angus, qui avait pâli et qui marmonna :

— Désolé.

Scott se détourna, marcha droit vers la porte, où il marqua un temps d'arrêt.

— J'espère pour toi qu'elle en vaut la peine, lâcha-t-il à mi-voix. Sinon, quel gâchis…

— Attends !

Angus aurait voulu le retenir mais il se sentait cloué au sol. Comment avait-il pu frapper son fils ? Pourquoi n'avait-il pas été capable de contrôler son geste ? La réponse était évidente : en l'accusant de se comporter comme un caniche devant Amélie, Scott avait touché un point sensible, et Angus n'avait pas supporté l'humiliation. Mais son fils n'était plus un petit garçon, à vingt-six ans il pouvait trouver cette gifle inadmissible et ne pas la pardonner. Lorsqu'il était enfant, Angus n'avait presque jamais levé la main sur lui, prendre l'air sévère et hausser le ton suffisait pour le rappeler à l'ordre. Un peu plus tard, quand il était devenu turbulent, Angus l'avait expédié en pension, laissant à d'autres le soin de le discipliner. Une fois adulte, Scott s'était toujours montré respectueux envers son père, Moïra et David. Il se comportait en jeune homme bien élevé, même s'il n'était pas d'accord avec son interlocuteur. Et voilà qu'Angus lui offrait le pire exemple de perte de sang-froid !

Consterné, il bougea enfin et retourna à la fenêtre. Les feux arrière de la Jeep étaient en train de disparaître au bout de l'allée. Scott repartait à Glasgow, sans doute furieux, sûrement vexé, et ses rapports avec Amélie allaient se dégrader davantage.

— Est-ce que je deviens sénile ? demanda-t-il à son reflet sur la vitre.

Satisfaire sa femme faisait partie de ses devoirs d'époux, ça ne le rendait pas gâteux pour autant. Il ne voulait pas qu'elle s'angoisse, ni qu'elle soit triste, quoi de plus légitime ? Néanmoins, des expressions comme « tu es tombé bien bas » ou « tu trembles devant elle » l'avaient mis hors de lui parce qu'elles contenaient une part de vérité. Il le savait, Scott le savait aussi. Et que son fils puisse le mépriser lui était intolérable. Toute sa vie il avait essayé d'être un modèle pour les autres, un véritable chef de clan. N'avait-il pas secouru son cousin David, recueilli sa sœur Moïra ? Il était baron, descendant d'une longue lignée d'Écossais pure souche, propriétaire d'un domaine appréciable. Il avait bien mené ses affaires, s'était montré digne à la mort de sa première épouse en supportant son veuvage sans se plaindre, puis il avait transmis le flambeau à son fils unique avec le sentiment du devoir accompli. Jusqu'ici, il avait été fier de lui-même. Mais face à Amélie, oui, il courbait un peu la tête, comment le nier ? Pour assumer ses beaux-enfants – les enfants d'un autre, il ne l'oubliait pas –, il créait des problèmes à Scott et se querellait avec lui, allant jusqu'à cette improbable gifle. Il traitait son fils en adversaire pour favoriser John, un garçon qui ne valait pas grand-chose et qu'il n'aimait pas. Tout cela était contradictoire, absurde.

Il poussa un interminable soupir qui couvrit de buée la vitre. Que faire pour effacer l'incident ? D'abord, n'en parler à personne. Ni à Moïra, qui le regarderait comme un monstre, ni à Amélie, qui s'en réjouirait. Car la vérité était là : elle n'aimait pas Scott, elle l'avait admis. En revanche, elle ne supportait pas qu'Angus émette des réserves concernant John ou Philip. Elle se révélait injuste, mais elle était comme une lionne protégeant ses petits, on ne pouvait pas lui en vouloir pour ça. Et elle devait vivre dans la crainte qu'Angus ne refuse son aide, ne rechigne à payer. Obligée de tout négocier elle aussi, quoi d'étonnant à ce qu'elle se livre au chantage du câlin, sa seule arme ?

Soudain très fatigué, Angus releva sa manche pour consulter sa montre. L'heure du dîner approchait, il devait rejoindre les autres et faire bonne figure.

— Pas facile d'agrandir sa famille, marmonna-t-il encore.

Mais il était sans illusions et refusait de se mentir plus longtemps : tenir une femme jeune et appétissante dans ses bras était la raison principale, peut-être même unique, de son remariage. Caresser la peau douce des cuisses d'Amélie, refermer les mains sur ses seins, se serrer contre elle en s'enivrant de son odeur... Bien sûr qu'il était prêt à toutes les concessions pour ces instants-là ! Avant elle, il n'avait fait que traîner sa misère d'homme seul à Glasgow. Il s'était senti vieux, presque impuissant, fini. Alors qu'auprès d'Amélie il était plein de vigueur et en tirait un orgueil certain.

Il éteignit les lumières et quitta le bureau sans avoir fumé ce cigare qu'il pensait s'octroyer en compagnie de Scott. Tant pis, il en aurait l'occasion dès que son fils serait calmé. Ce qui, connaissant son caractère, pourrait prendre un certain temps. En attendant, il allait devoir répondre aux questions d'Amélie quant à l'avenir de John, et donner son avis sur l'escapade projetée par Kate et Neil Murray. Que la petite s'amuse donc, elle était décidément la plus facile à vivre de toute la famille.

6

Tomas, le père de Mary, avait invité Scott dans l'un des plus fameux restaurants d'Édimbourg, The Grain Store, où l'on servait les meilleurs produits d'Écosse. À peine assis, il avait commandé deux whiskies Glengoyne de quinze ans d'âge, en guise de clin d'œil car il savait par sa fille que Scott formait le projet de créer cette tranche d'âge dans sa distillerie d'Inverkip.

— Vous n'êtes jamais allé chez eux ? demanda-t-il après avoir savouré sa première gorgée. Ils ne sont pas loin de Glasgow, ils ont un très beau site et adorent faire visiter leurs installations !

— Je ne m'inspire pas de la concurrence, répondit Scott avec un sourire. Et Glengoyne est une grosse machinerie qui n'a plus rien d'artisanal. Néanmoins, ce que je suis en train de boire est excellent ! Un goût complexe, doux, plutôt rond, des notes d'épice...

Tomas hocha gravement la tête en sirotant une deuxième gorgée. Il possédait une véritable culture du whisky et se réjouissait en secret que sa fille ait choisi Scott Gillespie. Ce nom était associé dans son esprit à une production restreinte mais de grande qualité, et par le passé il avait régulièrement acheté des bouteilles en provenance de Greenock.

— D'après Mary, votre père a cessé toute activité professionnelle et vous a donné les pleins pouvoirs ?

157

— Disons qu'il s'est mis en retrait, mais il garde un œil sur les comptes et je lui soumets mes décisions.

— Voilà qui est sage ! Vous êtes encore bien jeune pour tout diriger.

Au lieu de répondre, Scott se mit à étudier la carte. Il imaginait aisément la raison qui avait poussé Tomas à l'inviter en tête à tête, et bientôt il serait question de Mary.

— Vous devriez prendre le poulet, suggéra Tomas, il est servi avec de délicieux petits pois à la française.

— Merci, mais nous avons une Française à Gillespie qui nous en gratifie trop souvent.

— Votre belle-mère, c'est vrai. Si j'ai bien compris, l'entente ne règne pas entre vous. Les familles recomposées connaissent presque toujours des problèmes. Avec le temps, ça s'arrange…

— Ou pas ! De toute façon, je ne vis plus à la maison.

— Je sais. En fait, je sais beaucoup de choses parce que Mary parle énormément de vous.

— Et vous vouliez me voir à son sujet.

— Exact ! Je dois remplir mon rôle de père, n'est-ce pas ? Ma fille se désespère un peu, en ce moment. Elle ne vous dit peut-être pas tout parce qu'elle vous aime et souhaite vous préserver, malheureusement pendant ce temps-là, les années passent. Votre histoire dure mais n'avance pas. Or, pour les femmes, je ne vous apprends rien, l'horloge biologique tourne. Mary vient d'avoir vingt-huit ans, elle rêve de fonder une famille. Pas vous ?

— Eh bien… Il y a deux minutes vous me trouviez trop jeune pour diriger les affaires de mon père.

— Voyons, c'est très différent ! Prendre la tête d'une entreprise demande de l'expérience, tandis que faire des enfants… Et mieux vaut les avoir tôt, croyez-moi. À condition d'en avoir envie, bien entendu. Aussi, je vous pose clairement la question : pourquoi n'épousez-vous pas Mary ?

Si vous ne tenez pas assez à elle, ayez l'honnêteté de le lui dire. Dans le cas contraire, inutile de la faire attendre.

— Désolé, je ne suis pas prêt, répliqua Scott, sur la défensive.

— Ah bon ? Vous avez vingt-six ans, une situation...

— Pas clairement établie. Je n'aurai de contrat stable qu'à partir de l'année prochaine. Pour l'instant, je suis à la merci d'une querelle familiale, d'un désaccord.

— Vous êtes fils unique ! Je ne vois pas qui votre père pourrait mettre à votre place. Maintenant, si vous hésitez à vous engager pour des raisons matérielles, sachez que je compte aider ma fille à s'installer. Un jeune couple doit avoir ses aises, ça aide à bien démarrer dans la vie.

— Le jour où je me marierai, c'est que je serai capable d'assumer ma femme et mes enfants sans avoir besoin du soutien de quiconque.

— Vous placez mal votre orgueil, Scott. Ou alors vous cherchez à gagner du temps. Le problème est que Mary a reçu une offre de travail très intéressante, qui impliquerait de séjourner six mois au Portugal. Elle n'ose pas accepter parce qu'elle ne veut pas s'éloigner de vous. Mais si elle refuse alors que vous continuez à la mener en bateau, elle aura perdu une belle occasion. Elle a du talent, vous l'avez forcément remarqué quand elle a créé des modèles pour votre filature. À défaut de se marier avec vous, qu'elle aille donc s'occuper de sa carrière à Lisbonne !

Tomas avait haussé le ton sur les derniers mots, et quelques clients jetèrent un coup d'œil intrigué vers leur table. Scott ignorait tout de la proposition reçue par Mary, cependant il ne voulait pas en discuter avec Tomas. Ni de ça, ni d'un hypothétique mariage. La colère le gagnait, il n'appréciait pas l'arrogance de Tomas et son indiscrétion. Même s'il s'inquiétait pour sa fille, il se montrait très maladroit. Croyait-il que son discours paternaliste allait convaincre Scott ? Qu'il suffisait de lui promettre une aisance matérielle pour emporter ses réserves ?

— Je ne sais pas dans quel siècle vous vivez, Tomas, mais nous sommes largement adultes, Mary et moi.

— Et vous ne voulez pas qu'on se mêle de votre vie ?

— C'est ça.

— Seulement, il s'agit de ma fille ! Je ne lui ai pas dit que j'aborderais ce sujet avec vous, je...

— Elle doit bien s'en douter. Vous l'avez laissée chez vous avec sa mère, et elle ne croit sûrement pas que nous parlons de la pluie et du beau temps, ou que vous n'aviez pas les moyens d'inviter tout le monde dans ce restaurant.

N'appréciant pas l'ironie, Tomas jeta sa serviette sur la table dans un geste de rage.

— Je vous parle d'homme à homme et vous fuyez la discussion !

— Non, je regrette. En ce qui concerne le mariage, je vous ai donné ma position en toute franchise. Je ne suis pas prêt, voilà tout. Mary le sait, je ne lui ai rien caché. Jamais je ne l'empêcherai de partir à Lisbonne car, en effet, elle a du talent. En Écosse, ses possibilités sont limitées alors qu'elle pourrait faire une carrière internationale. Je ne tiens pas à ce qu'elle me le reproche un jour. Elle est libre, Tomas.

— Aujourd'hui, elle préférerait une vie d'épouse et de mère. Elle a sans doute peur de vous décevoir en vous assenant cette vérité.

Scott prit le temps de terminer son verre, puis il le reposa sur la table avant de relever la tête et de plonger son regard dans celui de Tomas.

— Vous ne devriez pas parler à sa place. En plus de l'amour, j'ai du respect et de l'estime pour Mary, ce qui me laisse penser qu'elle peut très bien s'exprimer elle-même. Pour moi, cette discussion est close, et d'ailleurs nous ne sommes pas obligés de dîner ensemble.

Tomas parut faire un gros effort sur lui-même pour répondre, avec un sourire crispé :

— Quel mauvais caractère ! Vous prenez vite le mors aux dents, hein ? Bon, nous allons tranquillement commander pour profiter de cette excellente cuisine et de ce beau cadre.

D'un geste engageant, il désigna les murs de pierre apparente et le décor élégant de la salle avant d'ajouter :

— Prendrez-vous un autre whisky ? Ils ont une carte intéressante...

Scott aurait voulu en rester là et s'en aller, mais par égard pour Mary il ne souhaitait pas vexer son père, ni se fâcher avec lui. Contrarié à l'idée de perdre sa soirée, il déclina l'offre du whisky et choisit son menu au hasard.

*

— Tu ne peux pas faire ça ! répéta Kate. D'ailleurs, nous n'aurions même pas dû entrer ici.

Amélie haussa les épaules puis se dirigea vers l'une des deux fenêtres.

— Voilà la plus belle vue de toute la maison. Un étage de plus offre une perspective très différente. C'est magnifique... Ah, je comprends pourquoi Scott a préféré habiter le second ! Mais enfin, il ne vit plus ici, il a son appartement à Glasgow et ne met quasiment plus les pieds à Gillespie. Angus prétend qu'il a trop de travail, moi je crois qu'il en avait seulement assez de vivre en famille. Quoi qu'il en soit, cette chambre est superbe, il n'y a aucune raison pour qu'elle reste inoccupée.

— C'est la sienne, maman ! Il sera furieux si tu...

— Il est *toujours* furieux. La dernière fois que je l'ai aperçu, il devait dîner avec nous et finalement il est parti en claquant la porte.

161

— Écoute, il y a d'autres chambres, alors je ne vois pas pourquoi tu voudrais celle-là.

— Pour toi, ma chérie.

— Moi ?

Stupéfaite, Kate se défendit aussitôt.

— Je suis très bien au premier, je ne t'ai rien demandé !

— Oui, mais il se trouve que je vais avoir besoin de ta chambre actuelle...

Amélie venait de prendre un air mystérieux et triomphant qui n'augurait rien de bon.

— Parce que j'ai une grande nouvelle à t'annoncer, à toi la première. Vois-tu, j'avais du retard, alors je suis allée acheter un test.

— Un test ?

— De grossesse ! Nous ne prenons pas de précaution particulière avec Angus, et voilà qu'un bébé semble en préparation.

Le souffle coupé, Kate la dévisagea pour s'assurer qu'elle ne plaisantait pas.

— Mais, maman, tu as...

— Quarante-trois ans, je sais. Mais la nature est généreuse avec moi et m'offre un dernier cadeau.

— Tu veux... Tu veux le garder ?

— Évidemment ! Voyons, chérie, ça ne te réjouit pas ?

— Je ne... Angus est au courant ?

— Pas encore. J'ai demandé à Moïra de nous faire un menu exceptionnel ce soir, sans expliquer pourquoi, et je l'annoncerai à ce moment-là. Angus va sauter de joie, j'en suis sûre.

Elle alla se poster devant la deuxième fenêtre, faisant signe à sa fille de la rejoindre.

— Regarde ce paysage ! Tu serais très bien ici. Et moi, je récupère ta chambre, qui est proche de la mienne, pour en faire une nursery. Toi, tu n'auras pas peur puisque

162

Moïra et David sont au second aussi. Comme ça, tout s'arrange.

— Absolument pas. Je refuse de prendre la place de Scott. Il reste une chambre près de celles des garçons, ça m'ira très bien.

— Non, elle est petite et tu serais dérangée par le bruit que font tes frères.

— Alors il y en a d'autres de libres à cet étage, n'importe laquelle me conviendra.

— Tu n'auras pas une aussi belle vue.

— Je m'en fiche !

Les lèvres pincées, Amélie secoua la tête.

— Nous en reparlerons. En attendant, tu pourrais au moins me féliciter, me dire quelque chose de gentil… Je me mets en quatre pour que ce bouleversement te soit agréable. C'est à toi que j'ai pensé avant tout, me voilà bien mal récompensée.

Elle se laissa tomber sur le lit, considérant sa fille sans indulgence.

— Réjouis-toi pour moi, insista-t-elle.

Mais Kate en était incapable, abasourdie à l'idée de la naissance à venir et révoltée par cette histoire de chambre. Amélie la guignait depuis des mois, bien avant d'avoir été enceinte. Son antipathie pour Scott la poussait à vouloir l'éloigner au maximum de Gillespie, le séparer d'Angus et même les dresser l'un contre l'autre.

— J'espère que ce sera un garçon, déclara Amélie d'une voix joyeuse.

— Pourquoi ? Tu n'aimes pas les filles ? ironisa Kate.

Elle n'avait pas pu s'empêcher de le dire. La préférence de sa mère pour ses frères l'avait souvent blessée et lui laissait aujourd'hui encore un goût amer. Néanmoins, elle regretta sa question.

— En tout cas, prends soin de toi et repose-toi, dit-elle plus gentiment.

163

— Bien sûr. À mon âge, je vais devoir faire très attention. Il faudra demander à la femme de ménage de venir chaque jour, deux fois par semaine c'est insuffisant. Surtout que Moïra est vite débordée et que je ne serai plus en mesure de l'aider.

— Moïra en fait beaucoup du matin au soir, rappela Kate. Mais je donnerai aussi un coup de main, si ça peut te soulager.

— Tu es gentille, ma chérie. Est-ce que ça te plaira d'avoir un bébé à la maison ? Tu auras l'occasion de t'entraîner avant de devenir maman à ton tour !

Kate lui tendit la main pour qu'elle se lève au lieu de s'affaler sur le lit de Scott.

— Allons-nous-en, on ne devrait pas être là.

Amélie esquissa un pas vers la porte, mais se ravisa et se dirigea vers un secrétaire.

— Voilà un bien joli meuble…

— Maman !

L'ignorant, Amélie ouvrit l'abattant et examina l'intérieur.

— Il est authentique.

Elle fit glisser l'un des petits tiroirs et resta silencieuse quelques instants.

— Qui est-ce ? finit-elle par demander en se retournant, une photo à la main.

— Remets ça en place !

— Ce doit être Mary, la première femme d'Angus. Elle était très belle…

Fascinée, Amélie détaillait le cliché, mais Kate le lui arracha.

— Tu n'as pas le droit de fouiller dans les affaires de Scott. De quoi aurions-nous l'air, s'il débarquait ? De deux fouines !

Elle rangea la photo, ferma le tiroir, releva l'abattant, puis elle prit sa mère par le bras.

— Tu détesterais que quelqu'un s'autorise à fureter chez toi. Viens, nous allons regarder les autres chambres, celles qui sont vides. Je ne veux pas de celle-là, c'est hors de question.

De plus en plus mal à l'aise, Kate poussa sa mère dehors. Par chance, Moïra et David montaient rarement dans la journée, trop occupés par leurs tâches respectives, car Kate serait morte de honte si on les avait surprises ici. Le comportement de sa mère la choquait, et imaginer la réaction de Scott en apprenant qu'il était chassé de sa chambre au profit de Kate la rendait malade. Scott était né dans ce manoir, il en était l'héritier légitime, il était chez lui. Sauf qu'il avait préféré céder le terrain à Amélie et à sa progéniture, sans doute exaspéré ou écœuré. À Greenock, il supportait toujours John, qui ne faisait que se plaindre et traîner les pieds. Tous les soirs, à table, son frère racontait les pseudo-brimades qu'il subissait à la distillerie, et il multipliait les réflexions désobligeantes à propos de Scott. Angus ne faisait pas de commentaire, mais on voyait qu'il était malheureux de cette situation. Il lui arrivait d'imposer silence à John, s'attirant alors les foudres d'Amélie. Mais aurait-il encore le courage de la contrarier maintenant qu'elle s'apprêtait à lui donner un enfant ?

Tandis qu'elles descendaient l'escalier, Kate jeta un coup d'œil discret vers le ventre de sa mère. Était-il vraiment possible qu'elle soit enceinte, et depuis combien de temps ? Angus allait-il sauter de joie comme elle le prétendait ? N'était-il pas trop vieux pour être à nouveau père ? Quant à Scott, il n'aurait aucune raison de se réjouir. À vingt-six ans, que lui importait d'avoir un demi-frère ou une demi-sœur ? Il ne se sentirait pas concerné. Sauf si Amélie se servait de cet enfant contre lui, ce dont elle était capable.

— Mes frères ne savent rien ? demanda-t-elle à voix basse.

— Non, tu es la première, je te l'ai dit.

Eux aussi seraient surpris, et pas forcément ravis. Ils avaient l'habitude que leur mère soit à leur dévotion et ne verraient pas arriver un nouveau-né avec plaisir. Quant à Kate elle-même… Elle s'en voulait de son indifférence mais ne parvenait pas à partager l'euphorie d'Amélie. Un bébé à Gillespie semblait si incongru ! Brusquement, elle revit le visage de la femme, sur la photo. Ce cliché, Scott le conservait depuis le décès de sa mère, et il avait confié à Kate que des années durant il l'avait regardé chaque matin pour ne pas oublier. Il s'était décidé à l'enfouir dans un tiroir seulement lorsqu'il était parti en pension. Lui arrivait-il encore d'y penser ? En tout cas, comme Amélie l'avait fait remarquer d'un ton acide, Mary Gillespie avait été très belle. Scott lui ressemblait beaucoup avec son teint mat, ses cheveux bruns et son regard d'un bleu profond, presque sombre.

Au pied des marches, dans le hall, Moïra les attendait, une main sur la rampe et l'autre sur la hanche.

— Avec le menu « spécial » de ce soir, souhaitez-vous un dessert « spécial » aussi ? lança-t-elle.

— Faites à votre idée, ce sera parfait, répondit Amélie, aussi aimable que possible.

Se concilier les bonnes grâces de Moïra lui était à présent indispensable. Dans quelques mois, elle aurait besoin d'elle, or jusqu'ici elle l'avait traitée en ennemie.

— Pourquoi pas un gâteau de poires au chocolat ? suggéra-t-elle. Je sais que David en est friand…

Qu'elle puisse se soucier de David parut stupéfier Moïra, qui chercha le regard de Kate.

— J'adore ça moi aussi, murmura la jeune fille.

Elle connaissait trop sa mère pour supposer que sa gentillesse durerait longtemps. Et Moïra ne semblait pas dupe. La perspective du dîner, avec l'annonce officielle de la grossesse, attristait d'avance la jeune fille.

*

Quand la porte de sa chambre s'ouvrit, Scott se réveilla en sursaut.

— Ce n'est que moi ! annonça Mary. Désolée de venir si tard et sans prévenir, mais...

Scott alluma sa lampe de chevet. Il s'assit, réprima un bâillement et considéra Mary qui hésitait toujours sur le seuil.

— Qu'est-ce qui se passe ?

Chassant les dernières brumes du sommeil, il s'efforça de sourire. En principe, même si elle avait un double de la clef, Mary ne débarquait jamais à l'improviste. Mais ils étaient restés sur une mauvaise impression, s'étant querellés pour la première fois le soir où Scott avait dîné avec Tomas.

— Tu es toujours fâché ? demanda-t-elle sans bouger.

— Non. Ne reste pas debout, viens t'asseoir. Tu veux dormir ici ?

— J'aimerais te parler d'abord.

— Ah...

Il tourna la tête pour regarder son réveil, qui indiquait quatre heures.

— Trop tard pour un whisky, trop tôt pour un café, allons donc faire du thé ! dit-il en se levant.

La présence de Mary aurait dû lui faire plaisir, mais il se sentait fatigué. La veille, il avait fait la tournée des pubs avec Graham, et ils avaient abusé des pintes de bière. Dans la cuisine, il mit de l'eau à chauffer, disposa des tasses, tandis que Mary s'occupait du sucre et du lait. Hormis les petits déjeuners, ils avaient rarement mangé ici, préférant aller au restaurant. Quand Mary avait envie de se mettre aux fourneaux, elle emmenait Scott chez elle.

— Nous vivons d'une drôle de manière, murmura-t-elle. Tu ne trouves pas ? On s'invite l'un chez l'autre comme si on commençait tout juste une relation amoureuse, alors qu'on se connaît depuis des années ! Si j'en ai parlé à mes parents, ce n'était pas pour me plaindre mais pour leur expliquer. Évidemment, ils ne comprennent pas. Voilà pourquoi papa a voulu discuter avec toi. Il a eu tort de s'en mêler, et ce n'est pas moi qui le lui ai demandé.

— Je sais. Ne revenons pas là-dessus, Mary. Tomas joue son rôle de père, je ne le lui reproche pas, mais il oublie ton âge et le mien.

— Il est de la vieille école.

— Admettons.

— Tu étais très fâché après ce dîner, et tu ne m'as pas appelée depuis trois jours. Tu m'en veux encore ?

— Je t'en veux de m'avoir caché l'offre du Portugal. Pourquoi ?

— Parce que j'ai peur que tu me pousses à accepter.

— Tu as trop de personnalité pour être influençable, chérie. Soit tu as envie d'y aller, soit non. C'est aussi simple que ça.

— Et nous deux ? Lisbonne est loin d'ici !

— Mais ta carrière y gagnerait. En Écosse, on ne te propose rien pour l'instant.

— Au Portugal, tu me manqueras trop.

— Il y a des week-ends, des avions…

Conscient de manquer d'enthousiasme, il versa l'eau bouillante dans la théière et vint s'installer en face d'elle.

— Tu devrais saisir l'opportunité. Justement parce que tu es libre. Dans quelques années tu…

— Tu m'auras épousée ? Tu m'auras fait des enfants ?

Elle tapa du plat de la main sur la table, puis elle se mordit les lèvres.

— Oh, Scott, je ne suis pas venue pour qu'on se dispute encore ! Cette nuit, je n'arrivais pas à dormir, je pensais à toi, à nous. Qu'est-ce qui cloche, hein ? Je sais bien que je te fatigue avec mon obsession du mariage. Je suis maladroite, je devrais me taire et attendre que tu te décides. Mais la patience n'est pas mon fort et j'en ai assez de vivre comme une joyeuse célibataire parce que, vois-tu, je ne suis pas joyeuse du tout. Quand je me réveille le matin, je ne sais pas si je te verrai le soir. Ni si nous dormirons ensemble, chez toi ou chez moi. Cette liaison au jour le jour me désespère. J'ai parfois l'impression que tu pèses le pour et le contre, que tu tergiverses, et je me sens très mortifiée d'être comme une marchandise que tu n'es pas sûr de vouloir acheter.

Consterné, il vit qu'elle avait les yeux pleins de larmes. Pour la consoler, il n'avait qu'un mot à dire, le seul qu'il refusait de prononcer.

— Mary, murmura-t-il en lui prenant la main, je ne veux pas te rendre malheureuse.

— Mais tu le fais ! Qu'est-ce qui te retient, Scott ? Sois sincère, pour une fois, dis-moi pourquoi tu me rejettes.

— Je ne te rejette pas ! Je t'aime. Nous sommes bien ensemble et...

— *Quand* nous sommes ensemble. À peu près un jour sur deux. Les gens qui s'aiment ne font pas comme ça. Jusqu'à quand voudras-tu conserver ta foutue indépendance ?

Même en colère et en larmes, elle restait jolie. Il s'en voulut de ne pas pouvoir lui donner ce qu'elle espérait tant. Néanmoins, elle avait raison, quelque chose le retenait, l'empêchait de voir en elle la femme avec qui passer le reste de sa vie. Il s'était trouvé de multiples raisons, donné des prétextes plus ou moins valables, cependant la réalité s'imposait : il ne voulait pas d'elle. Comment le lui dire sans la détruire ?

— Mary, accepte l'offre de Lisbonne. Une séparation nous fera du bien, sinon nous continuerons à nous disputer en vain.

Elle se redressa, retira sa main.

— Donc tu préfères que je parte ?

— La décision ne m'appartient pas. Tu ne m'as même pas expliqué en quoi consiste l'offre, comme si tu allais refuser de toute façon.

— Elle provient d'une fabrique de céramiques qui exporte beaucoup. Ils souhaitent renouveler leurs collections, ils ont besoin d'une styliste.

— Pourquoi t'ont-ils contactée ?

— En fait, je leur avais envoyé mon C.V.

— Quand ?

— Il y a quelques semaines. Un jour où j'en avais par-dessus la tête de notre situation. Tes dérobades, mon insistance... J'ai cru que j'avais besoin d'air. Ou, au contraire, que tu me retiendrais, que ça déclencherait en toi une prise de conscience. Alors, pour que les choses bougent, j'ai écrit à trois ou quatre grosses boîtes en Europe.

— Tu as gagné, on dirait.

— Si tu veux.

À présent, elle boudait, et Scott sentit qu'il perdait patience.

— Je ne veux rien, Mary ! Et c'est justement ce que tu me reproches.

Ils étaient revenus au même point de désaccord, ils finiraient par s'enliser dans un conflit sans issue.

— Il est trop tôt pour attaquer la journée, viens finir la nuit avec moi, dit-il en se levant.

— Les réconciliations sur l'oreiller ne mènent nulle part ! répliqua-t-elle amèrement.

Pourtant, il en avait envie. Quand ils faisaient l'amour, ils s'entendaient bien, ils partageaient tout. Néanmoins, au réveil, leurs problèmes étaient toujours là.

— Bon, je vais me doucher, soupira-t-il.

S'il la prenait dans ses bras, elle croirait qu'il passait outre, qu'il ne tenait compte que de ses propres désirs. Il quitta la cuisine sans rien ajouter, très mal à l'aise et toujours aussi fatigué.

*

Angus s'était levé à l'aube, après une nuit d'insomnie. Il avait embarqué ses sacs de golf dans sa voiture, mais il ne comptait pas faire un parcours, ce matin. En revanche, une promenade lui permettrait de réfléchir, et il en avait grand besoin.

Accaparé par Amélie, la chasse, le golf, ainsi que par la passation de pouvoirs à Scott dans les affaires, il n'arpentait plus ses terres depuis trop longtemps. Au fil des générations, les Gillespie avaient acquis patiemment les parcelles qui composaient le domaine. Lui-même s'était débrouillé, vingt ans auparavant, pour acheter à bas prix une colline entière, rocailleuse et couverte de chardons, sur laquelle aujourd'hui ses troupeaux de moutons paissaient. Souvent, en regardant le paysage qui entourait le manoir, il avait ressenti l'orgueil du propriétaire terrien, mais depuis son remariage il ne s'intéressait plus à ces choses-là, préférant parader au bras de sa jeune épouse. Car, avec vingt ans de moins que lui, elle aurait pu être sa fille. Jeune, oui, mais l'était-elle encore assez pour être de nouveau mère ? Sa grossesse allait comporter des risques.

Il gara sa voiture en lisière de la forêt, face au vallon qui descendait jusqu'à l'horizon. Équipé de bottes en caoutchouc, d'un Barbour et d'une casquette, il pouvait affronter l'air frais du petit matin. Il se mit en marche sans but précis, plongé dans des pensées contradictoires. Un enfant... Avait-il envie d'un enfant ? Afin de ne pas blesser Amélie, et malgré sa stupeur, il avait fait mine de

171

se réjouir. Moïra était restée figée sur sa chaise tandis que David dissimulait mal une grimace apitoyée. Kate s'était tue, John, George et Philip n'avaient pas eu l'air ravis, alors Angus avait dû se montrer exubérant et répéter sur tous les tons qu'il s'agissait d'un cadeau du ciel.

Un cadeau, vraiment ? Il était loin d'en avoir la certitude, en réalité il ressentait une sourde angoisse. Que faire d'un bébé qui crierait la nuit, ne marcherait pas avant une bonne année et parlerait plus tard encore ? Cet enfant deviendrait un jeune garçon bon à emmener à la pêche ou à la chasse lorsque Angus serait un vieux monsieur ! Et, plus grave, il y avait Scott... Comment allait-il le dire à Scott ? Depuis toujours, Scott était son fils unique, son héritier. L'arrivée de la tribu d'Amélie n'y avait rien changé, mais désormais tout serait bouleversé et l'avenir de la famille allait être remis en question.

Après la malheureuse gifle, Scott avait choisi de ne plus passer qu'en coup de vent à Gillespie. Il déposait des papiers sur le bureau de son père et, s'il le croisait, il le saluait de façon glaciale. Angus aurait pu s'excuser, au moins se dire navré, mais il n'en avait pas trouvé le courage. Il *détestait* avoir tort. Comme Scott, d'ailleurs ! Car Scott lui ressemblait beaucoup. S'il était physiquement le portrait de sa mère, il tenait en revanche de son père un caractère entier et coléreux. Comme Angus, il adorait Gillespie, il possédait le sens des responsabilités, il était fier de son nom. Et il avait su accepter de prendre en main les affaires de la famille alors qu'il rêvait d'être médecin. Angus lui-même, lorsqu'il était tout jeune, avait formé le projet d'être champion de golf !

Des aboiements lointains attirèrent son attention. Une main en visière, il observa quelques moutons aventureux se faisant rappeler à l'ordre par des border collies. Le berger, lui, était assis sur une pierre plate et laissait ses chiens faire le travail. Angus ébaucha un sourire tout en profitant du spectacle. Une vision pastorale apaisante, bien éloignée de ses soucis. Il décida de rejoindre le berger pour bavarder un peu avec lui. Au moins, pendant ce temps, il ne penserait pas à Amélie et au bébé qu'elle attendait, ni à la manière d'apprendre la nouvelle à Scott. Et il éviterait pour un moment la question lancinante qu'il se posait depuis la veille : était-il heureux, fier, enthousiaste, ou seulement paniqué ?

*

Intimidée, Kate avait été conduite par un employé jusqu'au bureau de Scott. Sagement assise dans l'un des fauteuils de cuir vert réservés aux visiteurs, elle admira les boiseries de chêne, les gravures, les appliques de cuivre. Un décor très classique malgré un équipement informatique haut de gamme. C'était donc dans cette pièce que Scott travaillait la plupart du temps, quand il n'était pas à Inverkip ou à la filature.

Elle déposa un exemplaire de son exposé sur le coin du bureau d'acajou, espérant que Scott voudrait le lire.

— C'est toi, ma puce ? s'exclama-t-il en entrant. On m'avait seulement dit qu'une très jolie jeune fille m'attendait, j'aurais dû deviner !

Il l'embrassa dans les cheveux et s'installa à califourchon sur l'accoudoir du fauteuil voisin. Au lieu de la tenue décontractée qu'il adoptait à Gillespie, il portait un strict costume gris clair, une chemise bleue et une cravate à fines rayures.

— Tu as l'air sérieux, tu fais businessman.

— Tu trouves ?

— Oui. Et ton bureau est très impressionnant aussi.

Avec un rire joyeux, il l'attrapa par l'épaule et la secoua.

— Tu te moques de moi, hein ? Raconte-moi plutôt ce qui me vaut le plaisir de ta visite.

— D'abord, la curiosité, parce que je n'étais jamais venue ici. Je ne connaissais que la distillerie d'Inverkip et la filature. Mais aujourd'hui j'avais enfin une occasion ! Neil m'a déposée et repassera me prendre dans une heure.

— Que fait-il pendant ce temps ?

— Il nous cherche un restaurant face à la mer pour déjeuner.

— Oh, je vois ! Un tête à tête en amoureux ?

— Là, c'est toi qui te moques de moi.

— Pourquoi ? Tu n'en es pas amoureuse ?

Elle eut une moue dubitative et hésita.

— Je ne sais pas…

Dans ses efforts désespérés pour ne pas se laisser obnubiler par Scott, elle tentait de s'attacher à Neil, qui était fou d'elle.

— En tout cas, reprit-elle, il est adorable avec moi. Je n'aurais jamais pu réussir mon exposé s'il ne m'avait pas emmenée à Kirriemuir. Là-bas, nous avons passé nos soirées à parler de James Barrie ! Neil aime beaucoup la littérature, même si ça ne lui sert à rien dans ses études de médecine. Bref, je t'ai apporté un exemplaire, si tu veux y jeter un coup d'œil…

Elle se trouvait soudain très vaniteuse et n'était pas sûre que Scott apprécie d'avoir été dérangé pour si peu. D'autant qu'il ne souriait plus, la considérant en silence.

— Merci beaucoup, Kate, dit-il enfin.

Il prit l'exposé et, au lieu de le feuilleter distraitement, il le rangea avec soin dans son attaché-case.

— Je le lirai ce soir.

Un des téléphones se mit à sonner, mais il ne répondit pas.

— Veux-tu un thé, un café ?

— Non, je vais te laisser, tu dois avoir du travail.

— Tu n'es pas si pressée, intervint-il, tu viens d'arriver. Est-ce que tout le monde va bien à Gillespie ?

— Oui, ils sont tous en forme, sauf maman qui a des nausées chaque matin ! Elle devient capricieuse et se fait dorloter par Moïra, qui se demande si ça va durer comme ça jusqu'à la fin de la grossesse.

Médusé, Scott la dévisagea.

— Grossesse ? répéta-t-il d'une voix altérée.

Kate aurait voulu disparaître, revenir une minute en arrière, ou au moins s'enfuir. Quelle horrible gaffe elle venait de commettre ! Mais jamais elle n'aurait pu imaginer que Scott ignore la nouvelle. Angus ne l'avait donc pas mis au courant ?

— Oh, Scott, je suis désolée..., réussit-elle à bredouiller.

Pourquoi fallait-il que ce soit elle qui lui ait assené la nouvelle ? Il aurait dû tout savoir depuis longtemps, à la maison la famille ne parlait que de ça.

— Amélie est enceinte ?

Il semblait incrédule, abasourdi. Secouant la tête, il parut faire un gros effort sur lui-même.

— Mon père est content ? articula-t-il froidement.

— Je suppose. J'ignore pourquoi il ne te l'a pas dit, Scott. Je pensais que tu avais été le premier informé.

— Bien sûr que non. Nous ne nous parlons pas beaucoup en ce moment, papa et moi.

— Peut-être qu'il attendait de te voir ? Tu viens si rarement...

Elle avait l'air de lui faire un reproche, or c'était la dernière chose qu'elle souhaitait.

— J'aurais dû tenir ma langue, s'empressa-t-elle d'ajouter.

— Pourquoi, grand Dieu ? Si je comprends bien, ce n'est un secret pour personne !

Il quitta l'accoudoir du fauteuil, fit quelques pas, revint vers Kate.

— Et toi, ça te fait plaisir ?

175

— Non, répondit-elle spontanément. Je devrais me réjouir pour maman et pour Angus, mais je n'y arrive pas. Dans quelques mois j'aurai dix-huit ans, et je n'ai pas très envie d'un petit frère ou d'une petite sœur.

Elle ne précisa pas qu'elle était surtout navrée pour lui. Il s'entendait si mal avec Amélie... Il murmura d'un air songeur :

— Je sais que papa aurait aimé avoir une grande famille. N'avoir eu qu'un fils l'a sans doute frustré.

— Il t'adore, Scott !

— Oui, peut-être...

— *Peut-être* ? Tu veux rire ! Tu es sa fierté, sa plus belle réussite, d'après lui.

Le téléphone se remit à sonner, et Kate se leva précipitamment.

— Cette fois, je te laisse.

— Ne t'inquiète pas, une secrétaire va prendre la communication. Je te raccompagne en bas.

Il paraissait un peu groggy, mais il parvint à lui sourire.

— Tu es gentille de m'avoir apporté ton exposé, dit-il en l'escortant à travers les bureaux et les couloirs. Je vais le lire avec plaisir. Tu l'as déjà rendu ?

— J'ai obtenu une bonne note, avoua-t-elle avec modestie.

— Magnifique ! Je te savais douée pour la littérature. Tu veux toujours devenir prof ?

— J'aimerais bien, oui.

— Te rappelles-tu ce jour gris où je t'ai surprise en train de lire *Les Misérables* au fond du parc ? C'était ton premier été à Gillespie et tu t'inquiétais de ton école.

Qu'il s'en souvienne la fit rougir de plaisir. Pour sa part elle n'avait oublié aucun des moments passés avec lui.

— J'ai dû te paraître idiote. Je me sentais perdue, loin de chez moi, j'avais peur de tout.

— Tu étais mignonne comme un cœur, et très attendrissante.

Ils traversèrent une première cour, puis une autre. Devant la grille de l'entrée principale, une grosse Audi noire était arrêtée, et Neil attendait debout à côté. En apercevant Kate, son visage s'éclaira. Scott devina que le jeune homme avait emprunté la voiture de son père ou de sa mère.

— Il frime un peu, non ? Il veut t'épater ?

Elle eut un rire amusé qui agaça vaguement Scott. Il estima que Neil avait beaucoup de chance de sortir avec une aussi jolie fille. En fait, il avait de la chance tout court parce qu'il avait pu choisir la médecine, encouragé par ses parents, et qu'il menait la vie heureuse d'un étudiant insouciant. Les Murray prévenaient tous ses désirs, alimentant son compte en banque pour lui éviter d'avoir à trouver des jobs trop accaparants. Il pouvait ainsi se consacrer à ses examens... et à Kate.

— J'ai réservé une table au Tontine Hotel, lui annonça le jeune homme, et ensuite nous pourrions aller faire un tour au musée Mac Lean.

Il était à l'aise, prévenant et sûr de lui.

— Je vous l'enlève ! ajouta-t-il à l'adresse de Scott. Très bonne journée et à bientôt.

Scott embrassa Kate avant de lui ouvrir la portière, devançant Neil.

— Amuse-toi bien, ma puce.

— Quand viens-tu à Gillespie ? Tu sais, je suis vraiment désolée pour tout à l'heure.

— N'y pense plus. J'aurais fini par l'apprendre de toute façon.

Il s'écarta et regarda la voiture démarrer. Le Tontine Hotel possédait certes un restaurant, mais il y avait *aussi* des chambres. Est-ce que ces jeunes gens étaient amants ? L'idée révolta Scott immédiatement. Ah non ! Kate était bien trop jeune, trop innocente, trop… Sauf qu'elle sortait avec Neil depuis longtemps et qu'ils n'avaient pas dû se contenter de se regarder dans le blanc des yeux. À l'âge de Neil, Scott avait déjà eu de nombreuses petites amies. Oui mais, bon, pas Kate. Il la connaissait bien, elle était romantique et, de son propre aveu, elle n'était pas certaine d'être amoureuse de Neil. Pourquoi toute la famille, et même les *deux* familles approuvaient-elles tant cette idylle ? Pour unir les intérêts des Murray à ceux des Gillespie ? Mais Kate n'en était même pas une, elle n'était pas l'héritière d'Angus et ne portait pas son nom !

Il repensa brusquement au futur bébé d'Amélie. Comment pouvait-il songer à autre chose qu'à cette invraisemblable nouvelle ? Et au silence lâche de son père ? Jamais, depuis bientôt cinq ans, Angus n'avait évoqué la possibilité de faire un enfant à sa nouvelle épouse. Il serait un vieux papa ridicule et ne verrait même pas grandir son petit dernier. Avait-il désiré cette tardive paternité ou était-ce une « surprise » d'Amélie ?

Au fond de sa poche, son téléphone se mit à vibrer. Les secrétaires devaient en avoir assez de le chercher, il fallait qu'il regagne son bureau. En traversant la cour, il aperçut la silhouette de John qui se faufilait hors d'un bâtiment, une cigarette à la main. Quel que soit le poste où Scott le mettait, sa principale activité consistait à multiplier les pauses. Il s'en cachait à peine, toujours prêt à provoquer l'affrontement, et Scott préférait fermer les yeux, mais c'était difficile à justifier auprès des autres employés.

Pour une fois, et peut-être parce qu'il venait de passer un mauvais moment, Scott rejoignit John.

— Toujours oisif ? lui lança-t-il en s'arrêtant devant lui.

— Tiens, le fils du patron…, ricana John. Tu passes tes troupes en revue ?

— Je surveille, ça fait partie du job. Et même en essayant de ne pas te voir, tu passes tellement de temps à bayer aux corneilles que je tombe forcément sur toi.

— Je m'ennuie. Tu ne me fais rien faire d'intéressant.

— Dis plutôt que tu ne veux rien faire du tout.

— Regarder l'orge germer ou les alambics fumer n'est pas très exaltant !

— Parle pour toi. Et puis nous avons déjà eu ce genre de discussion inutile. Tu n'es pas content d'être ici, et je ne suis pas content que tu y sois. C'est la volonté de ta mère, qui en a convaincu mon père. Malheureusement, tu n'as aucune envie de trouver ta place dans cette entreprise.

— Pas celle que tu me proposes, en tout cas ! Et ne me ressors pas ton laïus bien pensant comme quoi il faut commencer au bas de l'échelle et se former sur le tas.

— C'est pourtant indispensable, à moins d'avoir un solide diplôme permettant d'accéder directement à un poste à responsabilités. Ton frère George l'a compris, il prend le bon chemin.

— Il devient fayot, ça me navre. Il prétend aimer l'Écosse, et moi je la déteste.

— Tu aurais dû rester en France.

— J'aurais bien voulu !

— Qu'est-ce qui t'en a empêché ?

— Mon père.

— Parce qu'il ne t'a pas aidé, tu es revenu chercher l'aide de ta mère ? Mais bon sang, tu peux vivre sans être aidé par papa ou maman !

— Ça te va bien de dire un truc pareil, toi qui es né avec une cuillère d'argent dans la bouche. Tu as toujours su que les affaires te tomberaient dans le bec. En plus, tu es fils unique, c'est commode. Quoique, maintenant, tu devrais faire attention, il va y avoir un autre héritier, tout ne sera pas pour toi. Je suis sûr que ça t'emmerde, hein ?

Scott secoua la tête, ravalant de justesse une réflexion désobligeante au sujet d'Amélie.

— Tu ne penses qu'à l'argent, c'est lamentable, se borna-t-il à constater.

John écrasa sa cigarette sous son pied et laissa le mégot sur les pavés, défiant Scott du regard. Tous les abords de la distillerie étaient d'une impeccable propreté, ce qui séduisait les clients et les visiteurs. Scott désigna un bac en pierre rempli de sable, installé à la porte d'un des bâtiments.

— Ne sois pas si mal élevé, sers-toi donc du cendrier géant.

Afin de ne pas envenimer les choses, il n'attendit pas la réaction de John et tourna les talons. Le jeune homme lui posait un problème qu'il ne parvenait décidément pas à résoudre. Sans le diktat d'Angus, il s'en serait débarrassé depuis longtemps. Que pouvait-il lui proposer qui ne se solde pas par un nouvel échec ? John traînait son ennui du matin au soir et ne sympathisait avec personne. Il attendait la fin du mois pour toucher sa paie, indifférent au fonctionnement de l'entreprise. Et, plus généralement, indifférent à tout ce qui n'était pas lui-même. Il subissait, il boudait. Son unique initiative avait été ce voyage en France, d'où il était revenu tellement déçu. Était-il envisageable de l'expédier en France sous prétexte de prospecter ? Bien sûr, il n'y connaissait rien, mais cette offre pourrait éveiller son intérêt et le motiver. Après tout, aux innocents les mains pleines ! Scott décida d'y réfléchir sérieusement. Il pouvait le faire escorter par Janet, une secrétaire compétente. L'opération aurait un coût modique et présenterait un double avantage : offrir une chance à John et se débarrasser de lui pour quelques jours. Au moins, Angus serait content... Sauf s'il cessait de prendre la défense de ses beaux-fils pour se consacrer au bébé !

Scott s'en voulut de cette pensée amère et il se hâta vers son bureau. Se noyer dans le travail lui éviterait de s'appesantir sur toutes les mauvaises nouvelles de la matinée. La grossesse d'Amélie, la mauvaise volonté de John, et aussi, paradoxalement, ce qui l'exaspérait le plus, le regard béat dont Neil Murray couvait Kate.

*

Moïra posa rageusement le plateau sur la table.

— Jusqu'à quand faudra-t-il lui monter ses toasts et ses infusions ? Ces escaliers me fatiguent, et je ne suis pas une bonniche !

David la considéra avec un vague sourire, hochant la tête pour lui témoigner sa compassion.

— Ce sera bientôt la maman-reine, elle a tous les droits, dit-il, ironique.

— Oui, eh bien, je ne suis pas à ses ordres ! Angus n'a qu'à faire le service lui-même ou engager quelqu'un.

— Angus court les greens, on dirait qu'il veut passer le moins de temps possible à la maison. Quant à porter un plateau...

— Remarque, Amélie n'encombre plus ma cuisine, j'ai au moins gagné ça ! Je vais en profiter pour faire une soupe de volaille avec des poireaux et des pruneaux, Angus en raffole.

— Il ne mange presque rien en ce moment. La perspective d'être papa doit lui couper l'appétit.

— Tu crois ?

— À moins que sa fâcherie avec Scott ne le déprime.

Angus avait fini par expliquer à Moïra pourquoi Scott se faisait si rare. Du bout des lèvres, il s'était justifié de sa « petite claque de rien du tout » en prétendant que son fils lui avait manqué de respect. Mais Moïra avait compris que le sujet de leur dispute ne pouvait être qu'Amélie, encore et toujours elle !

David souleva l'un des couvercles de fonte de l'antique cuisinière à charbon et ajouta quelques boulets. Moïra refusait de s'en séparer, affirmant que rien n'était meilleur que les ragoûts mitonnés là-dessus, mais Amélie avait exigé une cuisinière électrique, qui trônait sur l'autre pan de mur. Ainsi, il arrivait que les deux femmes s'activent dos à dos, chacune préparant son propre plat.

— Angus devrait faire le premier pas, reprit Moïra. Lever la main sur son fils, c'est quand même une sacrée bourde.

— Oh, ce n'est pas la fin du monde ! Je suis sûr que Scott a passé l'éponge.

— Lui, oui, il n'est pas rancunier. Mais on ne le voit plus...

Elle en souffrait, exactement comme elle avait souffert lorsque Scott était parti en pension. Il lui avait beaucoup manqué car, à l'époque, il était le seul à mettre de la gaieté dans la maison. Turbulent mais affectueux, indiscipliné mais joyeux, il avait été un petit garçon très attachant.

— Pourquoi ne l'appelles-tu pas ? s'enquit David d'un air innocent. Si tu lui demandais de venir dîner, il ne te le refuserait pas.

Moïra eut un petit gloussement de plaisir vite réprimé.

— Je ne veux pas l'embêter... Cela dit, tu as raison, je lui téléphonerai ce soir, quand il sera tranquille chez lui. Et s'il est libre demain ou après-demain je mettrai un cuissot de chevreuil à décongeler, il apprécie le gibier.

À cet instant, les éclats d'une dispute retentirent dans le hall voisin, puis George et Philip firent irruption. Sans accorder la moindre attention à Moïra ou à David, Philip poursuivit sur sa lancée :

— Je le connais mieux que toi, au départ c'était mon ami !

— Quel grand mot ! persifla son frère. Il était plus vieux que toi, dans une autre classe, et vous jouiez dans la même équipe de rugby, rien de plus.

— Tu rigoles ? Il passait plein de temps avec moi.

— Parce qu'il voulait que tu lui présentes Kate ! C'est elle qui l'intéressait, pas toi !

— Eh bien voilà, j'ai raison, ce mec est un profiteur, un hypocrite !

George haussa les épaules d'un air désabusé.

— N'importe quoi. Neil est un type bien. Il bosse, il vient de réussir sa première année de médecine...

— Ah, c'est vrai, tu es du côté des bons élèves, maintenant !

— Et alors ? Il vaut mieux ça qu'être un cancre. Regarde John, tu crois qu'il faut suivre son exemple ?

— Tu n'as pas toujours dit ça.

— Je veux m'en sortir, Phil.

— En léchant les bottes de Scott ? Tu as choisi l'université où il a fait ses études, tu lui poses des tas de questions, tu fais semblant de t'intéresser à...

— Je ne fais pas semblant.

— Très drôle ! Parles-en à John, il t'expliquera comment il crève d'ennui dans cette foutue distillerie.

— Qu'il fasse autre chose, personne ne l'oblige à rester.

Incapables de parler posément, ils criaient à tue-tête. Agacé, David les interpella.

— Hé ! Vous ne pouvez pas aller vous disputer ailleurs ?

Philip lui jeta un regard méprisant, mais George s'excusa.

— Nous ne sommes pas d'accord au sujet de Neil.

— On avait compris, répondit David. Moi, je le trouve bien, ce garçon. Il est très prévenant avec Kate, et il la fait rire.

— Il est surtout le fils Murray, le futur Dr Murray, et maman sera ravie de lui fourguer Kate.

— Ta sœur n'est pas une marchandise, grommela Moïra.

Levant les yeux au ciel, Philip se précipita hors de la cuisine. Embarrassé, George commença par remonter sur son nez les lunettes qu'il portait depuis peu.

— Phil est de mauvais poil parce qu'il a planté son année scolaire, expliqua-t-il. Il faut qu'il l'annonce à maman, et ça va la contrarier.

Moïra et David échangèrent un regard. En ce moment, le moindre prétexte était bon pour contrarier Amélie, mais sans doute vivait-elle une grossesse difficile. Moïra gardait un souvenir épouvantable de la naissance de Scott, qui avait eu lieu à Gillespie et avait failli coûter la vie à Mary, aussi espérait-elle sincèrement qu'Amélie se ferait suivre de près par son obstétricien et se rendrait à l'hôpital à la moindre alerte. Cet accouchement à venir ne la réjouissait pas, il lui procurait même un certain malaise, mais elle avait bon cœur et formait des vœux pour que tout se passe bien. Si son frère était heureux ainsi, s'il trouvait un regain de jeunesse dans cette paternité inattendue... Pour sa part, tant qu'à accueillir un nouveau-né à Gillespie, elle aurait préféré qu'il s'agisse du bébé de Scott. Lui était vraiment en âge de faire des enfants !

Elle reporta son attention sur George, dont les lunettes glissaient encore une fois vers le bout de son nez.

— Tu devrais les faire ajuster, suggéra-t-elle.

— J'ai beaucoup joué avec... Ce n'est pas facile de s'y habituer.

— Elles te vont bien quand elles sont à leur place. Tu y vois mieux ?

— Heureusement !

Sa myopie s'était déclarée tard, ou alors auparavant il l'avait ignorée par négligence. Depuis quelque temps, Moïra s'intéressait à lui, alors que jusque-là elle avait considéré les trois garçons comme un seul et même bloc odieux. George se démarquait de ses frères, il s'était rapproché de Kate, et même de Scott.

— Est-ce qu'un petit apéritif te tenterait, jeune homme ? lui lança David avec un clin d'œil.

— Tu ne vas pas le faire boire ? s'inquiéta Moïra.

— Il a l'âge légal, et il veut tout apprendre sur le whisky. Désolé, mais ça en passe par la dégustation.

— Attendez au moins Angus...

— Non ! se défendit David. Je n'ai pas besoin de sa permission pour la moindre chose. J'en ai marre d'être une quantité négligeable, marre d'être à peine toléré par *madame* Gillespie. Excuse-moi de dire ça, mon garçon, mais je me demande parfois si je suis un membre de la famille ou un simple employé, ici.

George le contempla une seconde, hésitant, puis il finit par lui sourire.

— Maman n'est pas toujours commode, mais vous étiez là avant elle, non ?

Le garçon venait de faire un grand pas en avant, comme s'il avait décidé de changer de camp. David hocha la tête et se garda de répondre quoi que ce soit. Il se leva pour aller fouiller dans l'un des grands placards, faisant tinter les bouteilles.

— Tiens, je t'en sors un tout indiqué pour l'apéritif. Un Speyside de dix ans d'âge, léger et souple.

— On ne boit pas du Gillespie ? s'esclaffa George.

— Eh bien, en principe, c'est le seul autorisé sous ce toit, mais ici, à la cuisine, Scott et moi avons notre petite planque... Il faut bien comparer les flaveurs !

185

George s'installa au bout de la longue table tandis que David servait le liquide ambré dans deux verres à dégustation.

— Au sujet de Neil, déclara Moïra qui continuait à s'activer devant ses fourneaux, je pense que tu as raison. J'aime bien ce garçon, il possède de grandes qualités. Poli, sérieux, raisonnable... Avec lui, Kate semble en confiance, et je suis persuadée qu'ils ne brûlent pas les étapes.

David leva les yeux au ciel en marmonnant :

— De nos jours, les jeunes... Dans le temps, les filles attendaient d'avoir la bague au doigt, mais aujourd'hui elles passeraient pour des gourdes.

Embarrassé, George fronça les sourcils. Imaginer sa sœur dans le lit d'un homme, quel qu'il soit, le mettait mal à l'aise. Est-ce que Kate avait déjà cédé à Neil ?

— Puis-je avoir encore une tasse d'infusion ? lança Amélie en entrant. Je crois que je ne descendrai pas dîner ce soir, ces escaliers sont trop fatigants.

— Comme vous dites ! répliqua Moïra.

Une main sur le ventre, Amélie la gratifia de son sourire le plus avenant.

— Vous êtes si gentille de vous occuper de moi... Oh, mais qu'est-ce qui sent bon comme ça ? Une soupe ? Peut-être Kate pourra-t-elle m'en apporter un bol quand elle sera prête ? Ce sera plus nourrissant que de l'eau chaude, et il faut que je pense au bébé !

Seul le silence accueillit sa déclaration. Finalement, George se sentit obligé de répondre.

— Kate n'est pas encore rentrée, maman, mais je te monterai un plateau tout à l'heure.

— Tu es adorable, merci, mon chéri. Où est ta sœur ?

— Chez Neil, je crois.

D'un geste théâtral, elle repoussa une mèche de cheveux, adressa un nouveau sourire à Moïra et sortit.

George surprit alors le coup d'œil qu'échangeaient Moïra et David. Bien sûr, ils ne devaient pas se réjouir de la naissance annoncée. Comment l'auraient-ils pu ? Amélie et ses enfants avaient envahi leur territoire, bouleversé leur existence, et à présent l'arrivée du bébé allait achever de les mettre sur la touche. George lui-même n'appréciait pas l'improbable grossesse de sa mère, qu'il jugeait trop âgée pour se remettre à pouponner. Toutefois, il ne se sentait pas jaloux, au contraire de John, qui s'estimait trahi et dépossédé. Jusqu'ici, John avait été le favori de leur mère, son fils aîné bien-aimé, mais il se doutait que le nourrisson lui volerait la vedette. Sa seule consolation, s'il s'agissait d'un garçon, serait de voir détrôner Scott. Un autre héritier Gillespie l'obligerait à tout partager, manoir et distilleries. John se frottait les mains tandis que George restait perplexe. Le fragile équilibre qui avait fini par s'établir sous ce toit, bon gré mal gré, serait fatalement rompu, et ce n'était pas souhaitable.

— Tu es bien soucieux, fit remarquer David en le resservant.

— Je pense à Édimbourg, mentit George. À ce que sera ma vie d'étudiant là-bas.

— C'est une très belle ville, tu vas t'y plaire. Partout la vue est superbe ! Tu aimeras l'architecture, les pubs, l'ambiance des cafés-bars où on joue de la musique...

David semblait soudain nostalgique, ce qui ne lui arrivait jamais.

— Tu as habité Édimbourg ? voulut savoir George.

— Dans ma jeunesse, oui. Mais c'est loin.

Levant les yeux vers le jeune homme, David le scruta avant d'ajouter :

— J'étais ce qu'on appelle un mauvais sujet ! Avec le recul, je peux dire que je me suis bien amusé, seulement à force de tirer sur la corde elle finit par casser. Par chance, il y a eu Angus, et je lui suis reconnaissant de m'avoir tendu la main quand j'étais au fond du trou. Maintenant, je suis un vieux sage et ça me va.

Comme s'il regrettait d'avoir trop parlé, il se leva en hâte, déclarant qu'il devait préparer une flambée dans la salle à manger. George le suivit des yeux, la curiosité en éveil.

— A-t-il été une sorte de… voyou ? ne put-il s'empêcher de demander à Moïra.

— Je préfère le mot « rebelle », marmonna-t-elle.

Se tournant vers lui, elle le jaugea, puis elle poussa sa marmite vers le coin de la plaque en fonte et vint s'asseoir.

— Il n'aime pas évoquer le passé, inutile de l'interroger. Sa mère est décédée à sa naissance. Son père avait une petite société de tourisme qui a fait faillite au début des années 1980. Le pauvre homme ne l'a pas supporté et s'est suicidé. À dix-neuf ans, David s'est retrouvé seul et sans un penny. Il n'a pas pu faire d'études, il a commencé à boire… Il traînait en mauvaise compagnie, il s'est fait arrêter plusieurs fois. Mais comme il porte le nom de Gillespie, puisque son père et le nôtre étaient cousins, Angus a estimé qu'il devait l'aider. Bon, tu connais Angus, il est assez autoritaire, alors il a exigé que David ne touche pas une goutte d'alcool pendant trois ans. Mille jours à l'eau et au thé, rien d'autre, sinon il se retrouvait à la porte. Une fois cette période probatoire terminée, Angus a lâché du lest et permis à David de vivre à sa guise, à condition de ne plus dérailler. Ce qu'il fait depuis.

— Et les femmes, dans tout ça ?

— Je ne sais pas.

Les lèvres pincées, Moïra ajouta néanmoins, d'un air dédaigneux :

— Pendant ses années de veuvage, Angus allait parfois passer la soirée à Glasgow pour… Enfin, tu me comprends, et il emmenait David. Maintenant, bien sûr, David

188

y va tout seul. Pas souvent, je dois dire. Je pense que ça ne le travaille pas trop.

Elle se leva, repartit s'occuper de sa soupe dont le fumet envahissait la cuisine.

— Ce sera bientôt cuit, annonça-t-elle, tu vas pouvoir en monter un bol à ta mère. En attendant, dis-moi pourquoi tu t'intéresses à David. Jusqu'ici, vous ne l'avez même pas regardé, tes frères et toi !

— Tu exagères. Et puis j'aimerais bien qu'on ne me mette pas toujours dans le même sac que John et Philip.

Jetant un coup d'œil par-dessus son épaule, elle lui adressa un sourire amusé.

— Entendu, j'y ferai attention.

Avec un certain étonnement, George s'aperçut qu'il commençait à éprouver de l'affection pour cette femme, et qu'il souhaitait la sienne en retour. Quelques années plus tôt, lors de son arrivée à Gillespie, jamais il n'aurait pu imaginer cela. Était-il en train de s'intégrer à cette famille qu'il avait commencé par rejeter en bloc ? Si tel était le cas, John ne le lui pardonnerait pas.

7

Angus n'avait pas lésiné en invitant Scott chez Rogano, le plus vieux restaurant de Glasgow, qui conservait soigneusement son ambiance années 1930. Au-delà du bar où l'on servait des huîtres, il s'était installé à une table au fond de la salle, commandant d'office un plateau de fruits de mer pour deux.

— Je ne t'ai pas fait attendre, j'espère ? demanda Scott en s'arrêtant devant lui.

— Non, pas trop. Assieds-toi. Veux-tu une coupe de champagne ?

— Si tu me dis d'abord ce que nous fêtons.

— Rien.

— Vraiment ? Alors d'accord. J'avais peur d'une surprise que je n'aurais pas appréciée.

— Ne commence pas. Je suis là pour faire la paix, j'en ai assez d'être fâché avec toi et je voudrais que tu arrêtes de bouder. Tout ça pour une malheureuse claque !

— Malheureuse, c'est le mot. Mais je ne boude pas, je suis seulement très occupé par *tes* affaires.

— À propos, je suis passé à la distillerie. Dans mon ancien bureau, j'ai constaté que tu n'avais rien changé.

— Je t'aurais prévenu si je l'avais fait.

Le ton de Scott demeurait froid, et Angus le sentait très tendu.

— Scott ?

Levant la flûte qu'on venait de déposer devant lui, il plongea son regard dans celui de son fils.

— Oublions ça.

— C'est oublié.

— Non, je le vois à ta tête. Ta tête de mule, tête de pioche ! Nous avons le même caractère, je te connais. Tu ne t'excuseras pas de m'avoir dit des horreurs, je ne m'excuserai pas de t'avoir giflé. Mais nous n'aurions pas dû, ni l'un ni l'autre. Est-ce que ça te va ?

Scott esquissa son premier sourire, un peu crispé, puis à son tour il leva sa flûte.

— À qui ou à quoi trinquons-nous, papa ? À l'enfant que tu attends ?

Angus se sentit blêmir. Il n'avait pas encore annoncé la nouvelle à son fils, mais visiblement quelqu'un l'avait fait. Qui ? Moïra ? Pendant le trajet de Gillespie à Glasgow, il avait répété un petit discours concis, dont il était assez fier mais qui hélas ne servait plus à rien.

— J'aurais voulu te l'apprendre moi-même, dit-il seulement.

— Si tard ?

— Je suis obligé de te manier comme une grenade dégoupillée, quand il s'agit d'Amélie.

— Elle aussi, je suppose, quand il s'agit de moi.

— À peu près. Et tu conviendras que ce n'est pas très confortable.

— Sans doute. Donc, bientôt, tu seras à nouveau père. Dis-moi, es-tu heureux ?

Le ton de Scott restait froid, voire railleur.

— Je ne m'y attendais pas, et je ne crois pas l'avoir désiré. Mais maintenant… Oui, je me réjouis. Pour un homme de mon âge, c'est inespéré.

— Et souhaitable ?

— Il y aura un Gillespie de plus. Tu sais à quel point je tiens à **ma** descendance, à notre nom, et jusqu'ici tout reposait sur toi.

— As-tu envisagé que ça puisse être une fille ?

— Si elle est aussi mignonne que Kate, elle sera la bienvenue.

L'arrivée du serveur portant le plateau de fruits de mer les interrompit. D'un coup d'œil, Angus vérifia qu'il y avait bien du homard, le crustacé préféré de Scott.

— Mon grand, tu es contrarié ?

— Oui.

— Tu penses que tu seras... dépossédé, spolié ?

— Non, ça m'est égal. J'aurais aimé avoir **des frères** et sœurs, et il aurait été normal que nous partagions tout. Tu me **crois** vraiment aussi intéressé ? Tu as une piètre opinion de moi...

— Non. Mais qu'est-ce qui t'embête ?

— De te voir endosser ce rôle. Tu as soixante ans et tu me donnes l'impression d'être tombé dans un piège.

— Lequel ?

— Écoute, papa, que je sache, avec quatre enfants Amélie n'a pas été frustrée dans son désir de maternité. Pourquoi s'inflige-t-elle si tardivement une grossesse à risque ? Parce que tu le lui as demandé ? Par amour pour toi, vraiment ?

— Qu'est-ce que tu sous-entends ?

— Peut-être trouve-t-elle sa position trop fragile. Enfin je n'en **sais rien**, je ne suis pas dans sa tête.

— Et pourquoi ne m'aimerait-elle pas, Scott ?

Vexé, Angus cassa brutalement une pince de crabe dont les éclats giclèrent à travers la table.

— Voilà, **grâce** à toi je mange comme un porc ! lâcha-t-il avec amertume. Nous devions nous réconcilier et tu m'assènes que ma femme fabrique un bébé **par calcul**. Maintenant, c'est moi qui suis contrarié.

Il goba une huître puis déchiqueta une langoustine au lieu de l'éplucher. La réaction de son fils ne l'étonnait pas, il savait que ce dîner serait une opération diplomatique. Mais, privé des belles phrases qu'il avait préparées avec soin, il s'enlisait dans un nouveau conflit.

— En somme, tu me trouves ridicule, marmonna-t-il.

— À vrai dire, j'éprouve de la peine pour toi.

— Je me passe de ta compassion. Je ne suis pas à plaindre, figure-toi ! Je suis marié à une belle femme, encore jeune, qui va me donner un enfant. Où est le drame là-dedans ? S'il s'agissait de quelqu'un d'autre, tu aurais les idées plus larges. Tu te dirais que chacun a le droit de vivre à son idée, et tant pis si la situation n'est pas classique. Pour le reste du monde, tu es très tolérant, mais pour moi tu es sectaire.

— Tu es mon père.

— Et tu me dois le respect.

— Je te le prouve en ne te disant pas tout ce que j'ai sur le cœur.

Angus marqua un temps.

— Bon sang, finit-il par déclarer d'une voix sourde. Je n'aurais jamais cru que ce serait si difficile de me remarier...

— Oh si, tu le savais bien ! La preuve, il y a cinq ans tu n'as pas eu le courage de me l'annoncer, tu as attendu que je revienne de voyage pour me mettre devant le fait accompli : une belle-mère et quatre ados installés chez nous. Aujourd'hui, tu récidives en ne me parlant pas de la grossesse de ta femme, que j'apprends par quelqu'un d'autre.

— Qui ?

— Peu importe ! Pourquoi as-tu perdu ta franchise depuis que cette femme est entrée dans ta vie ? Elle te rend lâche ?

— Ne va pas trop loin, Scott.

Ils échangèrent un long regard puis se remirent à manger en silence. Angus aurait préféré changer de sujet, mais il ne put s'empêcher d'y revenir.

— Tu ne devrais pas juger Amélie si sévèrement. Tu ne la connais pas, tu lui adresses à peine la parole ! Pourquoi ne prends-tu pas le temps de t'intéresser un peu à elle ? Tu la vois beaucoup plus noire qu'elle n'est.

— On en reparlera quand elle t'aura demandé de faire ton testament. Ce qui ne tardera pas à arriver.

Angus leva les yeux au ciel et eut un petit ricanement étranglé.

— Si ce n'est pas le cas, ajouta Scott, je te présenterai mes plus plates excuses et je lui offrirai des fleurs.

— Il faudra que tu lui en offres, de toute façon, au moment de la naissance. Sauf si tu comptes bouder le bébé ?

— Sûrement pas. Là, c'est toi qui me vois comme un monstre. J'achèterai un ours en peluche, je te le promets.

— Et d'ici là, peut-on espérer te voir à Gillespie ? Tu manques beaucoup à Moïra, et aussi à Kate, qui demande de tes nouvelles tous les jours.

— Et à toi, je ne manque pas ?

Une lueur amusée brillait dans les yeux de Scott, qui paraissait soudain plus détendu. Était-ce le fait d'avoir pu dire ce qu'il éprouvait sans que la discussion tourne à l'orage ? Il voulait mettre son père en garde, et ne s'en était pas privé. Soulagé, il se mit à parler d'Inverkip. Malgré les investissements récents, la distillerie avait de bons résultats comptables et gagnait en notoriété.

— Pour l'instant, nous tirons l'essentiel de nos revenus de Greenock, mais dans quelques années la courbe s'inversera, j'en suis certain. Pour la filature, je ne sais pas quoi penser. Je n'ai pas vraiment le temps de m'en occuper, mais elle ne perd pas d'argent. Les collections dessinées par Mary se sont bien écoulées, je les considère comme des valeurs sûres. Peut-être faudrait-il développer l'activité, trouver de nouveaux débouchés ? La plupart des lainages vendus à Édimbourg ou à Glasgow sont *made in China,* or il y a des amateurs d'authenticité prêts à payer le prix fort si c'est tissé sur notre sol, avec notre savoir-faire. Mais je ne peux pas être partout et j'ai failli te suggérer de vendre l'affaire, maintenant qu'elle est redevenue saine.

— Que ferions-nous de nos moutons ?

— On pourrait les vendre aussi.

— Et nos bergers ? Et tous ces pâturages qui deviendraient inutiles ?

— On les mettrait en location.

— Heureusement, tu ne m'as rien proposé de tout ça. Pourquoi ?

— Eh bien, il y a George. S'il réussit ses études de commerce...

— Oh, quel progrès ! Tu lui concéderais un avenir dans nos affaires ?

— Sans problème. Il devient intéressant. J'aurais aussi pu penser à Kate, mais elle se destine à l'enseignement.

— Et elle ne tardera sans doute pas à se marier. Neil Murray va nous faire sa demande d'ici peu, c'est évident.

— Elle est encore très jeune.

— Tu dis toujours ça, mais elle grandit.

— Ce n'est pas une raison pour la pousser dans les bras de ce garçon.

— Personne ne la pousse. D'ailleurs, ils forment un joli petit couple, non ?

Scott ne répondit pas, mais de nouveau son visage s'était durci. Angus savait bien qu'en réalité Amélie était pressée de marier sa fille, pour s'en débarrasser, néanmoins mieux valait que Scott l'ignore. Tant de sujets, entre eux, étaient devenus brûlants ! Amélie, le bébé qu'elle attendait, John, Kate...

— Comment va Mary ? s'enquit Angus d'un ton enjoué.

— Elle va aller passer quelques mois à Lisbonne, où elle a décroché un bon contrat.

— Ce n'est pas la porte à côté ! Tu ne devrais pas la laisser partir si loin et si longtemps. En « quelques mois », elle a le temps de rencontrer des gens, de se plaire au soleil, d'avoir d'autres offres professionnelles.

— Si c'est son destin, je ne m'y opposerai pas.

— Scott ! Je te trouve terriblement froid avec elle.

— Disons que je prends mes distances. Elle n'est sans doute pas la femme de ma vie.

— Dommage. Vous aussi, vous allez bien ensemble. Elle est belle, intelligente, cultivée... et folle de toi, je l'ai constaté.

— Navré mais il va falloir te résigner, tu ne seras pas grand-père dans l'immédiat. Tu vas devoir te contenter d'être un jeune papa !

Cette fois, Scott affichait un authentique sourire, il n'avait mis aucun cynisme dans sa repartie. Angus régla l'addition, somme toute assez satisfait de leur soirée. Côte à côte, ils remontèrent Buchanan Street en direction du parking le plus proche, où ils avaient laissé leurs voitures. Les magasins de luxe étaient brillamment éclairés, quelques bandes de jeunes traînaient dans la large voie piétonne et un joueur de cornemuse distrayait les touristes.

— Glasgow a bien changé depuis quelques années, constata Angus. J'ai du mal à reconnaître l'endroit où j'ai fait mes études, il y a plus de quarante ans ! Tu t'y plais ?

— Beaucoup. Des tas de bâtiments sont en réhabilitation, je pense que ça vaudrait la peine d'investir ici avant que l'immobilier n'explose.

— Tu voudrais t'y installer définitivement ? s'alarma Angus. Mais il y a Gillespie et...

Il s'interrompit, conscient de revenir sur un terrain dangereux. Comme ils n'étaient pas garés au même étage, ils se séparèrent devant l'ascenseur.

— Est-ce que ça va aller pour rentrer, papa ? Tu n'aimes pas conduire la nuit et…

— Je ne suis pas gâteux.

— En tout cas, merci pour ce dîner. Et surtout d'avoir pensé au homard !

— Je sais tout de toi, rappela Angus avec un clin d'œil. Bon, quand viendras-tu enfin à la maison ?

— Demain soir, c'est prévu. Moïra m'a invité. Elle ne t'a rien dit ? Eh bien, pour quelqu'un qui sait tout… Au fond, tu aurais pu t'éviter ce restaurant ruineux !

Scott éclata de rire, tapota l'épaule de son père et s'engagea finalement dans l'escalier.

*

Kate demeurait figée devant l'écrin de velours que Neil lui tendait.

— C'est pour toi. Allez, prends-le…

Sans faire un geste, elle secoua la tête, avala sa salive.

— S'il te plaît, Kate ! J'ai passé des heures à hésiter, j'avais peur de mal choisir, mais voilà, j'espère que ça te plaira.

Trop consciente de ce que devait renfermer l'écrin, elle s'en saisit avec réticence. Pouvait-elle encore se tromper sur les intentions de Neil ? Il ne l'avait jamais harcelée, ils avaient beaucoup marivaudé et peu flirté, s'étaient promenés ensemble des journées entières, avaient passé de longues soirées à discuter littérature, mais ils n'avaient jamais vraiment parlé d'amour. Pourtant, la question allait maintenant se poser. À regret, elle ouvrit la boîte et découvrit sans surprise une bague de fiançailles. Le diamant était magnifique, il avait dû coûter une fortune.

— Mais c'est de la folie..., bredouilla-t-elle.

Étaient-ce les parents de Neil qui lui avaient fourni la somme nécessaire ? Elle sentit ses joues devenir brûlantes. Comment refuser dignement si tout le monde était d'accord ? Sa mère allait s'extasier, ravie, et l'étau se refermerait inexorablement sur Kate.

— Il y a deux ans, j'ai reçu un petit héritage au décès de mon parrain, expliqua-t-il d'un air sentencieux. Cette bague est le meilleur usage que je pouvais en faire.

Avant qu'elle ait pu formuler une réponse appropriée, Neil mit un genou à terre.

— Kate, je te le demande solennellement, acceptes-tu de te fiancer avec moi ?

Habile, il n'avait pas prononcé le mot de mariage, néanmoins ça revenait au même. Devant son silence, il s'empressa d'ajouter :

— Nous pourrons rester fiancés tout le temps que tu voudras. Nous sommes jeunes, mais je sais que tu es la femme de ma vie. Alors je tenais à te donner une preuve d'amour, qui est aussi un engagement.

— Neil, réussit-elle à dire, j'étais loin d'imaginer...

— Bien entendu, j'irai faire ma demande à ta mère et à ton beau-père. Devant Angus, waouh, je vais devoir me présenter en tenue officielle ! Tu ne m'as jamais vu avec mon kilt, mes ghillies aux pieds, mon poignard dans la chaussette droite et mon bonnet Balmoral ?

Il plaisantait pour provoquer un sourire, qu'il ne réussit pas à obtenir.

— Franchement, Neil, je ne me sens pas assez... sûre de moi. Je ne peux te faire aucune promesse, je... Non, c'est trop tôt. Peut-être as-tu mal interprété mon attitude, j'en suis terriblement navrée, je...

Elle pleurait moins facilement qu'avant, pourtant les larmes lui montèrent aux yeux. Neil était un si gentil, si agréable compagnon ! Que pouvait-elle espérer de mieux que cette déclaration sincère, ce cadeau magnifique dans lequel il avait dû engloutir ses économies et qu'il lui offrait en toute confiance ? Il l'aimait, elle le voyait, elle le savait. Elle n'avait rien fait pour l'encourager, mais rien non plus pour l'éconduire. Égoïstement, elle avait profité du dérivatif qu'il lui apportait avec sa spontanéité, son humour, sa tendresse. Il ne rêvait que d'elle, et elle rêvait toujours de Scott.

— Je ne voulais pas te bouleverser, protesta-t-il en se relevant. Des fiançailles, ce n'est pas définitif comme un mariage. Ça représente la plage de temps nécessaire pour réfléchir, s'habituer. Tu ne veux pas essayer ?

Tous les essais du monde, avec Neil ou un autre, ne lui sortiraient pas Scott de la tête. Chaque soir, elle s'endormait en pensant à lui, bâtissant d'improbables scénarios qui les réunissaient. Pourtant, elle comprenait parfaitement qu'il s'agissait d'une chimère, que jamais Scott ne pourrait l'aimer d'amour, jamais la regarder autrement que comme une « petite sœur ». Rien n'était possible entre eux, elle l'admettait, mais dans le secret de la nuit elle se racontait de nouveaux chapitres de sa délicieuse fiction. Au réveil, elle riait d'elle-même, se traitait de folle, néanmoins elle savait qu'en se couchant elle retournerait à ses fantasmes romanesques. Accepter de se fiancer avec Neil romprait-il cet engrenage ? Kate était trop honnête pour envisager de faire l'amour avec Neil en rêvant de Scott. Fermer les yeux pour imaginer un autre visage, un autre corps ? Non, ce serait une trahison, que Neil ne méritait pas. Elle devait se séparer de ses illusions avant qu'elles deviennent malsaines. Grandir enfin, abandonner son amour vain de petite fille.

— Je dois te dire quelque chose, commença-t-elle d'une voix ferme.

— Non, tu n'es pas obligée. Je suppose que tu as eu des flirts, ou même plus que ça, mais c'est le passé, tu n'as pas à me faire de confidences. Moi aussi j'ai eu des petites amies sans importance, des trucs d'ado comme tout le monde. Il faut bien franchir le cap, sinon tu passes pour un demeuré vis-à-vis des copains. Si tu veux me poser des questions là-dessus, je te répondrai franchement, mais de mon côté je ne vais pas te soumettre à un interrogatoire. Tu es la femme que j'aime, c'est tout ce qui compte à mes yeux.

Pour la deuxième fois, une boule se forma dans la gorge de Kate, mais elle parvint à refouler ses larmes. La gentillesse de Neil l'ébranlait et la faisait se sentir coupable.

— Il n'y a eu personne, avoua-t-elle. En revanche, j'ai connu un grand amour d'enfance, platonique évidemment. Quelqu'un à qui il m'arrive encore de penser.

— Qui donc ?

— Scott.

Elle avait lâché le prénom à regret, dans un souci de loyauté qu'elle regretta aussitôt.

— *Scott* ? répéta-t-il d'un air ahuri.

— Si tu le lui répètes, je te tue !

— Oh... Bien sûr que non. C'est un truc de gamine et je comprends très bien. Après tout, il est plutôt beau mec. Moi, à dix ans, c'était mon institutrice qui m'obsédait ! Elle était rousse, avec de grands yeux verts, on en était tous dingues dans ma classe mais, moi, je lui écrivais des poèmes.

La manière dont il banalisait les choses contraria Kate, toutefois elle s'abstint de le montrer. Elle n'avait plus dix ans et n'avait jamais écrit de poèmes à Scott. Mais elle avait déjà été dans ses bras, en particulier le jour de son accident, et aussi celui du bal costumé de son école, ainsi elle connaissait l'odeur de sa peau, la douceur de ses mains sur elle. Il lui parut soudain beaucoup moins inaccessible qu'une institutrice rousse pour un gosse de dix ans. Et si elle ne renonçait pas à son rêve ? Après tout, elle atteignait l'âge légal, elle pouvait lui montrer ses sentiments, essayer de lui plaire, lui faire oublier Mary, le… Mais non, évidemment non. Il rirait ou serait horrifié, et dans un cas comme dans l'autre elle aurait envie de rentrer sous terre.

— À quoi penses-tu, Kate ? Toujours à Scott ?

Le sourire de Neil semblait soudain plus artificiel. Elle avait été franche et, à présent, elle ne devait plus ajouter un seul mot, sinon Neil se rendrait compte que Scott n'était pas seulement un « truc de gamine » mais un rival potentiel. Alors il deviendrait jaloux, serait malheureux, ne garderait peut-être pas le secret de Kate. Cette perspective était si effrayante qu'elle se résigna à mentir, ce qu'elle détestait faire.

— Pas du tout. Je réfléchissais à ton cadeau. À tout ce qu'il implique.

Elle tenait l'écrin ouvert mais n'y avait pas touché. Neil en sortit la bague et prit la main gauche de Kate.

— Essaie-la et dis-moi si elle te va, si elle te plaît…

— Elle est somptueuse, Neil.

L'anneau s'ajustait parfaitement à son annulaire, et le diamant brillait d'un éclat inouï.

— Pour que tu puisses la porter, rappela-t-il, je dois d'abord parler à ta famille.

Ne voyant aucune échappatoire, elle tenta de gagner du temps.

— Je te la rends d'ici là.

Ôtant la bague, elle la remit dans l'écrin, qu'elle referma.

— Je te demande seulement d'attendre mon anniversaire.

— Pourquoi ? Ça ne change rien !

Il souriait, aux anges, parce qu'elle n'avait pas rejeté sa demande. D'un geste tendre, presque protecteur, il la prit dans ses bras, l'attira à lui.

— Puis-je embrasser la fiancée ? murmura-t-il à son oreille.

Glacée, Kate le laissa faire.

*

Mary essayait de faire bonne figure, mais elle avait le teint pâle et les traits tirés.

— Je vais fumer une cigarette, annonça-t-elle.

Suivie de Scott qui portait son sac de voyage, elle sortit de l'aéroport et gagna l'un des abris pour fumeurs. En prenant son briquet, elle constata que sa main tremblait.

— Tu as froid ? s'étonna-t-il.

— Non, je suis juste un peu nerveuse. J'ai une escale à Londres et pas mal d'attente avant le vol pour Lisbonne.

Quelques minutes plus tôt, elle avait enregistré deux grosses valises attestant qu'elle partait pour longtemps. Avant de quitter son appartement, où Scott était venu la chercher pour la conduire à Édimbourg, elle avait espéré jusqu'au dernier moment. Mais il n'avait pas cherché à la retenir, au contraire il s'était montré enjoué et rassurant. Pour lui, Mary avait fait le bon choix, il l'en félicitait. Comment pouvait-il être si indifférent à son départ ? La séparation durerait plusieurs mois, et il ne parlait pas de la rejoindre très vite pour un week-end. D'ailleurs, il ne parlait de rien.

— Tu me donneras des nouvelles, chérie ?

Elle se contenta de hocher la tête, jeta son mégot dans la vasque et alluma aussitôt une autre cigarette. Des nouvelles ! Il aurait dû lui demander d'appeler dès son escale, puis à son arrivée. Il aurait dû se préoccuper de la manière dont elle serait installée là-bas, et surtout de savoir si elle parviendrait à surmonter sa tristesse ! Ne voyait-il pas qu'elle était désespérée ? Elle s'était remise à fumer, et si elle s'était écoutée elle aurait aussi recommencé à se ronger les ongles.

— Tu penses venir bientôt ? ne put-elle s'empêcher de demander.

Le genre de question qu'elle s'était pourtant juré de ne pas lui poser.

— J'ai un travail fou, plaida-t-il.

— Ce n'est pas une réponse !

— Mary...

Il tendit la main vers elle, caressa sa joue.

— Notre séparation me rend malade, souffla-t-elle.

— Nous en avons déjà discuté, et nous étions d'accord.

— Peut-être, mais tu as un comportement d'étranger avec moi... On dirait que tu accompagnes une vague copine et que tu attends poliment l'heure de l'embarquement !

Il secoua la tête, regarda ailleurs. Elle s'en voulut de lui adresser ces reproches tardifs qui ne servaient à rien. Pourquoi s'accrochait-elle ainsi ? Avant de connaître Scott, elle avait privilégié sa carrière, son indépendance. Elle s'était sentie libre et conquérante, prête à aimer mais pas à s'effacer. Quand elle voyait les autres femmes, autour d'elle, se plier aux volontés de leur conjoint en oubliant leurs propres désirs, elle se sentait différente. Plus libre, plus déterminée. Or il n'en était rien, en réalité elle aurait volontiers déchiré le contrat du Portugal et, si un reste d'orgueil ne l'avait pas retenue, elle aurait même pu quémander un mot ou un geste d'amour à Scott.

— Est-ce qu'il y a une autre femme dans ta vie ?

Reportant son attention sur elle, il la dévisagea avec curiosité.

— Si c'était le cas, je te l'aurais dit. Je ne suis pas ce genre d'homme, Mary, je croyais que tu le savais.

— Alors pourquoi n'est-ce plus comme avant ?

Elle lui faisait une scène d'une pathétique banalité, tout ça pour obtenir qu'il la serre dans ses bras en prononçant le seul mot qu'elle voulait entendre : « reste ».

— Je ferai un saut à Lisbonne dès que j'aurai un week-end de libre, répondit-il en regardant sa montre. Viens, tu vas rater l'avion, ils ont déjà dû appeler pour ton vol.

Découragée, elle le suivit à l'intérieur de l'aéroport. Une violente envie de renoncer à ce voyage la tenaillait, mais elle n'aurait rien à y gagner. Scott ne comprendrait pas, ne l'en aimerait pas davantage, et en plus elle perdrait une formidable opportunité professionnelle.

« Je m'en fous ! Tout ce que je veux, c'est cet homme, il n'y a que lui qui compte... »

Son passeport à la main, elle se tourna vers Scott.

— Bon, voilà, parvint-elle à dire d'une voix étranglée. Tu vas me manquer. Et l'Écosse aussi, sans doute.

— Tu auras du soleil, de nouveaux paysages, et plein d'inspiration pour tes azulejos !

— Tu ne m'oublieras pas ?

Enfin il la prit dans ses bras, la serra un instant contre lui en murmurant :

— Courage, Mary, tout ira bien.

Elle sentit les lèvres de Scott effleurer les siennes, puis il s'écarta d'elle. Ils échangèrent un dernier regard avant qu'il se détourne et s'éloigne dans le hall. Quelqu'un bouscula Mary, qui restait immobile, son sac de voyage à ses pieds. À cet instant Lisbonne lui semblait le bout du monde, et le dernier endroit où elle voulait se rendre. Elle refréna l'envie de crier le nom de Scott et de se lancer à sa poursuite. Plissant les yeux pour apercevoir une dernière fois sa silhouette, elle le distingua dans la foule et poussa un long soupir résigné. Par les haut-parleurs, une voix désincarnée lança le dernier appel pour Londres. Mary empoigna son sac et se redressa, la mort dans l'âme.

*

Assis au pied du lit, Angus souriait d'un air béat. Depuis quelques jours, Amélie se montrait charmante. Elle ne se plaignait plus de ses malaises et descendait prendre ses repas en famille. Soucieuse de son apparence, elle se maquillait avec soin, portait des robes amples mais élégantes, avait changé son eau de toilette contre un parfum capiteux. Avec Angus, elle était particulièrement conciliante, elle acceptait même de faire l'amour avec lui, précisant que son gynécologue n'y voyait pas d'inconvénient. Était-ce ce bébé qui la rendait si aimable ? Un enfant d'Angus l'intégrerait enfin pleinement à sa vie en Écosse, lui offrant une légitimité indiscutable et une place plus importante dans la famille. De plus, sa grossesse délicate faisait d'elle l'objet de toutes les attentions, et elle jouissait de cette considération nouvelle qui la flattait.

— Pour les prénoms, déclara-t-elle, j'ai réfléchi une bonne partie de la nuit. Par égard pour toi, j'en veux un authentiquement écossais.

— Tu es adorable.

— Non, c'est normal. Pour un garçon, je pense à Bruce ou Douglas, et pour une fille à Isobel ou Rebecca. As-tu d'autres suggestions ?

— Eh bien… Pour une fille il y a aussi Irvine, et pour un garçon Liam ou Duncan. Mais ton choix sera le mien, ma chérie.

— Douglas Gillespie, ça sonne bien.

— Quand connaîtra-t-on le sexe du bébé ?

— À la prochaine échographie. La dernière fois, il était tout recroquevillé, on n'a rien vu !

Elle éclata d'un rire gai et posa ses mains sur son ventre, un geste devenu habituel.

— J'espère que tu es heureux, Angus. C'est une chance extraordinaire, pour toi comme pour moi, d'avoir un enfant.

— Je le suis, affirma-t-il sans sourciller.

Elle ne lui laissait pas la possibilité d'exprimer la moindre réserve, il *devait* être enthousiaste, alors il jouait le jeu malgré ses doutes.

— Quand tu m'as demandé de t'épouser, je suis sûre que tu n'imaginais pas qu'un tel bonheur nous arriverait, n'est-ce pas ?

— En effet, je n'y pensais pas. J'étais tombé amoureux de toi et j'étais prêt à m'occuper de tes enfants, je te l'ai prouvé depuis, et...

— Mais maintenant, je t'en donne un à toi !

Il faillit répondre qu'il avait déjà Scott, mais bien sûr il n'en fit rien. Sa réconciliation avec son fils lui procurait une véritable satisfaction, même s'il savait que leur entente restait fragile. Mais leurs retrouvailles ne regardaient pas Amélie.

— Il y a tout de même quelque chose qui m'embête dans tout ça, dit-elle en hésitant.

— Quoi donc, mon cœur ?

Bien calée contre ses oreillers, elle le considéra d'un air grave, puis soudain se redressa, se pencha vers lui et saisit sa main.

— Je voudrais que cet enfant ait un bel avenir, un avenir assuré. Je ne t'ai parlé de rien jusqu'ici, par pudeur, mais je me fais beaucoup de souci. Ton fils me déteste, il déteste mes enfants et il n'aimera pas davantage celui qui va arriver. Au contraire !

— Voyons, Amélie...

— Je sais ce que je dis. Si c'est un garçon, Scott va s'étrangler de rage.

— Il en est incapable.

— Sois un peu lucide, veux-tu ? Tu prétends qu'il a bien accepté la nouvelle, mais devant toi il n'avait pas le choix. Si tu savais comme il me regarde, dès que tu as le dos tourné !

— Tu te fais des idées. Au début, il n'a pas apprécié notre mariage, c'est vrai.

— Ni mes enfants !

— Il adore Kate depuis le premier jour, et à présent il sympathise avec George.

— Mais il mène la vie dure à John, tu ne peux pas le nier.

— John fait son propre malheur tout seul.

Amélie leva les yeux au ciel mais, comme toujours, elle ne s'appesantit pas sur le cas de John, qui était indéfendable.

— De toute façon, il ne s'agit pas de mes enfants mais de celui que nous allons avoir, toi et moi. Un être sans défense. S'il t'arrivait quelque chose... un problème de santé, un accident de chasse ou n'importe quoi d'autre, quels seraient les droits de notre bébé ? Et les miens ? Je ne connais pas précisément le statut juridique des conjoints, en Écosse, mais Scott aurait vite fait de m'écarter ! Il faut que tu nous mettes à l'abri, Angus, notre enfant et moi. Jamais je ne te l'aurais demandé avant cette grossesse. L'argent ne m'intéresse pas, je ne suis pas vénale. Vivre à tes côtés suffit à mon bonheur, je te le dis du fond du cœur. Mais je suis comme une lionne avec mes petits et je suis prête à tout pour protéger celui qui arrive.

Angus tentait de garder un visage impassible, mais il se sentait absolument mortifié. Ainsi, Scott avait vu juste ? Encore quelques phrases grandiloquentes et Amélie prononcerait le mot « testament », l'exhortant à rédiger le sien en sa faveur. Elle dut percevoir son malaise car elle se mit à rire avec une désinvolture très étudiée.

— Tu connais la réputation d'avarice que les étrangers supposent aux Écossais ? C'est comme la baguette de pain et le béret pour les Français ! Mais moi, je suis bien placée pour savoir que tu es le plus généreux des hommes. Tu me gâtes beaucoup, tu ne regardes jamais à la dépense, et l'argent n'est pas un sujet tabou entre nous. Voilà pourquoi je t'en ai parlé. Évidemment, tu feras ce que tu veux, ce qui te semble juste. Toutefois il vaut toujours mieux coucher ses décisions sur le papier, parce que les mots s'envolent.

— Tu penses que je devrais faire un testament en ta faveur ? s'enquit-il d'un ton neutre.

— À toi d'en juger, mon chéri. Mais si tu venais à disparaître prématurément... Et tant que notre enfant ne sera pas adulte, il n'y aura que moi pour veiller sur lui.

Elle serrait toujours sa main avec force, comme pour l'encourager. La manière dont elle était penchée vers lui faisait bâiller le décolleté de sa robe et il apercevait ses seins gonflés. Il éprouva une flambée de désir en même temps qu'un affreux sentiment d'amertume.

— Nous devrions descendre dîner, marmonna-t-il. Si tu te sens assez bien...

Il ne voulait plus entendre un mot à propos de ce foutu testament, et il avait besoin de remettre de l'ordre dans ses idées. Son envie d'enfouir sa tête entre les seins d'Amélie ou de les prendre à pleines mains finirait par le rendre complètement idiot. Au point de faire ce qu'elle attendait de lui ? Ce que Scott avait ironiquement prédit ?

Tandis qu'elle se levait et passait devant lui, avec son ventre rond en avant, il la trouva pourtant attendrissante. Après tout, elle défendait leur enfant, pas seulement les siens pour une fois ! Hélas, jamais Angus ne parviendrait à la convaincre que Scott était trop intègre, trop loyal pour léser quiconque, et surtout pas quelqu'un de son sang. À défaut de la persuader, il allait devoir prendre une décision qui, quelle qu'elle soit, sèmerait la zizanie. Et qui l'empêcherait de dormir plus sûrement que la recherche d'un prénom.

*

Avachi dans l'un des fauteuils de cuir vert, Graham sirotait un whisky.

— Je suis lessivé, crevé, avoua-t-il à Scott. Et Pat ne vaut pas mieux que moi ! Le premier bébé, c'était déjà fatigant, mais les jumeaux en plus... Je crois que Pat va arrêter de travailler.

— Si elle reste cloîtrée à la maison, elle va s'ennuyer. Elle est tellement dynamique !

— Ce serait juste une interruption d'un an ou deux. Une parenthèse nécessaire pour elle. De toute façon, tu la connais, c'est elle qui décidera.

— Je tiens mal mon rôle de parrain, je ne prends jamais Tom pour un week-end, ça vous soulagerait.

— Un week-end *entier* ? s'esclaffa Graham. Tu mets la barre très haut ! Tu n'imagines pas à quel point c'est remuant à cet âge-là. Mais tu en auras très prochainement une idée plus concrète, n'est-ce pas ?

Scott esquissa une grimace qui augmenta l'hilarité de Graham.

— Demi-sœur, demi-frère, tu n'es pas encore fixé ?

— Quoi qu'il en soit...

— Tu le vis mal, hein ?

— L'idée fait son chemin. Je n'arrive pas à croire qu'il s'agisse d'un enfant de l'amour. La pseudo-innocence d'Amélie me laisse sceptique. Elle est beaucoup trop maligne et organisée pour être tombée enceinte par hasard, comme elle le prétend. Au contraire, je crois qu'elle faisait tout pour, depuis longtemps, et qu'elle n'a pas demandé son avis à mon père ! Elle l'a mis devant le fait accompli. Et, même s'il prend l'air ravi, il ne l'est pas.

— En épousant une femme plus jeune que lui, il courait un risque.

— Elle vient d'avoir quarante-quatre ans, ce n'est pas une minette ! Papa devait se sentir à l'abri, et puis ils avaient chacun leurs enfants, alors la question d'en refaire n'a pas dû se poser.

— Comment vas-tu réagir quand le bébé sera là ?

— Bien. Forcément bien ! Ça m'agace de le dire mais c'est craquant, un bout de chou... Attendrissant et innocent. Pas question de lui gâcher son arrivée dans le monde en le rejetant. Tu sais, à la naissance de votre Tom, j'étais vraiment ému.

— Et toi ? Tu n'as pas envie d'être père ?

— Voilà la question qui fâche, Graham. Je sais que tu vas me parler de Mary. Tu es venu pour ça ?

— Entre autres. Mandaté par Pat, qui a tous les jours Mary au téléphone. Elles sont devenues de grandes amies et elles se confient leurs soucis. Celui de Mary s'appelle Scott, et il est de taille...

— Avec vos jumeaux, Pat a autre chose à faire qu'écouter les jérémiades de Mary !

— Ne sois pas injuste. Elle est très amoureuse de toi, mais elle pense que tu t'es détaché d'elle, ce qui la désespère.

— Je n'y peux rien, Graham. Mary n'a que des qualités, son seul défaut est de m'avoir rebattu les oreilles matin et soir avec le mariage.

— Pat m'a fait ça aussi, j'ai fini par accepter et je m'en trouve très bien.

— Bon, alors je vais le formuler autrement : mes sentiments pour Mary n'ont pas augmenté au fil des mois. Au contraire, ils ont tiédi. Je la trouve belle et intelligente, je la désire quand elle est là, et dès qu'elle passe la porte je l'oublie. Je ne pense jamais à lui téléphoner ni à lui faire une surprise. Son départ pour Lisbonne m'a soulagé. Tel est le constat.

En l'énonçant, Scott éprouva une bouffée de tristesse. Sa liaison avec Mary avait été une superbe aventure, mais elle ne faisait plus battre son cœur et s'était transformée peu à peu en contrainte.

— Tu vas rompre ? demanda Graham d'un air navré.

— Oui. Elle semblait si mal, les derniers jours, que je n'ai pas eu le courage de le faire, mais l'éloignement rendra les choses moins pénibles pour elle. J'espère qu'elle est très prise par son travail et qu'elle rencontre des tas de gens là-bas. Je pense lui écrire d'ici peu, pour lui rendre sa liberté et reprendre la mienne.

— Tu devrais plutôt lui téléphoner.

— Elle va pleurer, ce sera horrible.

— Elle pleurera de toute façon.

Graham reposa son verre et eut un claquement de langue approbateur.

— Il est vraiment bon mais je m'arrête là, je dois reprendre le volant. Si on parlait un peu de tes affaires ? Je suis ton conseiller patrimonial et ton envie d'acheter me semble très judicieuse. À Glasgow, c'est vraiment le moment idéal pour investir. Il y a deux immeubles qu'on est en train de réhabiliter et qui sont très bien situés, dans le coin d'Argyle Street. Proche de la gare, des magasins de luxe, ce sera le vrai centre-ville de demain. Qu'est-ce que tu souhaites exactement ?

— Un trois pièces me conviendrait. Mais je vais devoir m'endetter.

— Comme tout le monde, mon vieux !

Depuis longtemps, Graham n'était plus jaloux de la fortune des Gillespie, alors qu'il l'avait été au début, lorsqu'il était devenu l'ami de Scott. Il venait d'une famille très simple qui avait consenti un énorme effort financier pour l'envoyer dans une pension réputée. Grâce à ce sacrifice, il avait ensuite pu obtenir une bourse pour ses études supérieures. Aujourd'hui, bénéficiant d'une excellente situation, gérer des fortunes l'amusait sans le rendre envieux.

— Que crois-tu que nous ayons fait, Pat et moi ? Un gros emprunt ! Tu vas y passer aussi car j'imagine qu'Angus ne t'aidera pas à acheter.

— Pas sous la surveillance d'Amélie, c'est certain. Mais je trouve ça normal, je peux faire mon chemin tout seul.

— Ton père n'a pas eu ce genre de problème, fit remarquer Graham avec un peu d'aigreur.

Angus avait perdu ses parents alors qu'il n'avait pas encore trente ans, ce qui avait mis un terme à ses affrontements avec son propre père. Ensuite, il s'était retrouvé à la tête de toutes les affaires des Gillespie sans plus avoir de comptes à rendre.

— Et il n'a pas été un gestionnaire de génie, poursuivit impitoyablement Graham. Sans doute aimait-il trop la chasse et le golf pour s'investir dans vos distilleries ?

— Tu es dur.

— Lucide. Je te rappelle que l'économiste, c'est moi. Ton père a acheté une filature à ta mère sans se soucier un instant de sa rentabilité.

— Il voulait lui faire plaisir ! protesta Scott. Il en a profité pour acquérir des terres, agrandir le domaine et...

— Et, pendant ce temps-là, qui s'occupait du single malt Gillespie ? C'est bien joli de mettre des moutons dans le paysage, mais côté revenus ça laisse à désirer.

Scott voulut l'interrompre, mais Graham leva la main pour le faire taire.

— Attends ! Je sais que la vente du whisky a traversé une période difficile, que bon nombre de petites distilleries ont fermé et qu'ensuite les grands groupes s'en sont mêlés. Angus n'a pas cherché à résister au mouvement, il a campé sur ses positions.

— Il a eu raison !

— Par défaut, oui. Au fond, ça ne le passionnait pas, je suis sûr qu'il attendait que tu grandisses et que tu reprennes un flambeau trop lourd pour lui.

— Peut-être…

— Ne fais pas le modeste, tu t'es jeté là-dedans à corps perdu et, en cinq ans, tu as obtenu des résultats formidables.

— L'époque s'y prête.

— Ce n'est pas seulement ça. Pour relever une affaire et la rendre prospère, il faut un don. Angus n'était pas doué, tu l'es.

Graham s'extirpait du fauteuil au moment où la porte du bureau s'ouvrit. John, qui n'avait pas frappé, s'adressa directement à Scott.

— Cette saleté de vieille Vauxhall pourrie ne démarre pas. Tu me ramènes à Gillespie ?

Quand il évoquait le manoir, il ne disait jamais « à la maison », comme s'il refusait toujours de s'y sentir chez lui.

— Oui, mais je ne pars pas tout de suite.

— Ah oui, c'est vrai, tu fais du zèle… Moi, on ne me paie pas les heures supplémentaires, alors je t'attends dans la cour !

Graham le regarda sortir, incrédule.

— Il te parle toujours sur ce ton ?

— À peu près.

— Et tu n'as pas envie de lui rentrer dedans ?

— Si, tout le temps.

Ils se mirent à rire et Graham envoya une grande claque dans le dos de Scott.

— Je te cherche un appartement, mais d'ici là viens dîner chez nous, Pat et Tom seront contents de te voir.

Scott le laissa partir à regret. En compagnie de Graham il n'avait pas à se surveiller, à se museler, il pouvait être lui-même. Alors que depuis des mois, à Gillespie comme avec Mary, il se sentait souvent mal à l'aise. Quelque chose qu'il n'arrivait pas à définir le mettait de sombre humeur, pourtant il s'était réconcilié avec son père, avait fini par accepter l'arrivée du bébé, et quitter Mary allait au fond le soulager.

Songeur, il retourna s'asseoir à son bureau, repoussa les dossiers étalés devant lui. Les deux distilleries tournaient à plein régime, et bien qu'il soit surchargé de travail il était heureux d'en avoir la responsabilité. Ses initiatives commençaient à porter leurs fruits, et les employés les plus réticents devant ce jeune « fils du patron » l'avaient désormais adopté.

Il pensa à John, qui devait faire les cent pas dans la cour en fumant. Le jeune homme était sa bête noire, néanmoins ce n'était pas lui qui l'empêchait de dormir. Oui, il dormait mal. Souvent, une impression indéfinissable le réveillait. Quelque chose lui manquait, mais quoi ? Peut-être menait-il une vie trop sédentaire et avait-il besoin de reprendre une activité sportive ? Il décida d'en parler à Graham qui, de son côté, commençait à s'enrober, sans doute à cause des bons petits plats de Pat.

Son portable se mit à vibrer au fond de sa poche, et en le prenant il vit s'afficher le nom de Mary. Comme il n'y avait aucun décalage horaire avec le Portugal, elle devait avoir terminé sa journée de travail. Était-ce le bon moment pour lui parler ? Il faillit ne pas lui répondre mais s'en voulut aussitôt de sa lâcheté, et il prit l'appel.

8

Pour l'anniversaire de Kate, Moïra avait choisi un menu de gala. En entrée, une poêlée de moules et de pétoncles servie avec les traditionnelles *tatties*, des triangles de crêpes de pommes de terre, puis de fines tranches de saumon fumé sur des œufs pochés, ensuite un beau canard rôti au four, et finalement un *dundee,* le gâteau aux fruits qu'elle réussissait le mieux. Pour l'apéritif, comme Angus avait décidé d'ouvrir du champagne français, Moïra avait aussi confectionné des *forfar bridies,* succulents petits chaussons à la viande.

Tout au long de la journée, la cuisine de Gillespie avait été en ébullition, et chaque fois qu'Amélie franchissait la porte les odeurs de nourriture lui donnaient la nausée et la faisaient fuir. Ravie, Moïra restait maîtresse de ses fourneaux, aidée par la femme de ménage venue lui prêter main-forte.

Scott arriva vers sept heures du soir mais passa d'abord voir Moïra pour le plaisir de soulever les couvercles des marmites. Il savait que, lorsqu'elle décidait de faire un repas de fête, le résultat était celui d'un véritable chef.

— Tu gâtes la puce ! dit-il en la serrant dans ses bras.

— Et toi, par la même occasion. Ne crois pas que j'en fasse autant tous les soirs, mais pour les dix-huit ans de Kate, ça en valait la peine.

— Dix-huit ans, c'est fou, on ne l'a pas vue grandir.

— Moi, si. Il y a cinq ans que nous avons été envahis par la tribu française…

Ils échangèrent un sourire complice, puis Scott déposa sur un plan de travail une bouteille de whisky.

— Il vient d'être embouteillé ! Qu'en penses-tu ?

Moïra chaussa les lunettes qui pendaient autour de son cou et examina attentivement l'étiquette.

— Tu l'as modifiée, n'est-ce pas ? Elle est vraiment très bien. Plus moderne et plus élégante. Angus l'a vue ?

— Pas encore.

— À mon avis, il va s'étouffer. Il déteste le changement.

— C'est pourtant lui qui a délibérément changé la vie de cette maison, non ?

Cette fois, Moïra se permit un rire joyeux, puis elle poussa Scott vers la porte.

— Va les rejoindre. Ton père a sûrement vu arriver ta voiture et il doit se demander pourquoi tu préfères me dire bonjour en premier.

— Par galanterie, et aussi pour m'ouvrir l'appétit ! Je te préviens, je vais dévorer, ce soir.

— Tant mieux, parce que tu as maigri.

Scott longea le couloir menant au grand hall d'entrée et, avant de pénétrer dans le salon, il récupéra un petit paquet dans la poche de sa veste. Il avait beaucoup hésité en choisissant un cadeau pour Kate. Qu'est-ce qui pouvait convenir à une jeune fille de dix-huit ans qui n'était ni sa fille ni sa petite amie, mais une sorte de sœur adoptive ? Finalement, il était allé chez Frasers, le magasin de luxe de Buchanan Street qui hébergeait de grandes marques, et s'était décidé pour une petite montre Hermès en acier, très féminine avec son double bracelet de cuir gold.

En entrant, il trouva la famille réunie. Les trois frères de Kate avaient fait, pour une fois, un effort vestimentaire, et

Angus lui-même portait son kilt, qu'il ne sortait que pour les grandes occasions. David arborait une horrible cravate neuve, et Amélie une robe de grossesse ample et vaporeuse. Neil Murray, que Scott découvrit sans plaisir, était vêtu d'un costume bleu nuit très bien coupé et souriait avec une évidente nervosité. Quant à Kate, elle était absolument ravissante dans un ensemble de soie ivoire. Ses cheveux relevés en chignon découvraient sa nuque délicate, un soupçon de maquillage soulignait son regard, et sa silhouette était désormais celle d'une femme. Comme toujours, elle ne portait aucun bijou, mais elle ne devait pas en posséder et Scott fut content d'avoir pensé à une montre élégante.

— On t'attendait pour trinquer ! s'écria-t-elle en se précipitant vers lui.

Elle se pendit à son cou avec sa spontanéité habituelle, mais il eut la stupeur de l'entendre chuchoter, de manière à peine audible :

— Je t'en supplie, sauve-moi, je ne veux pas !

Intrigué, il resta toutefois impassible afin de ne pas la trahir. De quoi voulait-elle donc être sauvée ?

— Puisque nous sommes tous réunis, déclara Neil, j'ai une demande à formuler.

Sa voix était mal assurée, cependant il souriait bravement. Scott constata que Moïra venait de se glisser dans la pièce et restait debout près de la porte, comme si elle savait ce qui se préparait. Neil se rapprocha alors d'Angus et d'Amélie pour s'adresser à eux.

— Si vous m'accordez votre permission, je souhaiterais me fiancer à Kate. Mon vœu le plus cher est de lier mon destin au sien. Pour preuve de mon engagement, je lui offre ce présent qui pourra l'accompagner le temps de nos fiançailles et jusqu'à notre mariage.

Scott vit l'air extasié d'Amélie, le petit hochement de tête approbateur d'Angus, et le raidissement évident de

Kate, qui s'était figée. En parlant, Neil avait sorti l'écrin de sa poche et le présentait, ouvert, à Kate.

— Eh bien, mon garçon…, commença Angus.

— Une seconde ! l'interrompit Scott en s'interposant.

Ahuri, Neil le dévisagea tandis qu'un silence planait sur le salon. Scott jeta un rapide coup d'œil à Kate pour s'assurer qu'il l'avait comprise, puis il prit l'écrin, le ferma, le rendit à Neil, qui le prit machinalement.

— Attends un peu, tu t'emballes. À mon avis, c'est une demande prématurée. Aujourd'hui, nous fêtons les dix-huit ans de Kate, elle sort à peine de l'adolescence ! L'un comme l'autre, vous avez des études à faire, et les tiennes, Neil, seront particulièrement longues. Vous êtes beaucoup trop jeunes pour prendre un engagement aussi sérieux. Vous resteriez fiancés pendant des années, ce serait ridicule.

— Mais… non ! protesta Neil. Je suis tout disposé à épouser Kate dès qu'elle se sentira prête. Pour ma part, le plus tôt sera le mieux. On peut très bien envisager une date au cours de…

— Et de quoi vivrez-vous ? trancha Scott d'un ton posé. Un mari doit subvenir aux besoins de sa femme. De vos enfants, si vous en avez, ce qui est le but du mariage. Or tu ne gagneras pas ta vie avant longtemps.

— Mes parents sont prêts à…

— Ah non ! Il faut choisir, ou bien on est adulte et on s'assume, ou alors on est encore enfant. Vous n'allez tout de même pas rester aux crochets de ta famille six ou sept ans ? Quelle honte ! D'ailleurs, Kate entrera dans la vie active avant toi, et ce sera à elle de faire bouillir la marmite. Tu imagines ? Vraiment, la sagesse est d'attendre un peu avant de vous lier définitivement l'un à l'autre.

— Justement, plaida Neil, des fiançailles sont le bon moyen pour…

— Enchaîner Kate ? La garder au chaud ?

— Scott ! tonna Amélie du fond de son canapé.

Elle s'en extirpa pour venir se planter devant lui.

— Seigneur, de quoi te mêles-tu ? Est-ce que quelqu'un a sollicité ton avis ? C'est à moi de parler ! À moi et à ton père !

Rouge de colère, elle semblait sur le point de trépigner.

— Tout le monde sait ce que vous allez dire, répliqua-t-il sans s'émouvoir.

Se tournant vers Angus, Amélie le prit à témoin.

— Tu entends ça ? Fais taire ton fils !

Le visage fermé, Angus considéra Scott d'un air sévère, puis son regard se posa sur Kate, qu'il scruta un instant. Il parut hésiter et prit son temps avant de répondre.

— Se donner un délai de réflexion n'est pas forcément une mauvaise idée. En effet, Neil et Kate sont bien jeunes.

Devant la grimace déconfite d'Amélie, il s'empressa d'ajouter :

— Mais il revient à Kate d'en décider, c'est elle qui est concernée. Merci de vous être adressé à nous, Neil, j'apprécie cette marque de respect.

Le jeune homme semblait si désemparé qu'Angus lui tapota l'épaule pour le réconforter.

— Et toi, lança Amélie à sa fille, tu ne dis rien ?

Sa voix chargée de menaces fit tressaillir Kate, pourtant elle se décida à prendre la parole.

— Scott a très bien compris ce que j'éprouve. Pour moi, c'est trop tôt. Pardon, Neil, mais je ne peux pas accepter. Pas maintenant. Je regrette d'avoir pu te laisser croire autre chose.

D'un geste mécanique, Neil enfouit l'écrin dans la poche de sa veste. Livide, il adressa un signe de tête à Angus avant de tourner les talons. Dans un silence consterné, il traversa le salon et sortit. Le bruit de ses pas résonna dans le hall, puis il y eut le claquement sec de la porte d'entrée.

— Tu es odieux, Scott, tu as tout gâché ! s'emporta Amélie.

Elle le toisait avec une haine si évidente qu'Angus fronça les sourcils, mal à l'aise.

— Puisque Kate ne le souhaitait pas, rappela-t-il, inutile d'épiloguer.

— Elle rate une chance unique, cette gourde ! Et toi, tu donnes raison à ton fils sans réfléchir, sans voir qu'il est ravi quand il peut semer la discorde ! Maintenant, Neil est blessé, humilié, on ne l'y reprendra plus et il ne remettra pas les pieds ici. Quant à ses parents, je n'imagine même pas ce qu'ils vont en penser !

— On s'en fiche, maman, intervint George.

— Toi, peut-être, mais pas moi ! hurla-t-elle, hors d'elle.

Qu'en plus de son mari un de ses fils prenne parti contre elle la rendait folle. Elle marcha sur Kate pour l'apostropher :

— Tu t'en mordras les doigts, pauvre idiote ! Un jeune homme comme Neil Murray, ça ne se trouve pas aisément, tu peux me croire. Ce garçon a tout pour lui, tout ! Et toi, tu fais ta mijaurée, tu tergiverses en attendant quoi ? Le prince charmant ?

Comme Kate restait silencieuse, Angus rejoignit Amélie, la prit tendrement par les épaules.

— Tu ne devrais pas te mettre dans un état pareil, c'est mauvais pour toi et pour le bébé. Nous allons oublier l'incident et fêter l'anniversaire de Kate.

— Je n'ai pas le cœur à la fête, marmonna-t-elle en se dégageant de son étreinte.

Sa colère n'était pas tombée, mais elle semblait ne plus avoir la force de crier.

— Je monte me coucher, amusez-vous bien, lâcha-t-elle.

À son tour elle quitta le salon, dans un nouveau silence consterné.

— Kate a eu raison, finit par grogner Philip. Neil n'est pas un type si bien que ça.

— Il est *très* bien, mais il n'est pas pour moi, répliqua Kate.

Elle gardait les yeux baissés, embarrassée d'avoir provoqué une telle scène.

— J'ouvre la bouteille ? proposa George en sortant le champagne du seau à glace.

Scott lui sourit parce qu'il avait été le seul des trois frères à essayer de défendre Kate. Moïra, qui était restée près de la porte, annonça qu'elle allait chercher ses *forfar bridies*.

— En voilà une bonne soirée ! en profita pour lancer John d'un ton ironique.

— Tiens, tu ne dormais pas, toi ? intervint Scott.

— Avec le bruit que vous avez fait, j'aurais eu du mal.

— Je vous préviens, tous, que je ne veux plus d'histoires, déclara sèchement Angus.

Il alla vers Kate, l'embrassa et lui souhaita un bon anniversaire.

— Ton cadeau est resté dans la poche de ta mère. Elle sera heureuse de te le donner elle-même, j'en suis sûr. Tu monteras la voir tout à l'heure ?

— Bien sûr, murmura la jeune fille.

Toujours désemparée, elle se tourna vers Scott.

— Je te remercie d'être intervenu. Je n'en avais pas le courage. Je regrette d'avoir été lâche, mais j'avais tellement peur de faire de la peine à Neil, et aussi à maman, à Angus…

— Tu te serais fiancée uniquement pour ne pas faire de peine aux autres ? Vis ta vie, jeune fille, vis-la sans complexe et sans regrets, tu as tout l'avenir devant toi. En ce qui me concerne, je ne suis pas pressé de te voir partir !

Il lui souriait gentiment, mais il la vit rougir et se troubler.

— Tiens, ma puce, bon anniversaire, ajouta-t-il en lui tendant l'écrin Hermès. Promis, ce n'est pas une bague !

Sa plaisanterie parut augmenter la gêne de Kate, qui eut du mal à ouvrir le paquet.

— Oh, Scott, elle est magnifique...

Retrouvant sa spontanéité, elle se précipita vers lui, les larmes aux yeux.

— Aide-moi à la mettre, tu veux ? Je n'ai jamais rien eu d'aussi beau, jamais !

Soudain, elle rayonnait de joie, et il se sentit pleinement récompensé. Il avait toujours aimé faire de beaux cadeaux, mais celui-ci lui procurait un plaisir particulier.

— Moi, c'est moins luxueux, dit George en riant.

Il avait travaillé plusieurs samedis de suite dans un pub pour gagner un peu d'argent de poche, et il avait commandé en France, par Internet, le premier tome des œuvres de Victor Hugo dans la collection de la Pléiade.

— Quand tu seras prof, ça te servira !

Un peu étonnée par une si gentille attention, Kate le remercia chaleureusement et feuilleta le livre jusqu'à ce que John et Philip s'approchent d'elle.

— On s'est mis ensemble, avertit John.

Son air narquois présageait une surprise désagréable.

— Vas-y, ouvre !

Méfiante, Kate défit le papier d'emballage et resta interloquée.

— Qu'est-ce que c'est que ça ? murmura-t-elle en dépliant un soutien-gorge et un slip de dentelle rouge.

— Si ce n'est pas la bonne taille, tu peux changer, mais j'ai choisi avec une copine, ça devrait t'aller. Tu seras très sexy là-dedans, dommage que Neil ne puisse plus en profiter ! Tu les essaies pour nous montrer ?

Il éclata de rire, imité par Philip. Les sous-vêtements étaient vraiment d'un goût affreux, et à l'évidence Kate ne les porterait jamais. Toujours hilares, les deux frères lui donnèrent successivement l'accolade en la secouant, comme lorsqu'elle était enfant. Exaspérée et vexée, elle les repoussa.

— Vous ne pensez pas que je vais mettre ces horreurs ? Ta *copine* doit adorer la vulgarité !

John rit encore plus fort, mais Philip prit l'air contrit.

— C'est juste une blague, Kate.

— Vous avez dépensé de l'argent pour ça, vous êtes deux idiots.

— Oh, ça va ! protesta John. Ne joue pas à la prude jeune fille avec moi, tu ne devais pas porter des gaines de grand-mère quand tu passais tes soirées avec Neil !

Le ton montait entre le frère et la sœur malgré l'avertissement qu'Angus avait lancé un peu plus tôt. Scott traversa le salon et prit les sous-vêtements des mains de Kate. D'un geste trop rapide pour être contré, il les fourra dans la poche de John.

— Fais-en ce que tu veux, mais que ça disparaisse.

— Revoilà le justicier, hein ? Ce que tu peux être chiant à te croire obligé de défendre Kate ! Ce n'est pas ta sœur, on te l'a répété sur tous les tons. À moins qu'elle te branche ?

La bouffée de colère qui submergea Scott l'empêcha de se contrôler. Son poing partit tout seul et cueillit John à la mâchoire. Déséquilibré, John tituba avant de s'écrouler contre un fauteuil, qu'il entraîna dans sa chute.

— Tu es cinglé ! glapit-il.

Le coup violent l'avait sonné et il resta assis par terre en se tenant la tête à deux mains.

— Scott ! rugit Angus.

Pendant que Philip aidait son frère à se relever, George vint s'interposer.

225

— Ça va, Scott, arrête, dit-il d'un ton conciliant.

— Qu'est-ce qui te prend ? tonna Angus en les rejoignant.

— Il y a trop longtemps qu'il me cherche.

— Tu as passé l'âge de te battre, et tu ne peux pas le faire sous mon toit !

— Lui non plus ne peut pas faire n'importe quoi. Humilier sa sœur, mépriser les employés de la distillerie, parler à Moïra comme à un chien et me provoquer tous les jours.

— Parce que tu es sans reproche, toi ? s'écria John dont le regard brillait de rage. Est-ce que ton père sait que tu t'amuses à ses dépens avec ton copain Graham ? Que tu te moques de sa gestion d'incapable ?

S'adressant à Angus, il ajouta :

— Je les ai entendus, Scott ne peut pas dire le contraire !

Un instant, Angus le contempla avec une expression indéchiffrable, puis il laissa tomber :

— Tu es vraiment un petit con...

Stupéfait, John resta sans voix. S'il avait espéré déclencher un scandale, il en était pour ses frais. David vint le tirer d'embarras en le prenant par le bras.

— Suis-moi, on va mettre une poche de glace là-dessus.

Il le tenait fermement et réussit à l'entraîner. Dès qu'ils furent sortis, Scott fit face à son père.

— Il ne l'a pas inventé, même s'il noircit le tableau.

Sa franchise arracha un petit sourire à Angus.

— On parle toujours trop, que ça te serve de leçon. Mais tu as raison sur un point, ce garçon est nuisible, il veut semer la discorde... Et en plus, il écoute aux portes !

Scott éprouva un élan de gratitude envers son père. En d'autres temps, Angus se serait mis en colère et, depuis cinq ans, il avait systématiquement pris la défense d'Amélie et de ses enfants de manière aveugle, parfois injuste.

Ce soir, il semblait avoir choisi son fils, son clan. Pourtant, il devait être blessé de ce jugement sur la manière dont il avait géré ses affaires.

— Je suis navré, murmura Scott.

— Oui, moi aussi, pour Kate ! A-t-on jamais vu un anniversaire pareil ?

Ensemble, ils se tournèrent vers la jeune fille, qui les observait, muette, et qui paraissait sous le choc. Il y eut un instant de flottement puis George, qui était le plus près d'elle, prit l'une des coupes servies sur la table basse et la leva.

— À tes dix-huit ans !

Elle en saisit une à son tour, ébaucha un sourire et la vida d'un trait, ce qui lui fit monter les larmes aux yeux.

*

Amélie avait faim, mais elle était censée bouder et ne pouvait pas redescendre. Allongée sur son lit, elle remâchait la déception infligée par Kate. Celle-ci ne savait donc pas à quel point dénicher un *bon* mari était difficile ? Entre Michael, qui l'avait abandonnée à son sort, et Angus, dont elle n'était pas amoureuse, Amélie estimait qu'elle n'avait pas été gâtée par les hommes. À l'âge de Kate, tomber sur un garçon comme Neil Murray était une vraie bénédiction. Ce jeune homme avait tout pour lui, il était séduisant et intelligent, bon élève et bien élevé, issu d'une excellente famille, promis à un avenir radieux. De plus, Kate avait semblé se plaire en sa compagnie ! Il la faisait rire, se montrait attentionné, partageait son goût de la littérature... Quant à la bague, qu'Amélie avait aperçue, elle était sublime et devait être hors de prix. Kate était inconsciente, ou quoi ? Combien de chances de ce genre aurait-elle dans sa vie ?

227

Amélie soupira, puis elle décida de se faire couler un bain. Les délicieuses odeurs de cuisine qui l'avaient accompagnée tandis qu'elle traversait le hall et montait l'escalier lui avaient ouvert l'appétit, elle n'avait plus mal au cœur. Mais elle se surveillait, ne voulait pas prendre trop de poids afin de retrouver sa ligne sans tarder après l'accouchement. Cette grossesse l'épuisait, pourtant elle s'en réjouissait chaque jour. Après la naissance du bébé, elle ne serait plus seulement la *belle-mère*, la *seconde* épouse, elle deviendrait tout à fait inattaquable. Et elle en profiterait pour dire à Scott ce qu'elle pensait de lui. Ce soir, il s'était montré d'une intolérable arrogance en s'opposant aux fiançailles. De quel droit ? Sans son intervention, Kate n'aurait pas osé se dérober, et une fois liée officiellement à Neil, elle serait allée jusqu'au mariage.

Après s'être déshabillée, Amélie s'observa avec attention dans le miroir en pied. Comme son ventre, sa poitrine avaient grossi ! Cela rendait fou Angus. Mais même avant cela il la désirait dès qu'elle se promenait en petite tenue devant lui. Il était si prévisible ! Et si peu attirant…

Elle s'allongea dans l'eau chaude et ferma les yeux. Elle allait être mère à nouveau. En aurait-elle encore la patience ? Sans doute davantage pour un garçon que pour une fille, elle le savait d'avance. Ses fils l'avaient comblée, mais, en arrivant en quatrième position, Kate n'avait peut-être pas bénéficié d'autant d'indulgence que ses frères. S'était-elle montrée assez maternelle avec elle ? Quoi qu'il en soit, à dix-huit ans, il était temps qu'elle quitte le nid. Qu'elle s'en aille pour laisser la place à la *jeune* maman. Parce qu'une fille, en grandissant, finissait fatalement par éclipser sa mère.

Amélie se laissa aller à sourire tout en se reprochant cette pensée mesquine. Puis elle se demanda si la situation était récupérable en ce qui concernait Neil. Pour l'instant, il devait être horriblement vexé, et sans doute très malheureux, mais d'ici quelque temps...

— Maman !

La voix de John la fit sursauter et elle se redressa trop vite, projetant de l'eau partout sur le carrelage. En hâte, elle s'enveloppa dans un peignoir tandis que son fils l'appelait de nouveau d'un ton impatient. Lui apportait-il un plateau ? Elle se dépêcha d'ouvrir la porte et se trouva nez à nez avec John, qui tenait une poche de glace sur son menton.

— Tu sais qui m'a fait ça ? Devine !

— Mais qu'est-ce que... Fais voir. C'est Scott ?

— Évidemment ! Il m'a balancé son poing en pleine figure et il m'a cassé une dent ! Ton cher mari n'a pas pris ma défense, comme de bien entendu. Tout ça pour une malheureuse plaisanterie qui n'a pas fait rire Kate.

— Quoi donc ?

— Philip et moi, on lui avait acheté de la lingerie. Un truc sexy, en dentelle...

— Et alors ?

— Elle l'a mal pris, et l'autre grand con s'en est mêlé !

Amélie écarta la poche de glace et découvrit l'hématome.

— Angus n'a rien fait ? insista-t-elle, incrédule.

— Il est en admiration devant Scott, tu l'as bien vu. Tu as intérêt à faire attention à toi, maman. Scott nous déteste tous, toi la première, ne lui confie jamais la garde de ton bébé ! En tout cas, moi, je ne reste pas ici. Je me casse définitivement. J'ai un plan B.

— À savoir ?

— Ne t'inquiète pas.

— Tu ne m'as pas répondu.

— Je ne veux pas en parler pour l'instant, mais j'ai de grands projets, que je vais peut-être arriver à réaliser. Fais-moi confiance, veux-tu ?

Avec elle, il savait se montrer charmeur, néanmoins elle le connaissait trop pour ne pas douter de ses capacités.

— Il y a cinq ans que je croupis dans ce foutu manoir et je n'ai jamais pu obtenir un véritable emploi à la distillerie. Ce n'est pas ta faute, maman, tu as fait ce que tu pouvais, mais en épousant ce gros porc d'Angus…

— Je nous ai mis à l'abri du besoin ! rappela-t-elle sèchement.

— On a bouffé à notre faim et on n'a pas eu froid, d'accord. Et après ? Moi, je me retrouve sans rien.

— Si tu avais été plus sérieux à l'école, les choses auraient été plus faciles.

— Tout le monde n'est pas doué pour les études. Je souhaite à George de réussir, puisqu'il a l'air parti pour ça, mais je vais suivre un autre chemin.

— Lequel ?

— Je te tiendrai au courant.

Son air mystérieux inquiéta Amélie. Qu'avait-il donc en tête ? Il se dirigea vers la porte, où il marqua un temps d'arrêt.

— Avant de quitter l'Écosse, j'irai chez le dentiste d'Angus, et la facture sera pour lui !

Amélie le laissa partir sans lui faire remarquer que, de toute façon, c'était *toujours* Angus qui réglait les factures. Elle retourna dans la salle de bains et hésita. Devait-elle se rhabiller et descendre ? Non, si elle se trouvait face à Scott, une nouvelle dispute éclaterait et il y en avait eu assez pour ce soir. En ramassant sa robe abandonnée sur un tabouret, elle entendit quelque chose tomber. C'était le cadeau pour Kate, resté dans sa poche. Il s'agissait d'un beau stylo, choisi par Angus, avec une plume en or. Le genre d'objet dont elle pourrait se servir lorsqu'elle deviendrait professeur de français, puisque c'était là son ambition. À sa place, Amélie aurait épousé Neil Murray les yeux fermés et se serait dispensée de travailler.

Ce qu'elle avait fait toute sa vie, en somme. Sans doute n'avait-elle pas été un très bon exemple pour ses fils, et Michael non plus. Songeant à son premier mari, elle se rappela que John avait parlé de quitter l'Écosse. Allait-il retourner en France ? Avec quel argent ? Son père ne l'aiderait pas, il en avait eu la preuve cuisante.

Elle suspendit sa robe, enfila une nuisette et décida de se coucher. Kate finirait sans doute par lui monter quelque chose, elle lui donnerait son cadeau à ce moment-là. Son anniversaire avait été plutôt raté, mais à qui la faute ? L'annonce des fiançailles aurait pu être un moment merveilleux, mais sa fille l'avait gâché. Sa fille, et Scott. *Surtout* Scott ! Et dire qu'il avait frappé John... Si Amélie avait été présente, elle lui aurait sauté à la gorge. Tout ça pour quoi, déjà ? Une histoire de lingerie ? Dix-huit ans était l'âge idéal pour commencer à porter des dessous affriolants, inutile d'en faire un drame.

S'enfonçant dans ses oreillers, elle sentit le sommeil la gagner. Elle était fatiguée de gérer les conflits, fatiguée de lutter pour s'imposer. Et aussi très fatiguée par ce bébé qui grandissait en elle. Tout à l'heure, quand Angus la rejoindrait, elle serait encore une fois obligée de se plaindre, de minauder pour l'attendrir, et de lui rappeler sa promesse d'établir un testament.

Elle finit par s'endormir, la lumière allumée et l'écrin du stylo dans la main.

*

À cinq heures du matin, Scott se réveilla en sursaut, hanté par le cauchemar qu'il venait de vivre. Son tee-shirt était trempé de sueur et les images continuaient de se télescoper dans sa tête, terriblement nettes.

Kate ? Il avait rêvé de Kate d'une manière effrayante, anormale, malsaine ! Elle était nue, fragile entre ses bras, puis soudain elle lui échappait en hurlant, poursuivie par un danger qu'il ne pouvait identifier. Il voulait la rattraper mais il était cloué au sol. Il entendait ses cris perçants, distinguait sa silhouette lointaine, ses formes à contrejour, et il avait *envie* d'elle...

Jaillissant hors de son lit, il se précipita dans la salle de bains attenante, arracha son tee-shirt et ouvrit tout grands les robinets de la douche. L'eau était froide, comme toujours au début, mais il en avait besoin. Quel monstre pervers était-il pour rêver de Kate *nue* ? Il n'y avait jamais pensé, il ne fantasmait pas sur elle ! Il s'aperçut qu'il claquait des dents, pourtant il laissa l'eau ruisseler sur lui. Kate était comme sa petite sœur, il l'avait toujours protégée, il éprouvait de l'affection pour elle. Était-ce cette pénible soirée d'anniversaire qui avait provoqué un songe pareil ? Et dire qu'elle s'était tournée vers lui en toute confiance pour réclamer son aide ! Il la lui avait accordée sur-le-champ, trop heureux d'écarter Neil...

Brusquement calmé, il sortit de la douche, se frictionna puis s'habilla, sachant qu'il ne pourrait pas se rendormir. *Heureux* d'écarter Neil, *furieux* quand John avait osé dire : « À moins qu'elle te branche ? »

C'était donc ça. Sa désaffection pour Mary, son impression récurrente de malaise et de manque s'expliquaient enfin. Au fond de sa tête, inavouable et inconscient, il existait un sentiment pour Kate qui n'avait rien de fraternel. Longtemps il l'avait considérée comme une gentille gamine et avait aimé jouer au grand frère avec elle. Puis elle avait changé, s'était transformée en ravissante jeune fille, et ces derniers mois son flirt avec Neil l'avait définitivement propulsée hors du monde de l'enfance. Elle était devenue une femme, on parlait mariage autour d'elle. Et parce qu'elle n'était pas réellement sa sœur le verrou moral n'avait pas fonctionné. À un moment ou à un autre, il l'avait vue différemment, mais il avait dû occulter cette nouvelle perception.

Kate... Il ne pourrait plus jamais la regarder en face. Ni lui sourire spontanément, encore moins la câliner. Dès aujourd'hui, il devait se tenir à distance. Fuir Gillespie. Si elle s'apercevait qu'il n'était plus le même avec elle, il s'en étoufferait de honte et de remords. Elle ne méritait pas qu'on lui inflige une déception pareille. Et surtout pas lui, en qui elle avait confiance. Elle disait toujours qu'il avait été le premier à lui tendre la main quand elle était arrivée en Écosse, tellement triste et désemparée, qu'il était son seul ami, et aussi son sauveur, bref elle le couvrait de louanges en toute innocence, et lui rêvait d'elle nue ! Pauvre, pauvre Kate, si elle savait...

Il sortit de sa chambre sans bruit, longea le couloir et descendit les deux étages sur la pointe des pieds. Après la soirée de la veille, Moïra avait tenu à tout ranger et sans doute se lèverait-elle un peu plus tard aujourd'hui. Dans la cuisine, impeccable, Scott se prépara du café, des toasts et des œufs brouillés. Il avait prévu de passer le dimanche à Gillespie, mais il n'en était plus question, il allait rentrer à Glasgow. Il en profiterait pour proposer à Graham et Pat d'emmener Tom en promenade. Le jardin botanique d'abord, un petit tour chez le marchand de jouets, un hamburger dans un pub pour faire comme les grands, puis un dessin animé au cinéma devraient constituer un bon programme. En compagnie du petit garçon, Scott ne penserait plus à Kate.

— Oh là là, s'exclama-t-elle depuis le seuil de la cuisine, j'ai trop bu, hier soir ! Tu es tombé du lit ?

Elle portait un pyjama rose dont elle releva fièrement une manche.

— Regarde, j'ai dormi avec ma montre, avoua-t-elle en souriant. Est-ce qu'il y a assez de café pour deux ?

Bien qu'elle soit la dernière personne qu'il souhaitait voir, il réussit à lui rendre son sourire.

— Sers-toi.

— Tu restes ici, aujourd'hui ? demanda-t-elle d'un ton plein d'espoir.

— Non, je ne peux pas.

— Tant mieux pour toi, il y aura sûrement une ambiance pénible. John fait ses valises.

— Où va-t-il ?

— Personne ne le sait. À mon avis, pas bien loin. Inutile de te dire qu'il n'a pas apprécié ton superbe crochet du droit !

— Je n'aurais pas dû.

— Oh, si ! Pour une fois que quelqu'un lui rive son clou, ça ne peut pas lui faire de mal.

Elle jeta deux sucres dans son bol avant de lever les yeux vers lui.

— Tu me trouves méchante ?

— Pas vraiment. John peut se montrer odieux, il l'a été hier soir.

S'asseyant face à lui, elle eut un nouveau sourire désarmant.

— T'ai-je assez remercié, Scott ?

— Ce n'est qu'une montre.

— Non, pas pour ça, pour tout le reste. Surtout en ce qui concerne Neil… Comment as-tu fait pour me comprendre en deux secondes ? J'étais en perdition !

Il hésita, chercha ses mots.

— Je te connais, finit-il par répondre.

— Et tu crois que j'ai tort ?

— Je crois… Je crois qu'il faut écouter ton cœur. Tu rencontreras d'autres garçons.

— Sans doute, admit-elle d'un ton désabusé.

Il l'imagina à l'université, bientôt entourée de jeunes gens déterminés à la séduire.

— Je dois y aller, annonça-t-il en se levant.

— Déjà ? Mais on est dimanche, Scott !

— J'ai quelques dossiers en retard, ensuite je vais consacrer la journée à mon filleul.

— Ah...

Déçue, elle le regardait si gentiment qu'il recula d'un pas.

— Et toi ? marmonna-t-il.

— Je devais faire un parcours de golf avec ton père, mais c'était prévu sur le green des Murray, alors il nous faudra changer nos projets parce que nous ne serions sans doute pas les bienvenus.

Elle chassa cette idée d'un geste navré, puis elle ajouta, avec une petite grimace :

— Et avant tout, j'aurai droit à un interminable sermon de maman. Mais ça m'est égal, je suis tellement soulagée ! Il n'y avait que toi qui pouvais me sortir de là. Tu es mon meilleur ami, tu sais...

— Toi, la puce, tu es ma petite sœur, dit-il d'une voix étranglée.

Pour ne pas s'approcher d'elle, il lui envoya un baiser imaginaire avant de sortir. Kate continua à tourner distraitement sa cuillère, très désappointée par le départ de Scott. Sans lui cette journée de dimanche, dont elle s'était réjouie par avance, perdait toute saveur. Et quand reviendrait-il ? Elle avait pensé à lui une bonne partie de la nuit, savourant la manière dont il avait pris sa défense. Habituée à l'hostilité de ses frères et à l'indifférence de sa mère, l'attitude protectrice de Scott la comblait. Sauf qu'il la traitait toujours – et il venait de le répéter – comme sa petite sœur.

Poussant un long soupir résigné, elle perçut le bruit du moteur de la Jeep qui démarrait puis s'éloignait. Scott retournait vers sa vie d'homme, ses affaires, ses conquêtes. Apparemment, il était séparé de Mary et devait avoir d'autres femmes en tête. La prochaine fois qu'il en amènerait une à Gillespie, ce serait la bonne. À vingt-sept ans, il songeait sûrement à fonder une famille, d'autant plus que l'« invasion » française avait bouleversé la sienne.

Elle baissa les yeux vers sa montre, qui serait désormais son talisman. La rentrée universitaire approchait, elle devait choisir entre Glasgow et Édimbourg puisque son dossier avait été accepté partout. À cause de Neil, elle avait d'abord pensé s'inscrire à Glasgow, mais à présent rien ne la retenait. Pourquoi pas Édimbourg, où elle pourrait habiter avec George ? Ce serait moins onéreux de s'installer ensemble plutôt que d'avoir chacun un studio dans une ville différente, et George était devenu beaucoup plus agréable, ces derniers temps. Elle décida de soumettre l'idée à Angus car, après tout, c'était lui le bailleur de fonds. Et rien ne l'empêcherait de rentrer à Gillespie le week-end, Édimbourg n'était pas si loin. D'ailleurs, elle allait passer son permis de conduire ! Pour ça, elle devrait dénicher de petits jobs et y consacrer ses heures de liberté. Toute une vie nouvelle l'attendait, pleine de promesses, et peut-être parviendrait-elle à ne plus penser à Scott ?

L'idée lui arracha un petit rire tant c'était improbable. Son amour d'enfance, profondément enfoui en elle, n'était pas près de la quitter et la poursuivrait sans doute jusqu'à la fin de ses jours. Pour se distraire, elle décida de préparer du *bannock*, une sorte de pain à base de flocons d'avoine dont Moïra et David raffolaient le matin. Elle avait souvent vu faire Moïra et savait utiliser la plaque de fonte de la cuisinière pour la cuisson. Restait à l'allumer, et d'abord à trouver le sac de charbon.

*

Le lundi matin, Scott apprit avec stupeur que la comptable de la distillerie était passée à huit heures, juste avant qu'il arrive, pour déposer une demande de congé sans solde. À Janet, l'une des secrétaires qui était son amie, elle avait confié qu'elle partait en voyage. Destination Paris, avec son amoureux ! Et quand Janet avait voulu savoir qui était ce mystérieux amant romantique, la comptable avait avoué qu'il s'agissait de John.

— Au fond, ça ne me surprend pas, ajouta Janet. Il lui tournait autour depuis un moment, et elle n'avait pas l'air de s'en plaindre.

— Je n'ai rien vu, avoua piteusement Scott.

— Vous êtes trop occupé.

— Mais il est plus jeune qu'elle, non ?

— Betty a sept ans de plus que lui. Mais les différences d'âge n'ont pas vraiment d'importance.

— Comment a-t-elle pu croire qu'elle allait être heureuse avec un garçon comme lui ?

— C'est une jeune femme solitaire et timide.

— Alors que lui a tous les culots ! Inutile de vous dire que c'est elle qui fera les frais du voyage, au propre comme au figuré. Elle va rentrer en mille morceaux.

— *Si* elle rentre. Elle était très exaltée par la perspective de se rendre à Paris. Elle a des économies, et elle m'a affirmé que ça ne lui posait aucun problème de prendre John en charge. Sincèrement, Scott, elle avait des étoiles dans les yeux.

— Eh bien, bon vent ! Mais nous ne pouvons pas nous passer de comptable, il faut trouver quelqu'un au plus vite.

— Je vais m'adresser à une boîte d'intérim.

Janet quitta le bureau, laissant Scott perplexe et désemparé. Amélie était-elle au courant ou allait-il devoir lui apprendre la nouvelle lui-même ? Elle vénérait son fils aîné, en conséquence elle serait affolée ou furieuse. Sauf, bien sûr, si elle l'avait aidé à partir, mais il en doutait. Et Scott serait probablement tenu pour responsable de ce brusque départ. Il avait frappé John, l'avait humilié devant la famille réunie, Amélie ne le lui pardonnerait pas. Quant à Betty, la malheureuse...

— Au moins, dit-il entre ses dents, je ne le verrai plus traîner ici !

Il téléphona à Gillespie, tomba sur Moïra, qui ne savait pas grand-chose. John avait effectivement pris une valise et quitté la maison de très bonne heure. Sans donner d'explication, il était monté dans la vieille Vauxhall enfin réparée par David, et il s'était offert un démarrage sur les chapeaux de roue. Moïra en avait déduit qu'il avait dû trouver un logement à Glasgow, chez une petite amie ou un copain, mais ni Angus ni Amélie ne connaissaient sa nouvelle adresse.

En raccrochant, Scott imagina la Vauxhall abandonnée sur un parking, à la gare ou à l'aéroport. John en était tout à fait capable, indifférent à l'addition qu'il laisserait derrière lui. Encore une preuve de son immaturité !

— Je dois m'occuper de ça. Et en attendant j'aimerais avoir une certitude...

Il sélectionna le numéro du portable de Betty. Depuis trois ans, ils avaient eu d'excellents rapports de travail, elle allait beaucoup lui manquer. Elle répondit à la sixième sonnerie, alors qu'il commençait à désespérer de la joindre.

— Scott ! Vous avez lu mon courrier ? Croyez-moi, je suis désolée de vous lâcher comme ça, mais je vis une aventure merveilleuse, extraordinaire...

Il ne lui avait jamais connu une voix aussi exaltée, elle semblait transformée.

— Je vais à Paris, expliqua-t-elle avec ravissement. L'avion décolle dans une heure.

— J'ai cru comprendre que vous partiez avec John ?

— Oh, je vois que Janet a parlé !

— Peu importe, Betty. Vous faites ce que vous voulez.

— En tout cas, mes dossiers sont en ordre, la personne qui me remplacera n'aura aucun mal à s'y retrouver.

— J'en suis certain.

— J'ai aussi préparé les fiches de paie de ce mois-ci, vous n'aurez qu'à signer les chèques.

— Magnifique. Pouvez-vous me rendre un dernier service ?

— Volontiers, si vous n'essayez pas de me faire changer d'avis.

— Demandez à John le ticket du parking et envoyez-le-moi, sinon la voiture rouillera là-bas ou finira à la fourrière.

— Bien sûr. J'y penserai, promis.

— Avez-vous une idée de la durée de votre voyage ?

— Le plus longtemps possible, j'espère.

— Bon, alors prenez soin de vous, Betty.

— Merci, c'est très gentil à vous de ne pas vous fâcher.

— Je suppose que ça ne servirait à rien. Nous ne partageons pas la même opinion sur John, mais je vous souhaite tout le bonheur possible.

Il coupa la communication, attristé à l'idée de ne plus voir Betty chaque matin. Quoi qu'elle en pense, sa remplaçante aurait besoin de plusieurs jours avant d'être opérationnelle. Il jeta un coup d'œil à son agenda pour s'assurer qu'il n'avait pas de rendez-vous important dans la matinée et décida de faire un saut à Gillespie. Ce serait de toute façon un mauvais moment à passer, autant s'en débarrasser.

*

Amélie vérifia une énième fois que tout était prêt pour le bébé. Le berceau, la table à langer, le chauffe-biberon, les peluches. Elle attendait la prochaine échographie, qui déterminerait le sexe de l'enfant, pour acheter les pyjamas et chaussons, soit roses, soit bleus. En prévision des longs moments qu'elle passerait dans cette pièce, elle avait aussi installé pour elle-même un rocking-chair couvert d'un plaid en tartan. Passer du temps avec le nouveau-né lui éviterait les ardeurs d'Angus. Celui-ci s'était enfin décidé à aller consulter son homme de loi, à Glasgow, et Amélie espérait qu'il ferait son testament aujourd'hui même.

La maison était silencieuse car David s'était proposé pour conduire Kate et George à Édimbourg. Les jeunes gens avaient sélectionné deux petites annonces sur Internet et souhaitaient visiter les appartements proposés. Kate devait aussi passer à l'université, et George emballer ses affaires en vue d'un déménagement. Comme toujours, Angus s'était montré généreux envers ses beaux-enfants en finançant cette sorte de colocation qui aurait le mérite d'épargner la solitude à Kate. Amélie se félicitait d'arranger les choses, l'une après l'autre, et maintenant que Kate et George étaient sur la voie des études supérieures, elle allait devoir s'occuper sérieusement de Philip. Pas question que, comme John, il se morfonde entre les griffes de Scott à la distillerie. Son pauvre John ! Il avait bouclé ses valises pour manifester sa colère, mais il ne tarderait pas à revenir, Amélie en était persuadée. Que pouvait-il faire sans argent ? Elle était bien placée pour savoir à quel point on devient vulnérable quand on n'a pas le sou. Fallait-il qu'elle affronte Angus encore une fois pour l'obliger à reconsidérer le cas de son fils aîné ? Un *vrai* travail, avec un *vrai* salaire, voilà ce dont elle rêvait pour lui. Ce jour-là, on verrait enfin ses qualités au lieu de se focaliser sur ses défauts.

Elle gagna la fenêtre pour respirer un peu d'air frais et admirer le paysage. L'ancienne chambre de Kate faisait une parfaite nursery, comme elle avait eu raison de l'annexer ! D'ailleurs, Kate se plaisait au second, et de toute façon elle serait beaucoup moins souvent à la maison à l'avenir. Combien de temps dureraient ses études avant qu'elle soit professeur ? Au moins, elle aurait un métier, et puisqu'elle aimait tant la littérature française, sans doute l'enseignerait-elle avec plaisir.

Appuyée à la rambarde, elle se perdit dans la contemplation du parc. David ne se donnait pas beaucoup de mal, il laissait la végétation devenir anarchique. Néanmoins, c'était magnifique. Gillespie était vraiment une belle propriété, et à présent Amélie avait imposé sa marque un peu partout dans la maison.

L'arrivée d'une voiture dans l'allée l'obligea à mettre une main en visière pour mieux voir malgré le soleil. Mais ce n'était pas Angus qui rentrait, il s'agissait de la Jeep noire de Scott, qui vint se garer près du perron.

— Il tombe bien, je vais pouvoir lui dire ma façon de penser !

Elle referma violemment la fenêtre et, en se retournant, elle eut le souffle coupé par une violente douleur. Les deux mains sur le ventre, elle se laissa tomber sur le rocking-chair, terrorisée.

*

Dans la cuisine, Moïra avait préparé du café pour Scott, tout heureuse de sa visite impromptue.

— Ton père est à Glasgow, David a conduit Kate et George à Édimbourg, Philip passe la semaine chez un copain sur l'île d'Arran, je suis seule à la maison avec Amélie.

— C'est elle que je viens voir. Pour lui expliquer que son cher fils aîné est parti pour la France en emmenant ma comptable !

— Quoi ? Tu plaisantes ?

— Hélas, non, et l'absence de Betty va me compliquer la vie. Mais, connaissant John, il est capable de ne donner

241

des nouvelles à sa mère que dans un mois. Inutile qu'Amélie se fasse un sang d'encre, surtout en ce moment. Si elle n'est pas au courant, autant le lui dire, elle sera rassurée de savoir que son fils n'est pas seul et démuni. Je pense que Betty l'entretiendra, comme ça il pourra continuer à ne rien faire.

— Il t'exaspère, hein ?

— Je l'ai eu sur le dos trop longtemps. L'imposer à la distillerie était une erreur, il a passé son temps à s'ennuyer et n'y a rien appris. Il est paresseux comme une couleuvre, menteur, opportuniste… Tu as vu son cadeau pour Kate ? À part la ridiculiser, qu'espérait-il ?

— D'accord, mais tu n'aurais pas dû le frapper.

— Je sais.

— Ce qu'il a dit… Est-ce vrai que tu te moques de ton père ?

— Pas moi, Graham. Dans notre discussion, j'ai plutôt défendu papa. Sauf que sa gestion des affaires était celle d'un dilettante, Graham a raison. Sans doute avons-nous ri, je ne sais plus, en tout cas ce n'était pas méchant. Et John n'avait ni à coller son oreille à la porte de mon bureau ni à rapporter. Il a l'art de me faire sortir de mes gonds, je le reconnais.

— C'est pour ça que tu lui as envoyé ton poing dans la figure, ou bien c'est à cause de Kate ?

Moïra le considérait d'un air grave, et sa question n'était pas anodine. Scott se sentit déstabilisé, comme pris en flagrant délit.

— Je… Je ne veux pas que…

Il s'interrompit, incapable de mentir sous le regard de cette femme qui l'avait en partie élevé. Dans le silence qui suivit, ils perçurent un faible bruit de voix en provenance du hall. Ensemble, ils tournèrent la tête dans cette direction tandis que résonnait de nouveau l'appel :

— Moïra ! À l'aide !

Interloquée, Moïra mit une seconde à réagir, mais Scott s'était déjà rué hors de la cuisine. Il trouva Amélie effondrée en bas de l'escalier.

— Vous êtes tombée ? s'écria-t-il.

— Non, j'ai réussi à descendre… Mais je me sens très mal…

Scott vit les taches de sang qui maculaient la robe d'Amélie, ses jambes, les marches.

— J'appelle une ambulance, dit-il en s'agenouillant auprès d'elle.

Il sélectionna le numéro d'urgence, tendit son téléphone à Moïra qui les avait rejoints, puis il glissa son bras sous la nuque d'Amélie.

— Que puis-je faire ?

— J'aimerais m'allonger…

— D'accord, mais je pense que vous ne devez pas trop bouger.

Elle perdait beaucoup de sang, à l'évidence elle était en train de faire une fausse couche. Il l'aida à s'étendre sur le tapis et s'efforça de lui adresser un sourire rassurant.

— L'ambulance sera là dans vingt minutes, annonça Moïra.

— Tu leur as dit que c'était urgent ?

— Ils font au plus vite, Scott.

Elle lui passa un plaid et un coussin qu'elle était allée chercher tout en téléphonant. Scott couvrit Amélie, puis il mit le coussin sous sa tête. Elle était livide, respirait vite, et soudain elle saisit la main de Scott et la serra avec une force inattendue.

— Oh, bon sang…, souffla-t-elle.

Une contraction arrivait et elle parut se recroqueviller sous la douleur. Impuissant, Scott leva les yeux vers Moïra.

— Peux-tu trouver des serviettes ou…

Le sang s'étalait, coulant jusqu'aux chevilles d'Amélie. Elle était en train de perdre son bébé, elle le savait forcément. Scott éprouva une bouffée de compassion et, délicatement, il repoussa des mèches de cheveux qui lui tombaient sur les yeux. Il ne pouvait rien faire pour elle, rien d'autre que lui abandonner sa main qu'elle continuait à broyer.

— Voulez-vous qu'on appelle Angus ? proposa Moïra.

Amélie secoua la tête sans répondre, puis elle se mit à pleurer. Moïra s'éloigna, revint avec deux draps de bain.

— L'ambulance vous emmènera à l'hôpital, ça va aller, dit Scott. Je reste avec vous, je vous accompagnerai.

De sa main libre, il lui essuya les joues avec le plus de douceur possible. Moïra s'était agenouillée à son tour, sans doute pour éponger le sang, mais Scott ne voyait pas ce qu'elle faisait, il gardait les yeux rivés sur Amélie.

— Le bébé…, bredouilla-t-elle dans un sanglot.

— Les médecins vont vous prendre en charge, ne vous agitez pas.

Elle tourna son regard vers lui, parut le scruter, mais les larmes devaient brouiller sa vue.

— Je suis profondément désolé pour vous, murmura Scott. Vous ne voulez vraiment pas qu'on appelle papa ?

Elle acquiesça d'un battement de cils puis s'arc-bouta.

— Oh, mon Dieu, ça recommence !

Les contractions se rapprochaient et l'ambulance n'arrivait toujours pas. Scott entendit Moïra parler à Angus, qu'elle venait de joindre. Amélie essaya de se redresser un peu mais elle était épuisée, exsangue.

— Cramponnez-vous à moi, chuchota Scott.

Aucune parole ne pouvait ni la soulager ni la consoler. Les minutes s'étiraient, interminables, et soudain Amélie fut prise de tremblements.

— J'ai froid, réussit-elle à dire avant de perdre connaissance.

*

Angus reçut l'appel alors qu'il était attablé au Waxy O'Connors, un pub de George Street dont le décor loufoque le distrayait. Il sirotait une bière en se demandant s'il allait vraiment aller à ce rendez-vous chez son homme de loi. Faire son testament lui déplaisait, ça l'obligeait à penser à sa mort, au fait qu'il ne verrait peut-être pas grandir son nouvel enfant. Et puis, d'une certaine manière, on lui forçait la main, ce dont il avait horreur. Mais, bien sûr, Amélie avait raison, il devait songer à l'avenir de leur bébé et le « protéger ». Elle avait utilisé ce mot péjoratif à mauvais escient. Son antipathie pour Scott l'empêchait de voir qu'il était un garçon intègre et loyal. Avec un peu de courage, Angus aurait dû prendre la défense de son fils, expliquer que tous ses enfants légitimes auraient les mêmes droits après lui, avec ou sans testament. Pourquoi privilégier le petit dernier ? Restait toutefois le statut d'Amélie elle-même, si Angus venait à disparaître. N'était-ce pas ce qu'elle cherchait à mettre en place en le contraignant à signer des documents officiels en sa faveur ? Et qu'est-ce que cela entraînerait comme difficultés pour Scott, si Amélie pouvait mettre son nez dans les affaires de la famille ? Avant que le bébé soit en âge de comprendre le fonctionnement d'une distillerie ou d'une filature...

Alors qu'il était plongé dans ces réflexions sinistres, l'appel de Moïra lui fit l'effet d'une douche glacée. Atterré, il comprit à travers les paroles désolées de sa sœur qu'Amélie faisait une fausse couche à Gillespie. Il n'avait pas le temps de rentrer, l'ambulance arriverait bien avant lui, et pour l'instant on ignorait dans quel hôpital Amélie serait conduite. Moïra promit de le rappeler dès qu'elle en saurait davantage afin qu'il puisse rejoindre Amélie au plus vite.

Angus vida sa bière d'un trait, en commanda aussitôt une autre. Terriblement anxieux, il n'arrivait pas à penser au bébé comme à un être vivant, à son enfant. Était-il déjà mort ? Non viable de toute façon ? Amélie s'était beaucoup renseignée depuis qu'elle était enceinte, elle connaissait les risques de sa grossesse tardive, avec un pourcentage élevé de fausse couche. Mais la fragilité semblait se concentrer sur le premier trimestre et elle avait dû se croire hors de danger.

Il imagina sa femme dans une mare de sang, accouchant sans assistance médicale d'un fœtus mort-né. Pris d'un haut-le-cœur, il demanda qu'on lui serve un double whisky au lieu d'une bière. Moïra avait précisé que Scott était là, il avait dû organiser les secours au mieux. Angus, lui, ne pouvait rien faire. Posant son téléphone à côté du verre, il fixa l'écran éteint. Vingt-sept ans plus tôt, à Gillespie, Mary avait souffert comme une damnée pour la naissance de Scott. Angus lui avait tenu la main tout le temps qu'avait duré ce cauchemar. Mais au bout du compte le nouveau-né avait crié en sortant du ventre de sa mère, et le médecin avait dit qu'il s'agissait d'un garçon, qu'il allait bien…

D'un revers de la main, Angus essuya une grosse larme qui roulait sur sa joue. Il n'allait tout de même pas se mettre à pleurer dans un pub ? Mary avait survécu à cette naissance, Amélie survivrait aussi. Et Scott resterait fils unique, tant mieux. Plus jamais il ne serait question de courir un tel risque ! À l'époque, Mary lui avait fait payer sa souffrance en décidant de faire chambre à part. Sauf qu'il n'y était pour rien, comme aujourd'hui. Quel serait le châtiment qu'Amélie lui infligerait ? Le même ? Non, ses deux épouses étaient aussi dissemblables qu'on peut l'être. Mary lui avait tenu la dragée haute parce qu'elle était issue d'une famille plus ancienne que lui, certes désargentée, mais dont les origines remontaient à la dynastie Stewart. Elle était fière, droite, ombrageuse, exactement comme Scott à qui elle n'avait pas légué que la couleur de ses yeux, mais aussi ses qualités de cœur et son caractère. Amélie était différente, plus féminine et plus maternelle, plus rusée et plus exigeante. Elle savait comment amadouer Angus, et au final comment le mener par le bout du nez. Il ne s'en plaignait pas.

Les yeux rivés sur l'écran de son téléphone qui demeurait noir, il fut soudain submergé par une bouffée d'angoisse. Et si l'hémorragie emportait Amélie, s'il se retrouvait veuf pour la seconde fois ? Mais c'était une crainte très égoïste, il devait penser à elle, pas à lui. Comment allait-elle vivre la perte de son bébé ? Par chance, elle avait quatre enfants auxquels se raccrocher. John ne serait pas d'un grand secours, Philip non plus pour l'instant, mais on pouvait sans doute compter sur George, et bien entendu Kate se précipiterait au chevet de sa mère dès qu'elle serait au courant du drame.

Pour juguler son anxiété, il réclama un supplément de whisky. Il devait appeler son homme de loi et décommander le rendez-vous, mais il le ferait plus tard afin de ne pas occuper sa ligne. Avec un affreux sentiment de culpabilité, il s'aperçut qu'il était soulagé de ne pas devoir faire son testament, de ne pas avoir à discuter des conséquences de sa propre mort. Commençant à sentir les effets de l'alcool, il hésita à commander quelque chose à manger. Mais l'idée lui sembla incongrue, le moment était très mal choisi pour s'empiffrer.

*

Amélie avait subi un curetage sous anesthésie générale, l'hémorragie avait été maîtrisée et elle était hors de danger. À son réveil, une longue crise de larmes, suivie d'un moment de révolte, l'avait épuisée. Kate et George, rentrés en catastrophe d'Édimbourg et déposés à l'hôpital par David, s'étaient relayés à son chevet tandis que Scott allait chercher Angus à moitié ivre dans son pub.

Quand l'heure des visites fut passée, il fallut quitter Amélie, qui restait sous surveillance médicale. Scott persuada son père de laisser sa voiture sur place et il le ramena à Gillespie avec Kate et George. En les attendant, Moïra avait préparé un repas froid, qu'ils prirent dans un silence contraint. Après le dîner, David proposa à Angus de vider la chambre du bébé.

— Ce serait trop triste pour ta femme de tout retrouver en l'état. Demain matin, je peux emballer proprement les affaires et les monter au grenier.

Angus accepta avec empressement, gêné de ne pas y avoir pensé lui-même et obligé de constater que David faisait parfois preuve d'une déconcertante sensibilité. Il monta se coucher tôt, abandonnant le reste de la famille, qui alla se réfugier dans la cuisine pour boire du thé.

— Quelle journée horrible, soupira Moïra en mettant de l'eau à bouillir.

Elle sortit des mugs, disposa des sablés dans une assiette. D'un geste tendre, elle effleura les cheveux de Kate.

— Heureusement, ta maman va bien. Elle s'en remettra, tu verras...

— Elle est déçue, elle est triste, elle ne fait que pleurer. Elle a réclamé John à plusieurs reprises. Quelqu'un sait où il est passé ?

— Oui, moi, répondit Scott avec un temps de retard. En fait, je venais pour l'apprendre à Amélie. John est en France, à Paris.

— Ah bon ? s'exclama-t-elle, stupéfaite.

— Il est parti avec Betty, ma comptable.

— Quoi ?

— Une escapade en amoureux, mais sans date de retour.

Kate le dévisagea, incrédule, jusqu'à ce qu'il ajoute :

— Je n'ai pas pu le dire à ta mère. Tu t'en chargeras ?

— Oui, si tu veux...

— Qui est cette Betty ? voulut savoir George. Il ne m'en a jamais parlé ! Remarque, depuis quelque temps il m'adresse à peine la parole.

— Une jeune femme très bien.

— Et Philip ? demanda David. On l'a averti ?

— Je l'ai appelé, admit Kate d'un air piteux. Il dit qu'il est désolé mais qu'il n'y peut rien et il ne voit pas pourquoi il abrégerait ses vacances à Brodick.

— Je prendrai un ferry demain matin pour aller le chercher, décida George. Moi, il m'écoutera. Je pense que maman va avoir besoin d'être très entourée quand elle rentrera.

— Tu as tout à fait raison, l'encouragea Moïra.

La traversée vers l'île d'Arran n'était pas longue et George pourrait ramener son frère dans la journée.

— Avez-vous trouvé un appartement ? demanda-t-elle d'un ton plus léger.

— Oui ! s'écria Kate. Un petit trois pièces formidable, tout de guingois, dans la vieille ville. Mais il faudrait que ce soit Angus qui signe le bail, et ce n'est pas le moment de l'embêter avec ça. Alors j'ai peur qu'il nous passe sous le nez. En ce moment, tous les étudiants cherchent pour la rentrée.

— Je m'en occuperai, proposa Scott.

Il évitait de regarder Kate, pourtant elle lui adressait d'adorables sourires. Était-elle attristée par la perte du bébé ou seulement peinée pour sa mère ? Malgré tout, on devinait sa joie à l'idée de découvrir bientôt une vie indépendante à Édimbourg. Sans doute serait-elle une élève brillante et aurait-elle rapidement de nombreux amis. La savoir loin allait permettre à Scott de se reprendre. Il ne mettrait pas les pieds à Gillespie les week-ends si elle devait y revenir, et ainsi il ne serait plus en contact avec elle. Le temps passant, il rirait de cette attirance dont la découverte l'avait totalement déstabilisé. Chaque fois qu'il repensait à son rêve, il se sentait coupable et s'en voulait.

— Nous irons ensemble faire les formalités de location, dit-il à George en ignorant délibérément la jeune fille. Prends rendez-vous et appelle-moi.

Il enfila son blouson sous le regard navré de Moïra.

— Tu t'en vas déjà ?

— Je dois rentrer chez moi.

Elle l'escorta jusqu'au hall d'entrée et lui ouvrit la porte.

— « Chez toi », ce n'est plus ici ? demanda-t-elle en levant les yeux vers lui.

— Si... Bien sûr que si ! Mais je me lève tôt demain matin, j'ai des trucs à faire avant d'aller à la distillerie, et je ne peux pas rester habillé comme ça.

— Tu travailles trop, Scott.

— J'obtiens de bons résultats, c'est tout ce qui compte.

— D'accord, mais pense aussi à toi.

Depuis qu'il habitait Glasgow, il avait moins souvent l'occasion de lui faire des confidences. Il devina qu'elle avait envie de lui parler de Mary, de savoir où il en était de sa vie sentimentale, peut-être même de lui poser une question gênante à propos de Kate. Pour l'en empêcher, il la prit dans ses bras, l'embrassa sur les cheveux.

— Si tu n'étais pas passé, ce matin, j'aurais eu très peur toute seule avec Amélie. Et, vois-tu, bien que je ne l'aime pas beaucoup, j'ai vraiment de la peine pour elle.

— Moi aussi.

— Angus doit être très malheureux.

Scott hocha la tête, sortit ses clefs de voiture et fit un pas sur le perron, mais il se retourna pour demander :

— Crois-tu qu'il désirait ce bébé ? Je veux dire, hormis pour faire plaisir à sa femme. Est-ce qu'il en mourait d'envie ?

— Je ne sais pas, avoua-t-elle.

Ils échangèrent un long regard, puis Scott dévala les marches. L'alcool aidant, son père lui avait semblé partagé entre le chagrin, la compassion et le soulagement. Mais Angus, très pudique sur ses sentiments, se livrait rarement, et ses propos avaient laissé Scott perplexe.

Lorsqu'il démarra, les phares éclairèrent la façade blanche du manoir. Il le connaissait trop bien pour prendre la peine de le regarder, pourtant il resta quelques instants en contemplation. L'architecture victorienne se caractérisait par des colonnes, des avancées, des fenêtres en rotonde, et ce belvédère surmontant les toits où Kate aimait tant monter pour apercevoir la mer. Pour Scott, quoi qu'il arrive, cette bâtisse était « sa » maison, celle de ses ancêtres Gillespie dont il allait rester l'unique descendant. Peut-être n'aurait-il pas aimé la partager, mais il était certain de n'avoir jamais souhaité le drame qui venait de frapper Amélie.

Amélie... Son arrivée ici cinq ans auparavant, avec trois garçons mal élevés et la petite Kate. Si perdue, si vulnérable, tellement attachante que, malgré toutes ses réserves sur la tribu française qu'on lui imposait soudain, Scott s'était pris d'affection pour elle. Il avait empêché ses frères de tirer sur ses nattes, il avait été la chercher à l'école. Il s'aperçut qu'il se souvenait très bien de ce jour où il l'avait rencontrée dans le parc alors qu'elle lisait *Les Misérables*. C'était leur première conversation et elle avait évoqué son père anglais, le jardin du Luxembourg, son école à Paris, puis elle s'était mise à pleurer. Ensuite elle avait dit en rougissant : « Vous ne devez pas nous aimer beaucoup. » Il avait répondu que ses sentiments importaient peu. Si seulement il avait pu, à cet instant précis, deviner que quelques années plus tard il se découvrirait amoureux d'elle ! Comment des choses pareilles pouvaient-elles arriver ?

Quittant des yeux la façade, il enclencha la marche arrière. Un jour ou l'autre, il assisterait au mariage de Kate. Si Neil Murray était venu trop tôt, un autre saurait trouver le bon moment. Parce qu'elle éprouvait de l'affection pour Scott, Kate lui demanderait probablement d'être son témoin. Il se fit le serment de toujours rester son ami et de continuer à veiller sur elle, mais de loin. L'ignorer, comme il l'avait fait ce soir, ne ferait que l'attrister alors qu'elle ne pouvait pas en deviner la raison.

Résigné mais déterminé, il la chassa de ses pensées.

9

Les mois qui suivirent, l'animosité d'Amélie envers Scott ne désarma pas. Elle lui en voulait d'avoir été là au pire moment, témoin de sa douleur et de ses larmes. Impossible d'oublier qu'elle s'était accrochée à sa main, qu'elle avait eu *besoin* de lui. Pire encore, il demeurait le fils unique d'Angus, elle n'avait pas pu le détrôner parce que son corps – son âge – l'avait trahie, et elle n'aurait pas d'autre chance. Devant lui, elle se sentait comme une adversaire affaiblie par l'échec, et la courtoisie dont il faisait preuve envers elle l'exaspérait au plus haut point.

En secret, elle avait beaucoup pleuré son bébé perdu, mais elle voulait se montrer forte et refusait qu'on la plaigne. Lorsqu'elle était seule, elle se rendait dans la chambre vidée par David et qui aurait dû être la nursery. Elle marchait d'un mur à l'autre, jetait un coup d'œil indifférent au parc, se souvenait d'avoir voulu cette pièce pour l'enfant, au point d'en déloger Kate. Désormais, il n'y avait qu'un espace désespérément vide, sa fille ayant refusé de se réapproprier l'endroit sous prétexte qu'elle n'était pas souvent à la maison.

Kate et George menaient à Édimbourg une vie de colocataires heureux. L'un et l'autre réussissaient dans leurs études, passant la plupart de leurs soirées le nez dans des livres. Le week-end, Kate rentrait une fois sur deux à

Gillespie pour voir sa mère ainsi que le reste de la famille. Toujours soucieuse d'apprendre, elle cuisinait avec Moïra, jouait au golf avec Angus et jardinait avec David. Le parc gardait pour elle tout son attrait, quelle que soit la saison, et même si elle n'était plus adepte de ses grandes promenades solitaires, elle pouvait rester des heures à s'occuper des fleurs et des arbustes. Régulièrement, elle grimpait dans le belvédère, mais c'était davantage pour guetter la voiture de Scott que pour apercevoir la mer. Hélas, il ne venait quasiment jamais quand elle était là, et la déception était toujours aussi vive. Malgré ses nouveaux amis et les sorties très animées du vendredi soir, Scott continuait d'occuper sa tête, son cœur, et aucun garçon ne pouvait lui être comparé. Elle savait que cet amour d'enfance aurait dû la quitter, se muer en doux souvenir, mais rien n'y faisait. Parfois, un étudiant retenait son attention quelques jours, et elle espérait alors qu'un déclic se produirait, que l'émotion surgirait enfin, hélas son intérêt retombait vite. Personne n'avait le regard bleu ardoise de Scott, ni sa voix, ni son sourire. Personne d'autre que lui n'avait le pouvoir de la bouleverser ou de l'empêcher de dormir.

John donnait peu de nouvelles, se bornant à envoyer de rares cartes postales à sa mère, dans lesquelles il disait toujours la même chose : tout allait bien. Amélie devait laisser plusieurs messages sur sa boîte vocale avant d'obtenir l'aumône d'un appel laconique. D'après lui, Betty était une fille formidable, Paris une ville de rêve, et jamais il ne remettrait les pieds en Écosse. Mais il restait évasif quant à ses activités, n'évoquait pas son père, ne fournissait aucune adresse. Une seule fois, Amélie s'était risquée à envisager un court voyage pour lui rendre visite, et il l'avait sèchement éconduite. Son ingratitude, alors qu'il avait été le préféré de sa mère, semblait même gonflée de rancune, comme s'il la rendait responsable de tous ses échecs. Amère, elle s'était soudain avisée que John reproduisait l'attitude de Michael, plantant là sa famille pour disparaître sans laisser d'adresse.

Après avoir redoublé son avant-dernière puis sa dernière classe, Philip avait obtenu de justesse son diplôme de fin de scolarité. Il était l'élève le plus vieux de sa promotion, ce qui ne l'affectait guère car il disait avoir trouvé sa voie. Devenu inséparable d'un ami prénommé Malcolm, qui l'avait souvent reçu à Brodick, il annonça qu'il comptait le suivre à Édimbourg pour s'inscrire au College of Art de l'université. Il voulait y apprendre le dessin avant de se lancer dans l'illustration. Amélie trouvait l'idée intéressante, mais Angus avait levé les yeux au ciel, sachant qu'il allait devoir entretenir Philip. De façon surprenante, celui-ci déclara qu'il n'avait besoin de rien, qu'il logerait chez Malcolm. Les parents du garçon mettaient à sa disposition un confortable appartement du côté de St Mary Street, au cœur de la vieille ville. Amélie fut ravie, jusqu'au moment où elle fit la connaissance de Malcolm, qui ne cachait rien de sa nature gay. Lorsqu'elle comprit la relation qui unissait son fils au blond exubérant, elle eut l'impression qu'un mauvais sort s'acharnait sur elle. Angus se limita à un commentaire sibyllin : « C'est complet ! », tandis que David affirmait, avec un sourire amusé, qu'il fallait vraiment être aveugle pour n'avoir rien remarqué jusque-là. Mais justement Philip ne se faisait *jamais* remarquer. Jusqu'à son départ pour la France, John avait eu la vedette dans la fratrie, puis George avait surpris tout le monde en passant du statut de cancre à celui de bon élève. Philip naviguait d'un camp à l'autre, restait discret la plupart du temps et s'arrangeait pour qu'on ne s'occupe pas de lui.

Amélie faillit se remettre en question. Même si elle refusait de l'admettre, ses enfants la décevaient. Kate avait refusé un mariage prestigieux, John s'était volatilisé, Philip se révélait homosexuel. Elle qui avait rêvé d'introduire un par un ses rejetons dans les affaires prospères d'Angus pour leur assurer des situations voyait ses espoirs réduits à néant. Seul George, *peut-être*, y parviendrait un jour, or elle n'aurait pas misé sur celui-là. Elle s'interrogea longuement quant à sa responsabilité mais finit par la rejeter sur Michael. Privés d'un père digne de ce nom, les garçons tournaient mal, et Angus n'avait pas rempli son rôle en se contentant de payer pour ses beaux-enfants sans vraiment s'intéresser à eux. Si le bébé était arrivé à terme, tout aurait été différent.

Fidèle à sa promesse, Scott fuyait Gillespie quand il risquait d'y rencontrer Kate. En revanche, il venait dans la semaine pour voir son père, qu'il sentait désabusé. La maison semblait vide en l'absence des jeunes, et Angus passait le plus clair de son temps sur les greens ou à la chasse. Dès que Scott arrivait, il l'entraînait dans son bureau, allumait aussitôt un cigare et se faisait raconter en détail toute l'activité des deux distilleries. La filature retenait moins son attention, mais il comprenait que Scott ne veuille pas s'en séparer, en souvenir de sa mère, et aussi parce qu'il fallait bien que tous les moutons paissant sur les terres servent à quelque chose. Gillespie, sans ses troupeaux et ses bergers, cesserait d'être un domaine agricole, or c'était inconcevable aux yeux de Scott.

Quand son fils partait, Angus retombait dans une certaine morosité. Même si le chaos imposé par la « tribu des Français » l'avait agacé à une époque, même s'il avait redouté d'avoir à subir les cris d'un nouveau-né, au fond il n'appréciait pas le silence de sa maison désertée. Qu'avait-il cherché en offrant l'hospitalité à Moïra et à David, puis en se remariant tardivement, sinon à agrandir son clan ? Or on revenait toujours au point de départ : une trop petite famille dans un trop grand manoir. Angus avait hâte que son fils se marie enfin, lui donne des petits-enfants et rentre au bercail. À condition, bien sûr, qu'Amélie n'en fasse pas un nouveau drame.

*

Neil saisit sa pinte de bière et, en se détournant du comptoir, il tomba nez à nez avec Kate. L'un comme l'autre restèrent une seconde figés, puis Kate s'efforça de sourire.

— Comment vas-tu ? bredouilla-t-elle.

Près d'un an et demi s'était écoulé depuis la pénible scène de la demande en mariage, et ils se dévisagèrent avec curiosité.

— Toujours aussi jolie, hein ? dit gentiment Neil. Je t'offre un verre en souvenir du bon vieux temps ?

Comme elle n'aimait pas vraiment la bière, elle commanda du chardonnay. Tandis que le barman remplissait la mesure de métal puis la renversait dans un verre, une pratique courante qui assurait l'exactitude de la dose choisie, Kate voulut savoir ce que Neil faisait à Édimbourg.

— J'ai changé de fac et de ville pour m'éloigner de toi ! répondit-il en riant. Ensuite, j'ai appris par des copains que tu étais dans les parages. J'avoue avoir eu l'espoir de ne pas tomber sur toi, mais contrairement à ce que je redoutais ça me fait plaisir de te voir.

— Tu ne m'en veux plus ?

— Il m'a fallu du temps pour digérer ton refus. Aujourd'hui, c'est une affaire classée. J'ai rencontré une autre fille, et je suis amoureux.

— Que fait-elle ?

— Médecine, comme moi. Et toi ?

— Je prépare une agrégation de français, et j'habite avec mon frère George.

— Sans blague ?

— Il est devenu gentil, on s'entend bien.

— Viens, proposa-t-il, allons nous asseoir.

Ils se frayèrent un chemin au milieu des étudiants et dénichèrent une petite table au fond du pub.

— Tu as vraiment l'air en pleine forme, Kate. Tu as changé ta coupe de cheveux ? Et tu te maquilles un peu, non ? Waouh, tu dois tous les rendre fous !

— Pour l'instant, je ne m'en occupe pas.

— Tu es une jeune fille sérieuse, je sais. Mais tu finiras bien par rencontrer le grand amour... Est-ce que tout le monde va bien dans ta famille ? J'avais de la sympathie pour Angus, malheureusement on ne le voit plus dans le club de mon père. Il a dû croire qu'il serait mal accueilli et il en fréquente d'autres, c'est dommage. Dis-lui de ma part qu'il est le bienvenu, s'il le désire. Et au fait, le bébé ?

Kate lui raconta les derniers événements et donna des nouvelles de chacun. Elle trouvait agréable de pouvoir parler à Neil comme à l'époque où ils étaient seulement des amis.

— Tu as eu une bonne idée de venir à Édimbourg pour tes études, finit-il par dire. Te sortir un peu de Gillespie te sera salutaire, sinon Scott éloignera de toi tous les garçons !

— Scott ? répéta-t-elle, tombant des nues.

Pourquoi y faisait-il référence ? Elle se souvenait de lui avoir confié qu'elle rêvait de Scott lorsqu'elle était petite fille – et il était le seul à qui elle l'ait avoué –, mais quel rapport avec ce qu'il venait de déclarer ?

— Scott ne m'a jamais empêchée..., commença-t-elle d'un ton hésitant.

— Oh, arrête, je sais reconnaître un jaloux quand j'en rencontre un ! La manière dont il a fait écran entre toi et moi était très significative.

— Tu te trompes, protesta-t-elle, et c'est injurieux.

— Il n'en est peut-être pas conscient, admit-il. Mais crois-moi, il ne supportera pas facilement de te voir dans les bras d'un autre. Tu sais, entre hommes, on sent ces trucs-là.

Kate crut que son cœur flanchait. Elle reprit son souffle, secoua la tête, vida son verre d'un trait.

— N'importe quoi ! marmonna-t-elle.

Elle aurait aimé y croire, hélas c'était ridicule, impossible.

— Scott a toujours pris ma défense parce que mes frères étaient détestables avec moi. Leurs mauvaises blagues d'ados me faisaient immanquablement pleurer. Il faut dire que j'avais la larme facile ! Enfin, voilà pourquoi tu as eu cette impression. D'ailleurs, après ton départ ce soir-là, Scott et John se sont battus.

— Pourquoi nier l'évidence, Kate ? Avec moi, l'attitude de Scott n'était pas celle d'un frère mais d'un rival. La prochaine fois que tu lui présenteras un garçon, tu verras sa réaction.

Comme toujours, Neil voulait avoir raison, il n'avait pas perdu l'habitude d'argumenter.

— Si tu vas par là, soupira-t-elle, on peut regarder quelqu'un méchamment sans qu'il soit question de jalousie. Tiens, par exemple, en ce moment, il y a une fille au comptoir qui me lance des coups d'œil assassins alors que je ne la connais même pas !

Neil se retourna et se leva d'un bond.

— Moi, je la connais, chuchota-t-il d'un air penaud. C'est ma copine. On avait rendez-vous, mais j'ai un peu oublié l'heure, en ta compagnie. Elle doit se demander qui tu es.

Sans doute n'avait-il pas envie d'expliquer à son amie que Kate avait quasiment été sa fiancée.

— File la rejoindre, lui conseilla-t-elle, compréhensive.

— Tu as toujours le même numéro de portable ?

— Oui.

— Je t'appellerai un de ces jours.

— Vas-y, Neil, ou tu auras une scène.

— Tu vois, la jalousie…, lâcha-t-il avant de s'éloigner en hâte.

Tournant le dos au comptoir, Kate considéra son verre vide. Y avait-il la moindre chance que l'hypothèse de Neil soit juste ? Elle n'arrivait pas à l'admettre, mais il avait beaucoup insisté, et elle ne pouvait mettre en doute ni son intelligence ni son sens de l'observation. Elle éprouva un soudain vertige qu'elle mit sur le compte du chardonnay bu trop vite. Une seconde, elle ferma les yeux, eut la tentation de laisser dériver son esprit vers son vieux rêve familier, celui qu'elle se racontait encore certains soirs. Avoir parlé de Scott le remettait au centre de toutes ses pensées. Au prix d'un gros effort, elle se raisonna, se traita d'idiote, d'indécrottable gamine attardée. Puis elle se leva, s'abstint de s'approcher du comptoir ou même de regarder dans cette direction, et sortit du pub. Dans la rue, malgré son trouble, une sensation de légèreté s'empara d'elle, qui la fit se mettre à courir et à rire en même temps.

*

— Nous attendons tous que tu trouves une date pour ta pendaison de crémaillère, exigea Graham. Tu es bien installé, tu n'as plus aucune excuse.

Trois mois plus tôt, il avait trouvé pour Scott l'appartement idéal, en plein cœur de Glasgow. Un excellent investissement immobilier dans cette ville en complète transformation, dont les prix ne tarderaient pas à s'envoler.

— Quoi qu'il arrive, et même si un jour tu ne veux plus l'habiter, tu pourras le louer ou le revendre, tu y gagneras toujours.

Très fier de lui pour la bonne affaire réalisée par Scott grâce à ses conseils, Graham s'approcha de l'orge étalée sur le plancher de maltage.

— Combien de temps pour la germination ?

— Ici, huit à douze jours. Mais elle a déjà passé trois jours dans l'eau.

— Et après, direction le séchoir ?

— Bon sang, Graham, je t'ai expliqué le processus des dizaines de fois !

— J'aime bien t'entendre raconter. Quand tu parles de ça, tu t'animes pour de bon.

— Tu me trouves figé ? s'indigna Scott.

— Disons... Un peu trop sérieux, ces temps-ci. Tu ne sors pas assez et tu n'as pas de petite amie. Tu n'as même pas pris la peine de meubler ton appartement pour de bon. Avec un lit, une table et quatre chaises, c'est une caricature minimaliste.

— Je passe ma vie ici ou à Inverkip. Quand il me reste deux heures, je fais un saut à la filature.

— Délègue un peu.

— À qui ?

— Paie des gens compétents en qui tu pourras avoir confiance.

— Je le fais déjà.

— Mais tu ne peux pas t'empêcher de les surveiller.

— Eh bien... D'accord, je me suis peut-être trop investi. J'avais des choses à prouver parce que je suis le fils du propriétaire et que je n'ai pas l'âge d'être patron.

— Très bien, sauf que maintenant tes employés et tes clients sont rassurés, tu peux relâcher la pression.

— J'aurais l'air de m'en désintéresser.

— Tu as surtout l'air d'un type qui pratique la fuite en avant. Tu cherches à oublier quelque chose ? Quelqu'un ? Je te rappelle que c'est toi qui as quitté Mary, pas le contraire.

Scott lui jeta un regard agacé et Graham leva les bras en signe de reddition.

— N'en parlons plus. Alors, je reprends... **Le malt séché est moulu puis mélangé à de l'eau ?**

— Dans une cuve circulaire.

— Et ça fait de la bouillie dont on extrait l'infusion ?

— Absolument. Et n'oublie pas que les résidus solides sont vendus comme nourriture pour le bétail.

— Mais ça doit le soûler !

— Non, parce qu'il faut encore ajouter de la levure pour transformer le sucre en alcool.

— Ensuite arrive l'épisode alambic ?

— Deux épisodes de suite. Tu veux aller les voir ?

— Tes alambics ? Je les connais par cœur ! Vapeur, refroidissement, condensation...

Graham éclata de rire puis ajouta :

— Ne fais pas cette tête-là. Je serais idiot si je n'avais pas retenu tes leçons. Tu en parlais déjà quand nous étions sur les bancs de l'école. Et tu sais que j'ai le plus grand respect pour ce que tu fais ici et à Inverkip. Mais tu as trop de poids sur les épaules, détends-toi un peu. Si on choisissait samedi en huit pour ta crémaillère ? Pat propose de t'aider, elle te préparera tous les sandwiches. Qu'en dis-tu ?

— Je dis que tu es usant.

— C'est d'accord ?

— Entendu.

— Eh bien voilà ! Je ferai les courses avec toi le matin.

— Je ne sais pas si je pourrai me libérer si tôt.

— Moi, je sais. Pas de rendez-vous, pas de prétexte, débrouille-toi. Je travaille autant que toi, mais quand je veux dégager une journée, j'y arrive.

Ils s'éloignèrent des hangars où s'étalait l'orge, et Scott raccompagna Graham jusqu'à sa voiture. En le regardant partir, il éprouva un sentiment de reconnaissance. Être secoué par son meilleur ami lui avait fait du bien. Il décida d'aller faire un tour dans les magasins de décoration le soir même pour acheter quelques lampes, un tapis, des étagères. Il aurait pu prendre ces objets à Gillespie, mais il devinait qu'Amélie ne manquerait pas de protester et il ne souhaitait pas l'affronter. Depuis la perte de son bébé, il voyait bien qu'elle semblait lui en vouloir, mais de quoi ? Peut-être avait-elle besoin d'un bouc émissaire, un rôle qu'il ne tenait pas à endosser. Ou alors, elle supposait qu'il s'était réjoui de son malheur, et dans ce cas elle se trompait lourdement, mais comment l'en convaincre ? Avec le temps et l'éloignement, son antipathie pour elle s'était diluée. Lorsqu'il se souvenait de cette horrible journée où elle s'était accrochée à sa main en se tordant de douleur, perdant à la fois son sang et son enfant, il ressentait une profonde compassion. Et sans doute ne supportait-elle pas qu'il ait pu l'aider, la plaindre.

Il se retourna, regarda les toits en forme de pagode, si caractéristiques des distilleries. Il adorait cet endroit, il s'y sentait à sa place. De ce point de vue, il était comblé. Néanmoins, quelque chose lui manquait toujours. Il prit la décision d'inviter tous ses amis à cette fichue crémaillère, les copains et copines plus éloignés, bref de recevoir beaucoup de monde et de s'amuser.

Satisfait, il était en train de regagner son bureau lorsqu'une idée s'imposa. Comment éviter d'avoir George, Philip et Malcolm, et donc Kate ? À l'évidence, il ne pouvait pas les exclure de sa liste. George, avec qui il entretenait désormais d'excellentes relations, à qui il pensait même pour lui succéder un jour à la direction de la filature, serait vexé. Et Kate, toujours discrète, serait peinée sans le montrer. Quant à Philip, il croirait que Scott le rejetait à cause de ses mœurs, ce qui n'était pas le cas. Non, impossible de ne pas les convier tous les quatre. Mais avec un peu de chance, au milieu de tant de gens, Scott parviendrait à éviter Kate, ou au moins à ne pas trop s'approcher d'elle. Il s'en était fait le serment, or il était toujours fidèle à sa parole.

Sortant son téléphone de sa poche, il écrivit un texto à Pat. *Ton mari m'a arraché de force une date pour ma pendaison de crémaillère. En compensation, pourras-tu m'amener ce soir-là une ou deux jolies célibataires de tes amies ?* Dans leur génération, il restait quelques filles pas encore mariées, mais elles se faisaient rares. Scott ne sortait pas assez souvent, il ne prenait plus le temps de s'amuser, d'aller voir des spectacles, de faire des rencontres.

— Eh bien, ça va changer ! lança-t-il en entrant dans son bureau.

Sa secrétaire l'y attendait, l'air impatient et une pile de dossiers sous le bras.

*

Pour le début du mois d'octobre, la température était clémente et les feuilles des arbres commençaient à peine à rougir. Moïra était en train de couper quelques roses tardives tandis que David montrait fièrement à Angus et à Amélie le banc de pierre qu'il avait décapé.

— Ça a de l'allure, non ? J'ai aussi nettoyé la vasque qui était couverte de mousse, et j'y planterai des fleurs au printemps.

— Bien, très bien ! s'enthousiasma Angus.

Il ne s'intéressait pas vraiment à l'aspect du parc mais il espérait qu'Amélie y serait sensible. Elle esquissa une petite moue dubitative et s'assit prudemment sur le banc.

— Pas très confortable, jugea-t-elle.

— On pourra apporter des coussins et boire un verre à l'ombre du tilleul quand il fera chaud, l'été. Tu as fait du bon travail, David !

Celui-ci s'attendait si peu à un compliment de la part d'Angus qu'il en resta stupéfait.

— S'il ne s'occupait pas du parc, nous vivrions dans la jungle, souligna tranquillement Moïra.

Une douzaine de roses jaunes s'entassaient dans son panier et elle vint en offrir une à Amélie.

— Sentez-la, elle embaume !

Penchée au-dessus de la fleur, Amélie daigna sourire. Puis elle s'adressa à Angus, qui avait pris place à côté d'elle.

— Alors, lui demanda-t-elle d'un ton désinvolte, que faisons-nous pour cette invitation ? Je pense que ton fils nous a conviés par politesse, mais ce sera une soirée de jeunes et nous ne ferions que les encombrer.

— Je crois que Scott aimerait bien avoir tout le monde autour de lui pour fêter son installation.

— Quarante jeunes déchaînés et quatre vieux croûtons pour qui il faudra trouver des sièges ?

— Amélie ! Voyons…

— On ne mélange pas les générations, ça tue l'ambiance. Laissons-le tranquille ce jour-là, et une autre fois, si tu y tiens, nous irons dîner chez lui. On lui apportera du champagne.

Elle lui faisait cette concession parce qu'elle savait qu'il était déçu. Scott avait pris la peine de passer voir son père pour l'inviter, avec le reste de la famille, mais Amélie n'avait jamais eu l'intention d'accepter.

— Si Scott nous a demandé de venir, protesta Moïra, c'est que notre présence ne le gêne pas.

— Pensez-vous ! Il ne faut pas tout prendre au pied de la lettre. Scott s'est fait un devoir de nous associer à sa crémaillère, et je reconnais qu'il s'est montré poli, mais il doit être persuadé que nous serons assez raisonnables pour décliner son offre. Vous tenez à le mettre dans l'embarras ? De toute façon, ils vont danser jusqu'à l'aube avec la musique à fond, boire comme des trous… Très peu pour moi !

Vaincu par ces arguments, Angus eut un geste résigné.

— Dans une semaine ou deux, dit-il à Moïra, tu lui prépareras tout ce qu'il aime et nous nous inviterons chez lui avec le panier-repas. Qu'en dis-tu ?

— Comme tu veux, répondit-elle froidement.

Amélie se sentit soulagée. Son refus incluait Moïra et David, qui allaient lui en vouloir, mais peu importait, elle était débarrassée de la corvée, et quant à ce futur dîner elle aurait le temps d'en reparler.

— Vous permettez ? dit Moïra en récupérant sa rose. Pour le bouquet...

Le visage fermé, elle jeta un regard apitoyé sur son frère, puis fit volte-face et partit vers la maison.

— Elle n'est pas contente, fit remarquer Amélie d'un ton plaintif.

Cette fois, ce fut David qui s'éloigna, l'air affairé, puis disparut derrière les arbres.

— Et lui non plus ! De toute façon, quoi que je dise ou que je fasse...

— Tu exagères, l'interrompit Angus. Moïra est pleine d'attentions pour toi depuis des mois.

— C'est ta sœur, tu la défends, comme tu défends ton fils, soupira-t-elle.

— Pourquoi aurais-je besoin de les défendre ?

La question rappela Amélie à l'ordre. Angus n'était malléable que jusqu'à un certain point. Après la perte de leur bébé, il avait cédé à tous ses caprices, mais il commençait à se lasser. Pour reprendre son ascendant sur lui, elle allait devoir se montrer plus câline au lieu de lui tourner le dos le soir.

— En tout cas, déclara-t-elle d'un ton enjoué, ton fils m'a donné une idée ! J'ai envie d'inviter des amis, d'organiser un grand dîner ici. Il y a trop longtemps que nous nous isolons.

Ravi, Angus approuva aussitôt et cita quelques noms parmi leurs relations.

— Moïra sera heureuse de nous montrer ses talents de cuisinière, renchérit-elle, et elle arrêtera de bouder, tu verras ! Tu nous as rapporté tellement de gibier que les congélateurs sont pleins, nous n'aurons que l'embarras du choix. Et, pour la circonstance, je vais aller faire le tour des boutiques de mode.

Il passa un bras autour de ses épaules pour l'attirer à lui.

— Ça me fait plaisir de te voir enfin gaie. Achète tout ce que tu veux !

Angus était si prévisible qu'elle faillit rire, toutefois elle choisit de l'embrasser. Il répondit avec une telle fougue à son baiser qu'elle finit par s'écarter, essoufflée.

— Chérie, murmura-t-il, as-tu enfin réussi à... à tourner la page ?

Il faisait allusion au bébé, abordant le sujet d'une voix hésitante. Depuis des mois, ils évitaient d'en parler, mais l'ombre du drame planait toujours.

— Oui, admit-elle. Je ne veux plus y penser.

Au moins, elle était sincère, cet échec l'avait tant frustrée qu'elle préférait l'enfouir au fond de sa mémoire.

— Rentrons, proposa-t-elle. On va chercher une date et commencer à appeler les amis.

En réalité, elle n'avait nul besoin de chercher. Elle savait qu'elle choisirait la même date que Scott, ainsi serait-elle certaine qu'on ne l'ennuierait plus avec cette invitation stupide.

*

L'ambiance était joyeuse, bruyante et amicale. Graham et Pat s'étaient dévoués pour que la soirée soit réussie, n'hésitant pas à sacrifier leur samedi entier pour aider

Scott. Ils avaient rempli la baignoire de glace pilée avant d'y entasser les boissons fraîches, préparé une montagne de sandwiches au saumon, au concombre ou au cheddar, des brochettes de crevettes grillées, des saladiers de chips au vinaigre, des pyramides de sablés. Ensuite, ils avaient sorti les allonges de l'unique table pour la transformer en buffet où étaient disposées des piles de gobelets, de serviettes en papier et de cendriers jetables. Le whisky Gillespie trônait en bonne place, mais il y avait aussi de la bière, du vin blanc français et de l'Irn Bru, un soda pétillant orange fluo riche en caféine.

Pour faire plaisir à Scott, Pat avait amené avec elle deux amies charmantes, dont l'une s'était improvisée D.J. en s'appropriant la chaîne stéréo. Tous les trentenaires invités avaient la délicieuse impression d'un retour en arrière, à l'époque de leurs folles soirées d'étudiants, et des plaisanteries fusaient avec des éclats de rire.

Quand Kate était arrivée, en compagnie de George, Scott l'avait saluée d'un : « Voilà la plus belle ! », qui était sa façon habituelle de lui dire bonjour mais qui avait semblé la mettre mal à l'aise. Afin de se soustraire à la tentation de rester près d'elle, il s'arrangeait pour l'approcher et même la regarder le moins possible. Pourtant, il avait remarqué sa robe, un drapé de soie fluide qui lui allait à ravir, des escarpins à talons qu'il n'avait jamais vus et qui mettaient ses longues jambes en valeur, ainsi que l'effluve d'un parfum inconnu quand il l'avait aidée à enlever son manteau.

Parmi les couples, ceux qui avaient des enfants les avaient confiés à des baby-sitters afin d'être libres de danser toute la nuit. Les voisins étaient prévenus, ainsi que le portier de l'immeuble, que la fête risquait de durer jusqu'à l'aube.

Vers minuit, Graham et Scott se retrouvèrent dans la salle de bains où ils étaient venus chercher des bouteilles et des canettes fraîches. La musique leur parvenait en sourdine, ainsi que le brouhaha des conversations. Graham en profita pour s'asseoir sur le bord de la baignoire et allumer une cigarette.

— Tu fumes ? s'étonna Scott.

— Seulement quand Pat ne me voit pas. Ne le lui répète pas. Une taffe ?

Scott prit la cigarette et tira une longue bouffée.

— Il vaut mieux que je ne commence pas, je redeviendrais vite accro, je le sens, constata-t-il en la rendant à Graham.

— Je suis très content de nous, c'est vraiment réussi et tout le monde s'amuse. Pourquoi ne t'intéresses-tu pas aux filles que Pat a amenées spécialement pour toi ?

— Rassure-toi, je vais les inviter à danser l'une après l'autre.

— Tu as une préférence ?

— La brune, Kelly. Elle a un joli sourire.

— C'est ce que tu regardes en premier ?

Ils échangèrent un rire complice, puis Graham ajouta :

— Ton cousin David est aux anges.

— Il avait l'air si inquiet en arrivant ! Il a dit qu'il ne faisait que passer, pourtant ça fait deux heures qu'il est là et qu'il y prend du plaisir. Il y avait un dîner à Gillespie, mais il a fait sécession.

— Je croyais qu'il était plutôt... sauvage.

— Moi aussi !

Les bras chargés de boissons, ils revinrent dans le séjour. Cinq ou six couples, dont Philip et Malcolm, s'étaient lancés dans un rock endiablé. Du coin de l'œil, Scott vit Kate virevolter au bras d'un de ses amis. Au gré des figures, sa robe volait ou se plaquait sur elle de façon suggestive.

— Roy est en train de draguer la jolie Kate, chuchota Graham. Il est l'un des derniers célibataires de notre promotion, souhaitons-lui bonne chance !

Scott prit un air dégagé et regarda ailleurs, agacé, puis il en profita pour inviter l'amie de Pat qui se chargeait de la musique et lui lançait des regards implorants depuis le début de la soirée. Elle était une assez bonne cavalière et ils enchaînèrent deux rocks, puis elle dut retourner à sa platine pour programmer la suite. Scott vit alors David qui se faufilait vers l'entrée de l'appartement et il se dépêcha de le rejoindre.

— Tu t'en vas déjà ?

— Si je reste là trop longtemps, je vais boire. Bouger, ça donne soif ! Mais tes copines sont sympas, elles se sont dévouées à tour de rôle pour me faire danser. Un vieux machin comme moi !

— Ne dis pas de bêtises.

— J'étais le vétéran, non ?

— Et alors ? Je suis content que tu sois venu.

— C'était pour embêter Amélie. Elle a osé prétendre qu'on ne serait pas les bienvenus, et moi j'étais sûr du contraire. Je te connais ! À propos, je t'ai apporté quelque chose...

Il désigna un sac en plastique posé par terre dans un coin.

— Je n'ai pas d'argent à dépenser en cadeau, et tu as dû recevoir assez de bibelots comme ça pour ce soir. Mais j'ai pensé que tu aimerais l'avoir avec toi. Tu n'es pas obligé de le montrer aux autres, je l'avais planqué exprès.

Intrigué, Scott saisit le sac et l'ouvrit. Il en extirpa un vieil ours en peluche auquel il manquait un œil. D'un geste machinal, il le serra contre lui avant de se mettre à sourire.

— Pourquoi ? demanda-t-il seulement.

— Ton teddy-bear s'ennuyait de toi, seul sur ton lit. Comme tu ne t'es jamais résigné à le mettre dans un placard, je sais que tu y tiens. Et je pense que tu n'as pas osé l'emporter. Tu vas bien lui trouver une place ici, hein ?

Tu n'auras qu'à le ramener à Gillespie le jour où tu rentreras pour de bon. Allez, salut, gamin !

Il sortit en sifflotant le morceau que déversaient les enceintes dans le séjour. À la fois amusé et ému, Scott alla porter le vieil ours dans sa chambre et l'installa sur son oreiller. En revenant, il heurta Malcolm, qui sortait des toilettes.

— C'est une soirée géniale ! s'exclama le jeune homme. Merci de nous avoir invités, Philip y a été sensible.

— Vous êtes ensemble aux Beaux-Arts, n'est-ce pas ? demanda Scott pour lier connaissance avec le garçon.

— Et dans la vie aussi ! répliqua Malcolm avec un sourire désarmant. Je sais que ça ne vous choque pas, en revanche la mère de Phil est très... réticente.

— Amélie n'est pas facile à amadouer.

— Dommage. Mes parents sont plus compréhensifs.

— Elle le deviendra peut-être parce qu'elle adore ses fils.

— Et comme John n'est plus là, il n'en reste que deux.

— Exactement.

— La seule fois où je suis allé chez vous, à Gillespie, j'ai été frappé par la beauté du domaine. Ma famille possède une agréable maison sur l'île d'Arran, mais ce n'est pas comparable. Vous avez beaucoup de chance.

Malcolm était bien élevé, assez beau garçon, et il semblait à la fois très gentil et très à l'aise.

— Je sais que vous n'avez pas eu beaucoup de... d'échanges avec Philip. Il m'a parlé de vous, de ses difficultés à s'intégrer dans votre famille, des engueulades, de ses problèmes scolaires. Les choses n'ont pas été faciles pour lui.

— Pour personne, à vrai dire.

— Aujourd'hui, il va beaucoup mieux. Mais il pense toujours que vous le tenez pour un incapable.

— Mon avis lui importe ?

— Plus que vous ne l'imaginez. Ne l'ignorez pas trop !

Sur un dernier sourire, Malcolm s'éloigna, laissant Scott songeur. Philip était peut-être plus intéressant qu'il ne l'avait cru. En tout cas, il semblait avoir trouvé sa voie au College of Art, et le fait d'assumer son statut d'homosexuel le transformait. Amélie finirait-elle par s'en apercevoir ?

— Ah, tu es là ! s'écria Pat en venant le tirer par la manche. Je veux danser avec toi avant la fin de la soirée et les gens commencent à partir.

Elle l'entraîna dans le séjour, où les lumières avaient été atténuées. Quelques couples s'enlaçaient au rythme d'un slow langoureux. Parmi eux, Kate et Roy dansaient toujours ensemble. Contrarié, Scott tâcha de ne pas les voir, mais son regard revenait vers eux malgré lui.

— Tu m'as marché sur les pieds, protesta Pat. Quand je pense que tu étais le meilleur danseur de la fac, Graham a raison, tu t'encroûtes !

Elle riait et il essaya de faire attention à elle au lieu d'observer Kate. Qu'est-ce que Roy pouvait bien lui chuchoter à l'oreille ? Le slow prit fin, un autre lui succéda, et Scott alla inviter Kelly. Une fille charmante, qui semblait prête à partager plus qu'une danse avec lui, mais il ne se sentait pas d'humeur à la séduire. Il entendit le rire de Kate, aisément reconnaissable, et supposa que Roy déployait tout son humour. Ce type, qui était l'un de ses amis et avec qui il s'entendait très bien, lui devint soudain antipathique. Sa jalousie était déplacée, inepte, il eut honte de lui-même et serra davantage Kelly en fermant les yeux. S'il devenait incapable de s'intéresser aux jolies femmes dès que Kate se trouvait dans les parages, il fallait vraiment qu'il continue à l'éviter. L'inviter ce soir avait été une erreur, sa présence l'empêchait de profiter pleinement de la fête. Pourtant, elle n'était pas la plus belle, la plus remarquable de l'assemblée, mais il ne voyait qu'elle, même sans la regarder.

L'heure qui suivit, il réussit à ne jamais se trouver près d'elle, et quand elle vint innocemment lui réclamer une danse, il prétexta la fatigue pour refuser, ignorant son air déçu. Petit à petit, les amis prenaient congé et l'appartement se vidait. Graham et Pat proposèrent de commencer à ranger, mais Scott estima qu'ils en avaient assez fait pour la journée et que leur baby-sitter devait être libérée. Malcolm et Philip offrirent à leur tour d'aider à mettre un peu d'ordre, puis s'en allèrent les derniers à trois heures du matin.

Resté seul, Scott éteignit une à une les lumières du salon. La soirée avait été réussie, il était satisfait, même si la vision de Kate et de Roy lui laissait un goût amer. Il se souvint avec une certaine nostalgie de la fête magnifique organisée pour ses vingt ans à Gillespie, avec tous ses copains de l'époque. Jeune homme insouciant, il n'avait pas encore de belle-mère à ce moment-là ! Ni le poids des affaires familiales sur les épaules.

Il alla prendre une douche puis gagna sa chambre. En ouvrant la porte, il resta une seconde interloqué, sans voix. Assise au pied de son lit, l'ours en peluche sur les genoux, Kate esquissa un sourire tremblant.

— Mais qu'est-ce que tu fais là ? finit-il par demander d'une voix enrouée.

— Eh bien... Je suis restée.

— Tu n'avais personne pour te raccompagner ? Pourtant, Roy a dû te le proposer...

— Oui.

— Et alors ?

— Rien. Je *voulais* rester.

Il la scruta, incapable de comprendre.

— Écoute, il n'y a aucun endroit où dormir, ici. Je n'ai pas de canapé, tu as remarqué ?

Il soupira, enfouit ses mains dans les poches de son jean.

— Je ne peux pas te ramener à Gillespie, Kate. Et à Édimbourg encore moins ! Même si je n'ai pas beaucoup bu, c'est trop pour prendre la route. Pourquoi n'es-tu pas rentrée avec un de tes frères ?

Elle se leva, reposa l'ours en peluche sur l'oreiller. Nerveuse, elle se passa la main dans les cheveux, essaya à nouveau de sourire sans plus de succès.

— Tu es contrarié ?

— Oui !

— On ne peut pas... dormir ensemble ?

— Tu es folle, ma parole !

Il se reprocha la brutalité de sa réplique et chercha quelque chose à dire, mais déjà les yeux de Kate se remplissaient de larmes.

— Oh, Scott, murmura-t-elle, je croyais que ce serait plus facile...

— Quoi donc, ma puce ?

— Je me suis cachée ici exprès.

— De qui avais-tu peur ?

— Personne. Je...

D'un coup, elle éclata en sanglots, les bras le long du corps, plantée à côté du lit. Elle semblait si démunie et si vulnérable que Scott alla vers elle.

— Ce n'est rien, dit-il tout bas, ça va s'arranger.

Il n'osait pas tendre la main et ce fut elle qui se réfugia contre lui. Malgré toutes ses résolutions, il referma ses bras sur elle.

— Dis-moi ce qui se passe, Kate. Qu'est-ce qui t'arrive ?

— C'est trop dur ! articula-t-elle dans un hoquet. J'avais imaginé qu'on danserait tous les deux...

Attendri, il pensa qu'il aurait pu l'inviter, au moins pour un rock, et qu'elle ne devait pas comprendre pourquoi il s'était montré si distant. Mais elle continuait à parler, d'une voix à peine audible, la bouche dans le col de sa chemise.

— ... et que je n'aurais pas besoin d'expliquer. Que tout se ferait naturellement. Que ce serait toi qui me demanderais de rester.

Lui ? Soudain, il eut une conscience aiguë du danger. Il n'était pas le gentil Scott en train de réconforter sa petite sœur, elle n'était pas l'adorable Kate qui avait besoin d'être consolée. Avant que quelque chose d'irréparable arrive, il voulut l'interrompre, mais elle fut plus rapide.

— Je suis amoureuse de toi, Scott.

Ce fut plus violent pour lui qu'un coup de poing à l'estomac. Le souffle coupé, il resta d'abord sans réaction puis inspira bruyamment.

— Kate..., parvint-il juste à dire.

— Depuis mes treize ans ! Depuis le premier jour, et chaque jour un peu plus. Jamais je n'ai réussi à t'extirper de mon cœur. Je savais que c'était ridicule, un truc de gamine qui passerait. Mais non ! C'est pour ça qu'avec Neil je ne pouvais pas accepter. Avec personne d'autre.

Les larmes de Kate mouillaient sa chemise, elle tremblait contre lui, bafouillait mais continuait à parler comme si une digue s'était enfin rompue.

— Toi, tu ne me voyais pas, tu avais Mary, une *vraie* femme. Comme j'ai été jalouse de sa chance ! Avec mes nattes et mon cartable, qu'est-ce que je pouvais y faire ? Seulement, maintenant, j'ai grandi. Et tu ne me regardes toujours pas. Ce soir, je croyais que... J'ai bêtement écouté quelqu'un qui prétend que tu n'as pas seulement une attitude fraternelle à mon égard.

Elle s'interrompit de façon abrupte, renifla, soupira. Puis elle se détacha de lui et s'écarta un peu. Il sut qu'elle allait s'excuser avant de s'en aller, trop embarrassée pour oser le regarder en face. La laisser partir sur un malentendu qui n'aurait jamais de fin lui parut au-dessus de ses forces.

— Ce quelqu'un n'a pas tort, dit-il tout bas.

275

Après quelques instants de silence et d'immobilité, ce fut lui qui tendit la main vers elle, effleura son menton pour qu'elle relève la tête.

— Je ne me suis pas autorisé à te le montrer. Je ne voulais pas que tu me prennes en horreur.

Elle eut un petit rire nerveux, comme si elle refusait de le croire.

— Je ne sais pas à quel moment les choses ont changé, Kate. J'en ai pris conscience très tard, et à ce moment-là je me suis senti coupable, monstrueux.

— Pourquoi ? s'écria-t-elle d'une voix trop aiguë. Nous n'avons aucun lien de parenté, aucun sang commun !

— Mais je suis plus vieux que toi.

— Neuf ans ! Tu rigoles ?

Le silence retomba entre eux. Debout l'un en face de l'autre, ils hésitaient. Scott comprit qu'elle ne franchirait pas toute seule le pas qui les séparait. C'était à lui de rompre le tabou.

— Kate, il n'y a personne dans ma vie. Peut-être que... je t'attendais.

— Mais tu n'aurais pas parlé le premier, n'est-ce pas ? Maintenant, tu vas devoir tout faire le premier parce que je n'ai pas, je n'ai jamais...

Elle rougit, s'arrêta. Puis elle se jeta contre lui pour se cacher.

— Jamais ? chuchota-t-il. Rien ?

— Je n'ai fait que flirter. Embrasser.

— On peut très bien en rester là.

— Ah non ! C'est toi, c'est tout, et c'est tout de suite.

Avait-il jamais eu peur de déshabiller une fille ? Pas depuis la première, quand il avait seize ans. Mais... Kate ? Bon, elle avait dix-neuf ans, elle était vierge, elle ne savait rien. Il allait devoir réinventer le moindre de ses gestes et se contrôler jusqu'au bout. Il la souleva, la déposa sur le lit, prit l'ours en peluche par une oreille pour le mettre près de la lampe.

— Tout à l'heure, murmura-t-elle, j'ai failli partir.

— Tu avais peur ?

— De ta réaction. Que tu tombes de haut ou que tu sois furieux, méprisant... ou pire : que tu arrives dans ta chambre avec cette horrible Kelly !

— Et moi, que tu partes avec Roy. Nous sommes quittes.

Il s'était allongé près d'elle, appuyé sur un coude, et il la contemplait avec incrédulité. Il pensa qu'il n'allait pas y arriver, quelle que soit son envie. L'appréhension reléguait son désir au second plan. Si elle ne l'aidait pas un peu, il risquait d'être aussi maladroit qu'un collégien. Lorsqu'elle toucha le premier bouton de sa chemise, il tressaillit.

— J'en ai tellement rêvé, si tu savais ! dit-elle avec une sorte de gourmandise qui l'aurait amusé s'il avait été moins tendu.

Passant une main dans le dos de Kate, il trouva la fermeture éclair de la robe, la descendit délicatement. Elle portait des sous-vêtements de dentelle blanche, et sa peau était d'une douceur inouïe. Il prit tout son temps pour enlever les chaussures, le collant, la robe. Les yeux grands ouverts, elle le regardait faire. Elle n'était pas la même que dans son cauchemar, plus appétissante et plus sensuelle, plus femme. Penché au-dessus d'elle, il chercha sa bouche, l'embrassa doucement. Sa langue avait encore le goût d'orange de l'Irn Bru. Avide, elle croisa les mains sur la nuque de Scott pour que le baiser ne cesse pas. Du bout des doigts, il fit glisser les bretelles du soutien-gorge, effleura ses seins. Elle se mit à respirer plus vite, se cambra vers lui.

— J'ai envie de toi, chuchota-t-elle.

Sentant qu'elle tâtonnait sur la ceinture de son jean, il se redressa pour se déshabiller lui-même. Il n'arrivait pas à croire ce qu'il était en train de faire. Pourtant, il fouilla

277

dans le tiroir de la table de nuit et en sortit un préservatif. Puis il se rallongea, posa ses lèvres sur le ventre de Kate.

— Tu le veux vraiment ?

Mais c'était une évidence, elle l'attendait. Au fond de lui, l'angoisse disparaissait peu à peu, remplacée par un désir douloureux. Il caressa ses cuisses avec des gestes lents, partant des genoux et remontant toujours plus haut. Elle laissa échapper un soupir quand il frôla la dentelle du slip. Il écarta le tissu, toucha son sexe. Elle ne mentait pas, elle était prête à l'accueillir. Refrénant toute impatience, il continua à la caresser jusqu'à ce qu'elle s'abandonne et commence à gémir. Il devait lui apporter d'abord du plaisir, pour qu'elle ait le moins mal possible.

*

Le soleil entrait à flots dans la chambre parce qu'à aucun moment ils n'avaient pensé à fermer les rideaux. Scott cligna des yeux, essaya de faire le point sur son réveil. Dix heures ? Il se redressa d'un bond puis retomba sur son oreiller. On était dimanche, tout allait bien. Il s'étira mais, d'un coup, les images de la nuit lui revinrent et il jaillit hors du lit. Kate ! Il se précipita dans le couloir et s'arrêta net en entendant le bruit de l'eau qui coulait dans la salle de bains. S'appuyant au mur d'une main, il reprit son souffle. La porte n'était pas fermée et Kate, assise dans la baignoire, se rinçait les cheveux. À sa place, la veille, il y avait de la glace pilée et des bouteilles.

— Je l'ai fait fondre avec de l'eau chaude, expliqua-t-elle joyeusement en fermant les robinets.

Il s'approcha, la regarda se lever, ruisselante, et lui tendit à regret une serviette.

— Tu es encore plus jolie ce matin, soupira-t-il.

La fatigue le fit bâiller. Ses muscles étaient douloureux, il avait l'impression de n'avoir dormi qu'un quart d'heure.

— Je me douche, annonça-t-il en se dirigeant vers la cabine.

— Tu ne prends pas un bain ?

— Jamais.

Sous le jet d'eau froide, il acheva de se réveiller. Toute la nuit, ils avaient fait l'amour, parlé, refait l'amour jusqu'à épuisement. Kate s'était endormie lovée contre lui alors qu'une vague lueur annonçant l'aube envahissait la chambre. Brusquement, l'eau devint chaude, l'obligeant à rouvrir les yeux malgré le shampooing. Kate venait d'entrer dans la douche, toujours nue, et il eut aussitôt envie d'elle, ce qui la fit rire.

— Tu es insatiable, dit-elle avant de l'embrasser goulûment.

Elle ressortit aussi vite, s'enroula dans le drap de bain.

— Moi, je ne peux plus rien faire, tu m'as mise en miettes !

Il la rejoignit, enfila un peignoir éponge.

— Tu ne te sèches pas ? s'étonna-t-elle.

— Jamais non plus. Mais dis-moi, tu vas bien, ce matin ? Je veux dire, tu n'as pas...

— Eh bien, il y a eu un moment difficile cette nuit, mais c'était aussi un moment extraordinaire.

— Donc, tu ne m'en veux pas ?

— Oh, mon Dieu ! s'exclama-t-elle en lui jetant ses bras autour du cou.

Enlacés, ils restèrent un moment silencieux, se contentant d'écouter battre le cœur de l'autre. Aucune gêne n'existait entre eux, comme s'ils avaient toujours été amants.

— Tu as dû me trouver bien cruche, hier.

— Bien belle, surtout.

Elle se sentait flotter dans un léger brouillard de bonheur, persuadée que rien ne pourrait plus l'atteindre tant qu'elle serait dans les bras de Scott. Le fantasme de tant d'années était devenu réalité, mais elle peinait encore à le croire.

— Qu'est-ce qu'on va devenir ? finit-elle par demander.

— Je ne sais pas.

— Est-ce que tu vas me jeter ?

— Très drôle.

— On va devoir se cacher ?

— Sûrement pas. Nous ne faisons rien de mal. Mais bien entendu il y aura un drame.

Imaginer la réaction d'Angus la fit frémir. Quant à sa mère... Elle détestait Scott, pour elle ce serait le pire des scénarios. Elle serait sans doute capable de tout mettre en œuvre pour parvenir à les séparer. À cette idée, Kate se raidit, soudain glacée.

— Un drame, oui. Forcément.

Scott la prit par les épaules et la tint à bout de bras.

— Ça ira ? Tu pourras l'affronter ?

— Moi, oui. Je vis à Édimbourg. Si George ne se roule pas par terre de fureur, je resterai avec lui et je me tiendrai loin de Gillespie quelque temps. Mais toi ? Tu es bien obligé de voir ton père, d'aller là-bas... Je ne veux pas que tu te fâches avec Angus à cause de moi !

— Mais lui ne voudra pas se fâcher avec ta mère. Il est assez... lâche dès qu'il s'agit d'elle.

— Mieux vaudrait ne rien leur dire pour l'instant.

— Pour l'instant ? C'est toi qui comptes me jeter après une brève aventure ?

Malgré la plaisanterie, elle vit une lueur d'inquiétude dans son regard bleu sombre et elle en éprouva une bouffée de joie.

— Tu serais malheureux si on s'arrêtait là ?

— Un peu plus que ça.

— Alors, on est ensemble, toi et moi ?

Sa question était si naïve et si puérile qu'elle se sentit aussitôt ridicule. Pourtant Scott, au lieu de rire, la considérait gravement.

— Je suis amoureux de toi, Kate. Fais attention, ce ne sera pas quelque chose de léger ou de fugace.

Secouant la tête pour surmonter l'émotion qui la prenait à la gorge, elle répondit tout bas :

— Il faut que ce soit immense et pour toujours. Tu es tous mes rêves, Scott, je n'en aurai jamais d'autres.

Néanmoins, la réalité allait les rattraper, elle s'en doutait. Dès qu'ils parleraient, une catastrophe s'abattrait sur eux. Dans les semaines ou les mois à venir, ce dimanche resterait peut-être leur seul jour de paix.

— Je ne vais pas raser les murs, dit-il d'un ton ferme. Ni ne plus oser mettre les pieds chez moi. Je ne crains pas les affrontements.

— Chez toi ? répéta-t-elle, étonnée. Ce n'est pas ici ?

— Bien sûr que non, Kate. Cet appartement est un placement, un pied-à-terre, une solution temporaire. Ma vraie maison, c'est Gillespie.

Il était sûr de lui, déterminé, rassurant. Elle l'avait toujours connu ainsi et l'aimait aussi pour ça. Mais dans quoi allait-elle le précipiter ? C'était elle qui l'avait attendu, la veille, assise sur son lit. En le faisant, elle avait changé le cours de leurs existences. Et si Angus le jetait dehors, s'il lui retirait la gestion des distilleries, s'il le reniait ? En voulant le conquérir à tout prix, n'avait-elle pas pris le risque de le détruire ?

— Tout ira bien, Kate. Je ne suis plus un enfant, et Dieu merci toi non plus.

Depuis hier, il ne l'appelait plus « ma puce » mais utilisait son prénom. Elle avait attendu plus de six ans pour qu'il y mette un jour cette douceur particulière. Brusquement apaisée, elle décida qu'il saurait les protéger de tout et qu'elle pouvait s'en remettre à lui.

10

Graham, le premier dans la confidence, n'avait pas réussi à persuader Scott d'attendre. Lorsque le jeune homme avait insinué que cette folie serait peut-être une passade, Scott s'était mis à rire, répondant que s'il n'avait pas été tout à fait sûr de lui jamais il n'aurait franchi le pas. Kate lui était sacrée, avant, pendant, depuis.

Tout en abordant le dernier virage de l'allée menant au manoir, Scott se sentait néanmoins inquiet, et déjà sur la défensive. En annonçant sa relation avec Kate, il allait lancer une grenade dégoupillée, il le savait. Mais retarder ce moment ne servait à rien. La veille, il l'avait emmenée dîner dans un restaurant de Glasgow, l'avant-veille il était allé l'attendre devant l'université à Édimbourg, n'importe qui avait pu les remarquer, main dans la main et amoureux. Depuis la nuit mémorable qui avait suivi sa pendaison de crémaillère, Scott s'était arrangé pour la voir chaque jour. Il y prenait un incroyable plaisir et bouillait d'impatience dès qu'approchait l'heure de leurs rendez-vous. Jamais il ne s'était trouvé dans cet état fébrile, ni avec Mary ni avec aucune autre. Ayant pris une énorme responsabilité envers Kate, il aurait pu éprouver des regrets ou des doutes, or il n'en était rien. Brûler les étapes ne l'effrayait pas, mais il devait d'abord affronter sa famille. Ensuite, il serait libre de proposer à Kate d'habiter chez lui si elle le souhaitait. Un comble pour quelqu'un d'aussi indépendant que lui !

Il freina devant le perron, prit une grande inspiration et descendit de sa Jeep. Un coup d'œil sur le parc lui apprit que David avait dû beaucoup travailler ces derniers temps, mais il ne s'attarda pas. Dans le hall, il tomba sur Moïra qui, un plumeau à la main, traquait la poussière.

— Angus m'a dit que tu devais passer, et je te guettais pour t'embrasser avant que tu files dans son bureau !

Elle le détailla des pieds à la tête, avec un grand sourire affectueux.

— Tu n'as pas de dossiers sous le bras ? s'étonna-t-elle. En tout cas, tu as bonne mine, ça fait plaisir. Sais-tu que David parle encore de la fête qui a eu lieu chez toi ? Il en est revenu la tête à l'envers ! Il paraît que des filles l'ont fait danser ?

— Tu aurais dû venir, on t'aurait fait danser aussi. J'étais très déçu.

— Ton père et Amélie donnaient un dîner, ce soir-là.

— Et alors ? Ils n'avaient qu'à appeler un traiteur, tu n'es pas leur cuisinière.

Il la prit par la taille et esquissa quelques pas de valse qui la firent rire.

— Toi, mon grand, ton air radieux m'intrigue...

— J'ai l'air comme ça ? s'amusa-t-il.

— Davantage, même !

Après avoir jeté un regard circulaire pour s'assurer qu'ils étaient seuls, Scott murmura :

— Tu veux que je t'annonce la nouvelle ? Je suis venu pour vous le dire à tous, mais avant que le plafond ne nous tombe sur la tête, tu seras la première à savoir.

— Quoi donc ?

— Je suis... Bon, voilà, je suis très, très amoureux. Et tu la connais.

Elle se dégagea précipitamment, recula pour mieux le toiser.

— Je la connais, hein ? Moi qui ne sors jamais d'ici, la réponse est toute trouvée ! Tu n'as pas pu faire une chose pareille, Scott ? Pas la gamine !

— Elle a dix-neuf ans, elle est adulte.

— La question n'est pas là. Il va y avoir un scandale épouvantable.

— Pourquoi ?

— Tu le demandes ? Seigneur, je ne veux pas voir ça, je cours m'enfermer dans la cuisine !

— Attends, demanda-t-il en la retenant. Tu n'es même pas étonnée. Tu avais deviné ?

— Elle t'a toujours regardé avec les yeux de l'amour, elle ne pouvait pas s'en empêcher. Bien sûr, tu ne t'apercevais de rien. Mais le soir de son anniversaire, l'année dernière, quand Neil voulait en faire sa fiancée, tu t'es mis à la considérer différemment. Depuis ce jour, je priais pour que tu rencontres une autre femme qui t'aurait détourné d'elle.

— Une autre ne me rendrait pas aussi heureux. C'est trop tard, Moïra.

— J'espère que tu sais ce que tu fais.

— J'en ai la certitude.

— Alors... Bonne chance. Ton père est dans son bureau.

Elle semblait vraiment inquiète, mais pas triste pour autant. Ils échangèrent un long regard, puis Scott se dirigea vers la galerie d'un pas résolu. Devant la porte, il ne marqua qu'une infime hésitation, frappa et entra.

— Ah, te voilà ! s'écria Angus d'un ton réjoui. Bon, tu déjeunes ici, j'espère ? J'en ai assez que tu passes en coup de vent.

La pièce était pleine de fumée et il alla ouvrir la fenêtre avant de revenir écraser son cigare.

— Pour le déjeuner, on verra, commença Scott. D'abord, il faut que je te parle.

— Oh, je sais ce que tu vas dire ! C'est pour ces deux hectares ? Écoute, nous avons suffisamment de terres, non ?

— Quels hectares ? s'enquit Scott, coupé dans son élan.

— Ceux qui sont à vendre au-delà de la combe. Tu n'es pas au courant ? Ils appartiennent aux Bailey, qui ont besoin d'argent.

— Alors, il faut acheter.

— J'en étais sûr ! Tu es bien comme tes ancêtres, à toujours vouloir agrandir.

— Pas toi ?

— Si... À une époque, j'aurais tout acheté jusqu'à la mer, si je l'avais pu. Mais les temps changent. Et je ne souhaite pas me démunir. Tu fais déjà des investissements importants dans les distilleries.

— Bien obligé.

— Je connais tes arguments. Le problème est que cette politique que tu mènes ne donnera de résultats que dans un certain temps. Après tout, nous n'avons pas encore goûté *ton* whisky.

Il fallait que l'alcool reste au minimum huit ans dans les fûts de chêne pour que le processus d'évaporation lui ôte son âpreté et que l'appellation « single malt » soit accordée. Les bouteilles de Gillespie actuellement sur le marché n'étaient pas l'œuvre de Scott.

— J'ai gardé les meilleurs de tes employés pour leur savoir-faire.

— Mais tu as acquis des instruments de mesure modernes.

— Parce que l'erreur est humaine.

— De toute façon, je ne veux pas discuter de ça avec toi. Je t'ai laissé la direction, les ventes ont augmenté, pour l'instant je n'ai pas à me plaindre. Revenons à ces deux hectares.

— Achète-les. Pour les moutons.

— Ils n'ont pas assez de place ?

— Si, mais...

— Tu veux *aussi* davantage de moutons ? Est-ce que tu n'aurais pas la folie des grandeurs ?

— Je pense à l'avenir. La filature peut se développer, elle est en bonne voie.

Angus fronça les sourcils, réfléchit, puis il eut un petit geste désinvolte.

— Admettons. Miser sur la terre n'est jamais un mauvais pari. Mais Amélie ne sera pas contente.

— Pourquoi ?

— Sans doute parce qu'elle a prévu des dépenses plus amusantes que quelques arpents de bruyère et de chardons !

L'idée le fit rire, et Scott en profita pour rassembler son courage.

— Je voulais te parler de... Kate, annonça-t-il.

— Kate ? J'espère que tout va bien pour elle, c'est vraiment la plus mignonne. Quand je pense à ses frères, qui m'en ont fait voir de toutes les couleurs pendant des années ! Mais elle, jamais. Un modèle de sagesse, cette gamine.

— Elle a dix-neuf ans, maintenant.

— Je sais. Et alors, que lui arrive-t-il donc ?

— Eh bien... Nous nous sommes aperçus, tous les deux, que nous ne... n'étions pas indifférents.

— À quoi ?

— L'un à l'autre.

Angus le dévisagea sans comprendre. Il semblait attendre la suite, mais soudain il se raidit.

— Je ne te suis pas, là...

— Nous sommes amoureux.

— Tu me fais une blague ?

— Non, ce ne serait pas drôle. Je sais que ça peut paraître étrange, pourtant c'est arrivé.

Après un long silence, au cours duquel il n'avait pas quitté son fils du regard, Angus demanda d'un ton glacial :

— C'est quoi, « amoureux » ?

— Amants, répondit Scott sans baisser les yeux.

— Toi et la petite, amants...

Voyant que l'incrédulité de son père était en train de se muer en fureur, Scott voulut dédramatiser la situation.

— Elle est adulte, moi aussi. Et ce n'est pas ma sœur, c'est la fille d'Amélie. Il n'y a rien de si terrible.

— Tu es devenu cinglé, ma parole ! tonna Angus en tapant du poing sur le bureau. Comment as-tu osé faire une chose pareille ? Tu as pris tes précautions, au moins ? Oh, j'imagine la réaction d'Amélie ! Elle va t'arracher les yeux ou les couilles ! Je serais toi, je me tairais. Pourquoi m'en parles-tu, d'ailleurs ? Je ne veux pas le savoir. Oubliez ça et allez voir ailleurs, l'un comme l'autre.

— Mais non, c'est sérieux.

— *Sérieux* ? Cette monstruosité ? Elle, encore, est sans doute innocente, mais toi ! Tu devrais avoir honte, Scott, tu devrais te cacher !

— Justement, nous ne le voulons pas.

— Il va bien falloir, d'accord ou pas. Vous ne pouvez tout simplement pas avouer ça.

— Je... À vrai dire, papa, je ne suis pas en train de te demander une quelconque permission. Ni pour aimer Kate, ni pour le faire savoir.

Angus pâlit d'un coup. Les mâchoires crispées, le regard étincelant de rage, il se leva.

— Est-ce que tu te rends compte de ce que tu fais ? Tu crois que je n'en ai pas assez supporté depuis mon mariage avec Amélie ? John nous a rendu la vie impossible, Philip est gay, George a failli être un cancre ! Pendant ce temps, moi, j'ai payé pour tout le monde, les études, les logements et le reste. Jusqu'ici, seule Kate ne faisait pas d'histoires, mais finalement ce sera elle la pire ! Et toi, que j'ai essayé de préserver parce que tu es mon fils unique, tu couches avec la petite et tu t'en vantes ! Je te rappelle que nous avons perdu un enfant, Amélie et moi, et ça n'a pas été facile à accepter. J'espérais connaître au moins une fin de vie tranquille, or tu viens me lancer une bombe à la figure !

— Je me contente de te dire la vérité.

— Je ne peux pas l'accepter.

— Et alors ?

Comme si Scott l'avait frappé, Angus recula d'un pas et heurta son fauteuil, dans lequel il s'effondra. Après un long silence, il murmura :

— Sors de mon bureau.

— Non, pas sur une querelle. Je savais que tu te mettrais en colère, et j'en suis désolé. Je sais aussi qu'Amélie va mal le prendre.

— Tes mots sont faibles !

— Mais vous ne devez pas oublier que nous sommes adultes, Kate et moi. Qu'il ne s'agit pas d'une passade, sinon nous n'aurions pas été si loin. Et je ne serais pas venu t'en parler.

— Pourquoi le fais-tu, grand Dieu ? Ce qu'on ignore ne peut pas nous atteindre ni nous pourrir la vie !

— Il me semblait hors de question que tu l'apprennes par quelqu'un d'autre. Je te le répète, nous ne nous cachons pas. Nous ne vivrons pas en parias.

— En tout cas, vous ne mettrez pas les pieds ici tant que durera cette liaison inacceptable !

— Comme tu veux. Tu es chez toi.

Scott se leva sans hâte pour laisser à son père le temps de se reprendre. Mais, alors qu'il allait ouvrir la porte, Angus lui lança :

— Et, bien sûr, tu comptes sur moi pour l'annoncer à Amélie ?

— Je peux le faire moi-même, si tu préfères.

— Est-il indispensable qu'elle l'apprenne ?

— Oui, c'est plus honnête.

— Honnête ! répéta Angus avec dérision. Quelle drôle d'expression…

Scott fit deux pas dans sa direction, s'arrêta.

— Je ne suis ni menteur ni malhonnête. Tu crois que je suis venu t'assener une mauvaise nouvelle alors qu'il s'agit de bonheur. Celui de Kate et le mien.

— Comment peux-tu le savoir, pauvre idiot ? C'est si récent ! Vous avez bravé l'interdit et vous vous dépêchez de le proclamer, mais ensuite ? Imagine un peu que votre amourette ne dure pas plus d'une saison, vous aurez mis la famille à feu et à sang pour rien !

Jusque-là, Scott avait espéré apaiser la colère de son père en restant calme et mesuré, mais soudain il perdit patience.

— Pourquoi faut-il que tu aies tellement peur d'Amélie ? Tu sais qu'elle me déteste depuis le premier jour parce que je suis ton fils et que, d'une manière ou d'une autre, je dois gêner ses projets. Tu ne me défendras pas, tu ne défendras pas Kate, même si tu nous aimes. Amélie va nous traiter comme des criminels et, d'avance, tu acquiesces ! Sans elle, tu serais le premier à te réjouir, mais à cause d'elle tu es prêt à nous maudire. Je t'ai connu moins influençable et moins timoré. Kate est une fille fantastique, la meilleure que je pouvais trouver, et tu aurais dû me féliciter. Tu préfères me flanquer dehors, je respecte ton choix.

Il ouvrit la porte à la volée et jeta, par-dessus son épaule :

— Si tu veux aussi me licencier, fais-le-moi savoir !

N'écoutant pas ce qu'Angus criait derrière lui, il remonta la galerie à grandes enjambées. Dans le hall, Moïra était toujours là, son inutile plumeau à la main car elle l'attendait et ne chassait plus la poussière. Scott voulut lui parler mais il avait une boule dans la gorge et il se contenta de secouer la tête.

— Mon petit..., dit-elle en tendant la main.

Un mot doux qu'elle n'avait pas utilisé depuis très longtemps. Il sentit qu'elle lui serrait l'épaule d'un geste ferme et il se pencha pour l'embrasser sans rien dire. Il sortit, gagna sa voiture, démarra. Au bout de l'allée, juste avant le tournant, il regarda la façade de Gillespie disparaître dans son rétroviseur. Moïra avait dû voir qu'il avait les yeux brillants de larmes et il s'en voulut d'être aussi bouleversé. Peut-être avait-il espéré que, une fois la stupeur passée, son père essaierait de comprendre, à défaut d'être solidaire. Mais il s'était seulement montré effrayé à l'idée de la scène qu'allait faire Amélie. Et sa leçon de morale n'avait qu'un but : ne pas contrarier la chère épouse ! Son amour pour son fils et son affection pour Kate ne tenaient pas une seconde devant la crainte que lui inspirait sa femme. Redoutait-il qu'elle ne s'en aille et ne le laisse seul ? Dans ce cas, il était bien naïf, elle ne partirait jamais, la place était trop bonne.

Résigné mais amer, Scott accéléra en atteignant la route.

*

Kate rayonnait. Elle avait l'impression que ses semelles étaient montées sur des ressorts, et tout ce qui l'entourait semblait appartenir à un monde merveilleux. Scott était son amant, il lui disait qu'il l'aimait, il la regardait comme il n'avait jamais regardé Mary. Un bonheur pareil devait sûrement se payer un prix exorbitant, c'était la seule ombre au tableau, mais elle se savait prête à tout affronter, tout accepter.

Mis au courant, son frère George avait été moins stupéfait que prévu, affirmant qu'en effet l'attitude de Scott envers Kate s'était modifiée avec le temps.

— Mais toi aussi, ma grande, tu as changé ! L'ado avec les nattes est devenue une très jolie fille, tous mes copains te sourient d'un air idiot. Scott n'est pas aveugle, il a fini par te remarquer aussi.

Il plongea la main dans le paquet de chips au vinaigre posé sur ses genoux et en sortit une poignée, puis il le tendit à Philip. Celui-ci était venu avec Malcolm pour boire un verre, et ils avaient ri aux éclats en apprenant l'incroyable nouvelle.

— Quel souk ce doit être à Gillespie ! fit remarquer Philip. Maman va mener une vie impossible à Angus jusqu'à ce qu'il accable Scott.

— Elle ne l'aime pas, admit Kate, mais rappelez-vous, vous ne l'aimiez pas non plus !

— Moi, je l'aurais adoré sur-le-champ, insinua Malcolm en se remettant à rire. Je comprends Kate, Scott a tout pour plaire.

Philip leva les yeux au ciel d'un air faussement excédé, mais il ne semblait pas y avoir le moindre nuage entre lui et Malcolm. Kate les trouvait attendrissants et refusait d'écouter les plaintes de sa mère à leur sujet. De toute façon, désormais, l'anathème serait sur elle, et Philip ne risquait plus rien.

— Maman est capable de se venger, rappela George. Elle va tellement en vouloir à Scott...

— Mais pourquoi à lui ? s'énerva Kate. Nous sommes deux !

— Toi, tu es sa fille. Elle va t'engueuler sans chercher à te faire du mal. Alors que, grâce à Angus, elle peut atteindre Scott.

— J'irai lui parler, décida Kate.

— Et tu crois pouvoir la calmer ? Vous ne ferez que vous disputer.

George souffla dans le paquet de chips vide et le fit bruyamment claquer.

— Je remplis les verres ? proposa-t-il à la cantonade.

Philip et Malcolm acceptèrent, mais Kate ne voulait pas boire. Elle avait rendez-vous un peu plus tard avec Scott au Abbotsford, un pub de Rose Street, et elle souhaitait garder les idées claires pour entendre le récit de l'entrevue avec son père. Navrée de l'obliger à faire de la route, elle devait cependant rester à Édimbourg les jours où elle avait cours à l'université. Lorsqu'elle dormait dans l'appartement qu'elle partageait avec George, elle se désespérait de ne pas être à Glasgow, et elle commençait à envisager d'y poursuivre ses études. Néanmoins, laisser George tout seul posait un problème, sauf si elle lui trouvait un autre colocataire. Angus serait-il d'accord ? Ces bouleversements ne risquaient-ils pas de nuire à George, au bout du compte ?

— Ton téléphone vibre, lui fit remarquer Philip.

Elle s'en saisit en hâte et lut le message que Scott venait de lui envoyer : *Ça s'est très mal passé, comme prévu, mais au moins les choses sont claires. Je serai à l'heure, ça roule bien. Je t'aime éperdument.*

— Le drame est en marche, annonça-t-elle d'une voix consternée.

— Ne fais pas cette tête, tu n'as rien à te reprocher, affirma Malcolm en lui tapotant la main.

— Tu ne peux pas comprendre, protesta Philip. Tes parents sont des anges, ils ne t'ont jamais jugé, et quoi que tu fasses ils te trouvent formidable. Pour maman, c'est différent, elle est toutes griffes dehors dès qu'elle n'est pas d'accord avec l'un de nous. Il n'y avait que John, son chouchou, qui pouvait faire n'importe quoi...

et d'ailleurs, il l'a fait ! Mais en ce qui concerne Kate elle va avoir une crise de nerfs.

— Eh bien, tant pis pour elle !

— Pour elle, peut-être, mais imagine un peu les conséquences. Suppose qu'Angus retire à Scott la direction de ses affaires ?

— Pour la confier à qui ? intervint George avec un rire ironique. Angus n'est pas fou, que je sache.

— Je ne veux pas que les choses dégénèrent, déclara Kate. Je ne le permettrai pas. Qu'à cause de moi Scott se retrouve écarté des distilleries me serait insupportable.

Elle en prenait conscience avec angoisse. Elle s'était sentie si heureuse ces derniers temps qu'elle avait évité de penser aux obstacles qui allaient immanquablement se dresser devant elle. Scott se montrait rassurant et protecteur, répétant qu'ils étaient adultes tous les deux, mais comment ignorer les réactions d'Angus et d'Amélie ? Comment ne pas redouter le pire ?

— Nous serons là pour toi si tu as des problèmes, affirma tranquillement Malcolm.

— Tu es gentil.

— Mais c'est normal, tu es quasiment ma belle-sœur ! répondit-il avec un sourire désarmant.

Kate lui rendit son sourire, amusée par l'expression « belle-sœur ». Son frère et Malcolm se comportaient comme un couple et ne s'en cachaient pas, indifférents à l'opinion des autres. Amélie n'appréciait pas, mais elle en avait pris son parti et se taisait, lèvres pincées, quand elle les recevait. Hélas, elle n'en ferait pas autant concernant Scott, elle le détestait trop.

— Peut-être serez-vous obligés de fuir au bout du monde, tels des amants maudits ? ironisa Malcolm. Ce serait follement romantique !

— Pourquoi fuir ? protesta George. Ils n'ont commis aucun crime.

— Absolument, renchérit Philip. Quand on s'aime, on devrait se moquer du reste du monde.

Malcolm lui jeta un regard attendri, puis il agita son verre vide.

— À boire ! On va trinquer au grand amour, d'accord ?

Un toast que Kate ne pouvait pas refuser. Elle but quelques gorgées puis se leva, pressée d'aller se changer. Chaque rendez-vous avec Scott lui faisait battre le cœur, et chaque fois elle se souvenait du culot dont elle avait fait preuve en l'attendant dans sa chambre, le soir béni où ils étaient devenus amants. Jamais Scott n'aurait fait le premier pas. Le bonheur tenait à peu de chose, presque rien en réalité, il suffisait de saisir sa chance au vol. Kate l'avait attrapée et elle comptait s'y accrocher.

*

Amélie s'étant enfin endormie, le dos tourné comme il s'y attendait, Angus en profita pour se lever sans bruit. Il enfila sa robe de chambre puis traversa la chambre sur la pointe des pieds. À la porte, il patienta un instant mais la respiration d'Amélie était régulière, elle ronflait même légèrement. Il sortit, longea le couloir, monta au second et alla frapper chez Moïra. Elle lui ouvrit tout de suite, preuve qu'elle ne dormait pas.

— Toi non plus ? demanda-t-elle en le dévisageant.

— Je n'ai pas réussi à trouver le sommeil, soupira-t-il.

— Je m'en doutais. Et Amélie ?

— Elle a fini par sombrer.

— Elle s'est mise dans un tel état…

— Évidemment ! À quoi t'attendais-tu ? À ce qu'elle applaudisse ?

— Non, mais enfin il n'y a pas mort d'homme.

Emmitouflée dans sa robe de chambre en tartan, elle le précéda vers les deux fauteuils qui entouraient la cheminée éteinte. On ne montait plus de bûches au second depuis longtemps, mais un dispositif à gaz imitait bien les flambées et elle le mit en route.

— Scott m'a vraiment poignardé dans le dos, soupira Angus en s'asseyant.

— Ça n'a rien à voir avec toi. Il est tombé amoureux de la petite, voilà tout.

— Amélie se demande quand !

— Quand quoi ? demanda-t-elle, éberluée.

— Quel âge avait-elle quand il a commencé à loucher sur elle, hein ?

— Angus ! Tu ne peux pas penser une chose pareille. Ta femme, peut-être, parce qu'on sait tous qu'elle a pris Scott en horreur, mais pas toi. Il n'a jamais *louché* sur elle, comme tu le dis si élégamment. Je crois que c'est le jour où Neil Murray voulait lui offrir une bague de fiançailles que Scott a réalisé qu'elle n'était plus une gamine. De toute façon, avant ça, il ne venait pas souvent nous voir, souviens-toi.

— Si tu le dis...

— Je le dis parce que c'est la vérité ! Ton fils est quelqu'un de bien, Angus. Tu le sais, alors ne laisse personne essayer de te faire croire le contraire.

— Pourtant, je maintiens qu'il n'aurait jamais dû la regarder. Pourquoi elle, bon sang ? Il y a plein de jolies filles à Glasgow et je suis sûr qu'il peut avoir toutes celles qu'il veut. Avoir choisi Kate, c'est comme s'il avait délibérément voulu se venger d'Amélie.

— Se venger ? railla-t-elle. Il aurait des raisons ?

— Ne joue pas sur les mots. Et parle-moi gentiment, j'ai assez entendu de cris pour aujourd'hui.

Lorsqu'il s'était résigné à mettre Amélie au courant, la soirée avait été atroce. Vociférant, menaçant et tournant en rond, sa femme l'avait d'abord accablé de reproches, puis elle s'en était prise à Scott en déversant sur lui un flot d'injures. Enfin, elle avait traité Kate d'idiote et d'écervelée, mais de façon moins virulente car sa colère visait essentiellement Scott, pas sa fille. Bien entendu, elle refusait d'avance qu'ils franchissent la porte de la maison. Quand elle avait été fatiguée de crier, elle s'était mise à sangloter, accrochée à Angus, jusqu'à ce qu'il l'aide à monter pour se mettre au lit.

— Laisse passer l'orage, suggéra Moïra. Elle finira par s'y faire.

— Elle ? On dirait que tu ne la connais pas !

— J'ai souvent du mal à la comprendre. En revanche, tu es mon frère et nous pouvons nous parler à cœur ouvert. C'est bien ce que tu es venu chercher en frappant à ma porte, non ?

Angus soupira mais n'essaya pas de protester. Il se sentait vieux, dépassé par les événements, et il avait besoin de l'affection paisible de sa sœur.

— Que vas-tu faire, maintenant ?

— J'ai demandé à Scott de se tenir loin d'ici.

— Il est parti bouleversé. Tu l'as vraiment mis dehors ?

— Je ne sais plus quels termes j'ai employés… Mais nous nous sommes disputés, évidemment. Il avait l'air de se moquer de mon opinion.

— Quoi d'étonnant ? Il a vingt-huit ans ! Ce n'est plus le gamin que tu as envoyé en pension parce que tu le trouvais insolent.

Il savait qu'elle lui en voulait toujours. À l'époque, elle avait été blessée par sa décision, estimant Scott trop jeune pour être séparé de sa famille alors qu'il avait perdu sa mère. Néanmoins, Scott s'en était bien trouvé. Angus l'avait expédié dans un établissement haut de gamme où l'on dispensait une éducation et un enseignement sans faille. Malgré toute sa tendresse, Moïra n'aurait pas pu gérer aussi bien le garçon turbulent qu'il était alors.

— Amélie voudrait que je mette Scott au pied du mur, avoua-t-il brusquement. Ou il cesse de voir Kate, ou il se cherche du travail ailleurs.

Moïra le regarda avec stupeur avant d'éclater de rire.

— Elle est bien bonne, celle-là ! Tu irais jusqu'à cette extrémité ? Je ne peux pas croire que tu oses y penser… Enfin, mon pauvre, atterris !

— Je ne vois pas ce qu'il y a de drôle. C'est mon seul moyen de pression sur lui.

— Pression ? Tu rêves ! Il va t'envoyer sur les roses et vous serez fâchés pour l'éternité. Scott trouvera une situation ailleurs, il a un solide diplôme et il a déjà fait ses preuves. Mais toi ? Tu comptes rempiler, te remettre au travail ? Tu es retraité et tu adores ça. Tu es trop content de lui avoir refilé tes affaires, en plus il s'en occupe très bien, tu l'as constaté puisque l'argent rentre. Tu as même clamé sur les toits qu'il prenait les bonnes décisions, qu'il avait tout modernisé sans heurt et qu'il avait su donner un nouvel essor aux distilleries Gillespie. Tu l'as dit, Angus !

— Nul n'est irremplaçable, maugréa-t-il.

— Allons, ne sois pas stupide. Tu embaucherais un étranger en qui tu n'aurais aucune confiance ? Tout ça pour apaiser la fureur de ta femme ?

Angus baissa la tête et se perdit dans la contemplation des flammes de gaz. Au bout d'un moment, il lâcha à voix basse :

— Je vais t'avouer quelque chose, Moïra… Vous croyez tous que j'ai peur d'Amélie, mais ce n'est pas ça. J'ai seulement peur qu'elle s'en aille. Mon pire cauchemar serait de me retrouver encore une fois seul. J'ai détesté être veuf, être obligé d'aller traîner à Glasgow pour… Enfin, tu vois. Quand j'ai rencontré Amélie, je ne croyais pas à ma chance ! J'ai tout accepté, les quatre gosses et son mauvais caractère, parce que je n'en revenais pas qu'elle veuille bien de moi et qu'elle me suive ici. Je ne suis pas très séduisant, je le sais, je suis bien plus âgé qu'elle, et nous vivons dans un coin perdu. Alors, comprends-moi, je suis fier de la montrer et comblé qu'elle partage mon lit. Je veux qu'elle reste.

Prenant le temps de digérer la confidence, Moïra garda le silence.

— Je ne sais pas comment tu fais, ajouta-t-il encore plus bas. Tu as toujours été seule... et David aussi. Moi, je ne peux pas le supporter. J'ai besoin d'une femme à mes côtés pour exister.

La cruauté involontaire de ses paroles lui apparut trop tard. Si Moïra ne s'était jamais mariée et n'avait sans doute pas connu l'amour, il en portait sa part de responsabilité. N'avait-il pas éloigné d'elle les éventuels prétendants en la surveillant trop jalousement lorsqu'elle était jeune ?

— Amélie te menace et tu la crois, soupira-t-elle. Quelle naïveté ! Elle ne partira pas, Angus, elle ne te laissera pas. Où irait-elle ? De plus, elle apprécie cette maison, et surtout elle est attachée au statut social que tu lui as offert. Tu lui passes tous ses caprices, elle n'a aucun souci matériel. Comme elle n'a jamais travaillé, que deviendrait-elle si elle te quittait ? Non, ce qu'elle désire par-dessus tout, c'est faire place nette. Être la seule à régner sur toi et sur Gillespie. David et moi, nous ne comptons pas, elle nous l'a bien fait comprendre, mais Scott est comme une grosse épine dans son pied. Elle aurait bien voulu que John puisse un jour diriger tes affaires, mais il s'est dérobé. Aujourd'hui, peut-être mise-t-elle sur George...

— Tu la vois comme un monstre !

— Pas du tout. Elle veut assurer l'avenir de ses enfants, je peux comprendre, mais pas au détriment de ton fils. Ne la laisse pas vous séparer, Angus, tu le regretterais amèrement. Tu aimes Scott et tu es fier de lui, il est ta vraie famille. Si tu le renies, il ne te le pardonnera pas.

Désemparé, il mit ses coudes sur ses genoux et se prit la tête à deux mains.

— Alors, que puis-je faire ? marmonna-t-il.

— Le dos rond.

— Mais elle exige…

— Elle n'a pas à exiger ! Qu'elle sermonne Kate si elle y tient, toi, tu as dit ta façon de penser à Scott, restez-en là pour l'instant.

De façon paradoxale, il était soulagé par les propos de Moïra. Sans doute avait-il espéré l'entendre prendre la défense de son fils, mais surtout il se sentait rassuré. Non, Amélie n'allait pas faire ses valises. Elle bouderait, continuerait à le menacer, le ferait tourner en bourrique, mais elle ne l'abandonnerait probablement pas.

Il se leva, sourit à sa sœur.

— Bon, tu as raison, après tout ce n'est pas la fin du monde.

Arrivé à la porte, son sourire s'agrandit encore et il se retourna pour déclarer :

— Ne le répète à personne, mais quand j'y pense, mon fils et la petite forment un joli couple, non ?

*

À peu près au même moment, Scott et Kate chuchotaient dans leur chambre. Afin de ne pas embarrasser George, Scott avait refusé de dormir à l'appartement, et comme Kate ne voulait pas le quitter, il l'avait emmenée au Scotsman Hotel, en plein cœur de la vieille ville. Peu habituée au luxe, elle s'était émerveillée de tout en arrivant, du marbre de la salle de bains au canapé douillet installé devant les fenêtres. Sa gaieté avait ému Scott. Il avait à la fois l'impression étrange de très bien la connaître et de la découvrir. Elle était pour lui une inconnue incroyablement familière, et il ne se lassait pas de la regarder, étonné d'éprouver à son égard des sentiments d'une telle intensité.

Jamais rassasiés l'un de l'autre, ils avaient longuement fait l'amour, puis Scott avait commandé une bouteille de vin blanc français qu'ils avaient bue en prenant un bain ensemble. À présent, blottie contre lui, elle énumérait des souvenirs qui le faisaient rire aux éclats.

— Et cette paire de chaussures vernies ! Je devais avoir quatorze ans, j'avais réussi à convaincre maman de me les acheter et tu ne les as même pas regardées. Jamais ! Je te guettais du haut du belvédère, et quand tu arrivais, le soir, je dégringolais les escaliers pour venir parader devant toi, mais rien à faire, tu ne remarquais pas ces merveilles de chaussures vernies. Bien sûr, je les portais avec des chaussettes, ça devait être affreux...

— Tu me guettais tous les soirs ?

— Oh oui ! La calandre de ta Jeep est gravée sur ma rétine.

— J'en ai changé, depuis.

— C'est toujours une Jeep, et je reconnaîtrais le bruit du moteur les yeux fermés.

— Je n'ai jamais eu l'impression d'être épié.

— Pourtant, tu l'étais. Je me serais damnée pour que tu m'accordes un peu d'attention. En classe, je ne pensais qu'à toi, tu étais mon obsession. Le bal costumé, au moins, tu t'en souviens ?

— Je t'ai accompagnée parce que tu n'avais pas de cavalier. Mais je ne me souviens pas de grand-chose d'autre.

— Moi, oui ! Tu m'as fait danser et j'étais tellement émue que je tremblais comme une feuille et que je n'arrêtais pas de te marcher sur les pieds. Toutes les filles étaient jalouses, d'après elles personne n'avait un grand frère comme toi, mais pour moi tu étais seulement le garçon qui m'escortait et je me sentais sur un nuage ! Ce soir-là, je te le jure, je nous ai vus comme un couple. Dans ma tête, j'étais la reine du bal, mais il y a eu l'effet Cendrillon parce que tu m'as ramenée à la maison avant minuit, et bien sûr tu ne m'as pas embrassée, alors quand je me suis vue dans le miroir de ma chambre j'ai compris que je n'étais qu'une gamine pour toi, moche et mal fagotée.

— Kate…

— Eh oui, tu as beaucoup à te faire pardonner ! Sans le savoir, tu m'as rendue à la fois malheureuse et folle de joie pendant toute mon adolescence. Avec un sentiment de malaise parce que je me disais que je n'étais pas normale de t'idolâtrer à ce point. Mais c'était bon de penser à toi, c'était excitant d'avoir un jardin secret…

— D'accord, dit-il en caressant ses cheveux, je vais te rendre tout cet amour au centuple.

— Tu crois ? Et si tu te lasses de moi ?

— Je ne pense pas.

— On ne peut jamais savoir, n'est-ce pas ?

Il prit le visage de Kate entre ses mains et le contempla.

— Et toi ? Rien ne me prouve que tu n'en auras pas très vite assez. Après tout, si j'étais ton rêve, comme tu le dis, maintenant que tu l'as réalisé tu pourrais déchanter. Si j'ai bien compris, tu m'as idéalisé et je ne serai peut-être pas à la hauteur.

Elle se mit à rire et lui échappa en roulant à l'autre bout du lit.

— N'espère pas t'en sortir aussi facilement ! En ce qui me concerne, je m'accroche à mon idéal, je t'ai, je te garde. D'ailleurs, tu ne peux pas me décevoir, je connais tous tes défauts.

— Ah bon ?

— Tu es coléreux, têtu, exclusif, peut-être même querelleur, et en tout cas très *fils unique*... Mais au moins tu n'es pas avare, cet hôtel est royal !

Fasciné, il la regarda virevolter toute nue au milieu de la chambre. En quelques semaines ils avaient réussi à surmonter leurs réserves, dues à l'étrangeté de la situation, et entre eux l'intimité était devenue naturelle.

— Kate, si tu peux transférer ton dossier universitaire, viens vivre avec moi à Glasgow. Je déteste te savoir loin.

Soudain sérieuse, elle le considéra d'un air grave.

— Pour de vrai ? Mais tu es tellement... Tiens, je l'avais oublié, celui-là, tellement indépendant !

— Non, plus maintenant, pas vis-à-vis de toi.

Il se souvint d'avoir obstinément refusé de s'installer chez Mary, à l'époque de leur liaison. Pourtant, il était amoureux d'elle à ce moment-là, mais la perspective d'une cohabitation le faisait fuir. Avec Kate, tout était différent, elle transformait sa vision de l'amour et de l'avenir.

— Si tu n'es pas prête, ne te sens pas obligée.

— Tu veux rire ? Je vais arriver chez toi ventre à terre ! Le seul problème, c'est George.

— On lui trouvera un autre colocataire.

— Il trouvera tout seul. Sa copine cherche un logement, ils sauteront sur l'occasion.

— Il a une petite amie ?

— Depuis peu, oui. De cette façon, tout pourrait s'arranger, sauf que ton père ne sera peut-être pas d'accord.

— Pourquoi ? Il aura un demi-loyer en moins à payer. Je sais qu'il ne veut plus entendre parler de nous pour l'instant, mais George n'est pas concerné.

— J'espère... Tu sais, j'ai décidé de parler à maman.

— Mauvaise idée. Laisse passer l'orage.

— Non, c'est lâche. Je vais au moins lui téléphoner et lui expliquer que je t'aime, que je suis heureuse, qu'elle doit l'accepter puisqu'elle ne peut rien y changer.

Dubitatif, il n'essaya pourtant pas de la faire changer d'avis. Sa relation avec sa mère ne concernait qu'elle, il ne voulait pas s'en mêler, même s'il savait qu'Amélie dirait des horreurs sur lui et que Kate finirait par raccrocher, furieuse. À quoi bon une querelle supplémentaire ?

— Il faut crever l'abcès, Scott. Parce que je ne supporterais pas qu'Angus, sur les mauvais conseils de maman, s'en prenne à toi.

— On verra bien, éluda-t-il pour ne pas l'inquiéter.

Sans nouvelles de son père, il se rendait quotidiennement à Greenock et à Inverkip, où il travaillait d'arrache-pied. Si la direction des distilleries et de la filature lui était retirée, il laisserait les trois affaires avec d'excellentes perspectives. Pour le moment, il ne voulait pas y penser car ce serait pour lui une grande frustration de ne pas assister à l'aboutissement des efforts déployés depuis quelques années. Son père irait-il jusqu'à cette extrémité ? C'était peu probable mais, d'affrontements en disputes, la situation pouvait dégénérer. Partagé entre son attachement à la marque familiale du whisky Gillespie et la menace d'en être écarté pour un motif stupide, il se sentait exaspéré. S'il devait se retrouver en sursis et soumis au bon vouloir de son père ou de sa belle-mère, il préférait devancer la rupture et donner sa démission. Sauf qu'il ne s'imaginait pas travailler pour la concurrence, et encore moins changer de métier.

— Tu es soucieux, remarqua Kate en le rejoignant.

Elle s'allongea contre lui, la tête nichée dans le creux de son épaule.

— Il est presque deux heures, ma belle, on devrait dormir.

Prêt à tout pour la préserver, il se promit de ne pas jeter d'huile sur le feu. Mais, en lui demandant de venir vivre avec lui, n'avait-il pas déjà commencé ? Il étouffa un soupir et la serra dans ses bras.

*

— Les pensées sont peut-être très jolies, mais il faut les remplacer chaque année. En plus, elles boivent comme des trous ! Non, mieux vaut des vivaces, plus économiques et moins assoiffées.

Pour une fois, Amélie ne contredit pas David. Elle n'eut qu'un bref regret pour son parterre de pensées avant de proposer d'autres variétés. Au fil du temps, elle avait abandonné l'idée de gérer les plantations, David se montrant assez buté pour en garder l'exclusivité. Et force était de constater qu'il se donnait beaucoup de mal. Les résultats étaient inégaux mais, vu la taille du parc et les caprices de la météo, on devait s'en contenter.

— En tout cas, les buis sont très bien taillés. J'aime beaucoup ces grosses boules, vous les avez réussies.

S'il était surpris d'obtenir un compliment, il n'en montra rien. Amélie lui adressa un sourire et s'éloigna dans l'allée. L'air était assez doux pour lui donner envie de s'asseoir sur le banc de pierre, ce qu'elle fit avec plaisir. Loin de la maison, elle pouvait réfléchir en paix. Depuis plusieurs jours, elle se demandait ce qu'elle devait dire à Kate. De quels moyens de pression disposait-elle ? À quels arguments sa fille serait-elle sensible ? La savoir amoureuse de Scott était inimaginable, et l'imaginer dans son lit tout à fait intolérable. D'autant plus que personne n'avait rien vu venir ! Ni Amélie elle-même, ni Angus, ni... Moïra avait-elle deviné ? Quoi qu'il en soit, l'important était de les séparer. Mais comment ?

Elle essaya de penser calmement à sa fille. Une très jolie jeune femme, discrète et bonne élève, qui aurait dû s'épanouir à Édimbourg dans sa vie d'étudiante. Les rencontres n'avaient sans doute pas manqué, pourquoi avait-elle cédé à Scott ? De quelle façon s'y était-il pris pour

305

la séduire ? Certes, elle avait toujours montré beaucoup d'affection et d'admiration pour lui, mais comme une petite fille. En avait-il profité ?

Elle chassa un insecte venu se poser sur sa joue. Penser à Scott la mettait toujours en colère, même avant qu'il s'en prenne à sa fille ! Elle n'avait jamais aimé ce jeune homme sûr de lui qui réussissait tout ce qu'il entreprenait, contrairement à ses propres fils. Un temps, elle avait voulu lui opposer John, dans une lutte dérisoire et perdue d'avance. John avait fini par déserter, sans se soucier de sa mère, exactement comme Michael l'avait fait en son temps, indifférent à sa famille. Une déception terrible pour Amélie, presque une trahison. Ensuite, il y avait eu Philip, se déclarant homosexuel et content de l'être, puis filant chez son ami Malcolm, d'où il donnait peu de nouvelles. Et maintenant, Kate...

De loin, David lui cria quelque chose qu'elle ne comprit pas et elle se contenta d'agiter la main. Qu'il fasse donc ce qu'il voulait, la végétation n'occupait pas le premier rang de ses soucis ! Elle se tourna pour observer le manoir qui se dressait à contre-jour. Décidément, c'était une superbe propriété, plus belle encore que sur la photo que lui avait montrée Angus à Paris, six ans auparavant. Ce cliché avait tout déclenché. Elle se souvenait d'avoir regardé plus attentivement l'Écossais assis à côté d'elle, sans deviner que toute sa vie allait en être bouleversée. Elle ne regrettait rien, loin de là, mais elle n'avait pas obtenu tout ce qu'elle désirait. Angus la chouchoutait, la ménageait car il craignait ses réactions, néanmoins il ne lui avait rien accordé d'autre que son titre d'épouse légitime. Qu'arriverait-il, s'il disparaissait ? Il avait presque vingt ans de plus qu'elle, le problème se poserait fatalement. Et, ce jour-là, Scott serait un ennemi irréductible. Si seulement elle avait pu donner naissance à son bébé ! Et, par comble de malchance, elle l'avait perdu juste avant qu'Angus rédige son testament. Depuis, la question ne s'était plus posée.

Elle soupira et ferma les yeux, concentrée sur ses problèmes. Kate était trop volontaire pour se laisser persuader de mettre un terme à son aventure avec Scott. Elle se prétendait follement amoureuse et affirmait que c'était réciproque. Bon… N'y avait-il pas là quelque chose à exploiter ? Contraindre Angus à se fâcher avec son fils serait difficile et hasardeux, une réconciliation étant toujours possible. Mais pourquoi ne pas mettre Scott face à ses responsabilités ? Il avait voulu Kate, qu'il la garde, qu'il l'épouse !

L'idée était effrayante, mais aussi très séduisante. Obliger Scott à se marier avec Kate présenterait des avantages certains, comment n'y avait-elle pas pensé plus tôt ? Qu'il en ait envie ou pas importait peu, il faudrait bien qu'il cède. Angus avait assez dit que son fils était droit, honnête, loyal, le moment était venu de le prouver. Une fois les jeunes gens liés, Kate serait une vraie Gillespie, elle donnerait naissance aux descendants légitimes d'Angus !

Incapable de rester assise, elle quitta le banc et se mit à faire les cent pas dans l'allée, restant à bonne distance de David. Elle devait continuer à réfléchir, cerner tous les aspects de son plan. En devenant une *deuxième* fois la belle-mère de Scott, elle le contraignait au respect. Dans l'avenir, elle aurait davantage de prise sur lui, car à cause de Kate il n'oserait plus la défier. En plus, Scott était un très bon parti, meilleur même que Neil Murray. Décidément, cette union ne présentait que des avantages. Y compris la reconnaissance sans bornes de Kate qui, follement amoureuse, serait trop heureuse – et sans doute étonnée – d'avoir l'appui de sa mère. Quant à Angus, cette solution allait le combler puisqu'elle lui assurerait la paix au sein de sa famille.

Très contente d'elle-même, elle se baissa pour cueillir quelques tulipes et entendit David qui protestait au loin.

— Elles vont vite faner dans un vase !

— Peut-être, mais j'en ai envie, marmonna-t-elle.

Devait-elle soumettre son idée à Angus ? Prévenir Kate ? Non, pour l'instant mieux valait se taire et peaufiner le discours imparable qu'elle allait tenir à Scott.

*

— Kate ! Ça fait si longtemps... Tu as beaucoup grandi, tu es superbe.

Mary s'était arrêtée net en la croisant et l'avait hélée. Toujours aussi élégante, ses cheveux blonds un peu plus longs, Mary semblait en pleine forme.

— Allez, donne-moi des nouvelles de tout le monde ! La filature marche bien ? Et Scott, que devient-il ?

Elle avait à peine hésité sur le prénom, mais une ombre venait de traverser son regard. Embarrassée, Kate esquissa un sourire, cherchant comment présenter les choses.

— La filature a commencé à faire des bénéfices. Ton travail a été très apprécié et les collections se sont bien vendues. Cette année, Scott a engagé un nouveau styliste, un Italien, je crois.

— Et les distilleries ?

— Elles se modernisent petit à petit. Si tu t'en souviens, Angus n'apprécie pas les changements, mais Scott a fini par s'imposer.

— Comment va-t-il ? insista Mary.

— Très bien.

— Toujours pas marié ? Pas de femme dans sa vie ni dans son appartement ?

— En fait...

— Excuse-moi, je ne devrais pas te bombarder de questions comme ça. Mais je t'avoue que j'ai eu du mal à me remettre de notre séparation. Revenir en Écosse, c'est forcément penser à lui à chaque coin de rue !

— Tu es là pour longtemps ? s'empressa d'enchaîner Kate.

— Non, je passe quelques jours chez mes parents, mais j'ai signé un contrat à Londres, pour un orfèvre. Je vais dessiner des couverts et des chandeliers, ce sera une belle expérience. Allez, ne restons pas plantées là, laisse-moi t'offrir un thé.

— Désolée, mais je dois aller en cours. J'attendais le bus.

— Tu es à l'université ?

— Je prépare une agrégation de français.

— Bravo ! Tu te destines à l'enseignement ?

— En principe.

— Tu seras sympathique à tes élèves, c'est certain. Tu n'as vraiment pas un petit quart d'heure ?

Kate devinait que, si elle s'attardait, Mary voudrait encore parler de Scott. Apparemment, elle pensait toujours à lui, et peut-être allait-elle essayer de le contacter pendant son séjour. Pour lui éviter une désillusion, autant lui dire la vérité.

— Juste un café en vitesse, céda-t-elle.

Ravie, Mary l'entraîna vers un salon de thé tout proche. Elles commandèrent leurs consommations et allèrent s'installer à une petite table près de la porte.

— En ce qui concerne Scott..., commença Kate.

— Ce n'est pas un homme qu'on oublie aisément, l'interrompit Mary. Pourtant, il m'en a fait baver ! Je crois qu'il était très amoureux, mais il n'a jamais voulu qu'on vive ensemble. Quant au mariage, n'en parlons pas, il aurait préféré fuir au bout du monde. Pour ne rien te cacher, il me reste une impression d'inachevé. C'est moi qui ai gâché notre relation à force de le harceler. Si c'était à refaire, aujourd'hui je m'y prendrais autrement. Mais, dis-moi, il a quelqu'un dans sa vie, en ce moment ?

Depuis que je suis arrivée à Édimbourg, je meurs d'envie de l'appeler. Je...

— Arrête-toi une seconde, Mary. Il y a quelqu'un, oui. C'est moi.

Le visage brusquement décomposé, Mary la scruta.

— Toi ? Non, je rêve...

Elle déglutit, regarda ailleurs. Navrée pour elle, Kate ne savait plus quoi dire et ce fut Mary qui finit par enchaîner :

— J'ai du mal à imaginer. Vraiment. Il te considérait comme sa sœur, c'est tout à fait... amoral !

— Nous n'avons aucun lien de parenté.

— Je ne l'aurais pas cru capable d'une chose pareille.

— Quoi donc ? J'ai dix-neuf ans, Mary.

— Pas lui ! Il n'est pas de ta génération.

La déception de Mary était en train de se muer en colère.

— Tu n'es donc pas attirée par les étudiants de ton âge ? Qu'est-ce que Scott peut t'apporter ? Je viens de te le dire, c'est un homme farouchement indépendant, il ne t'offrira qu'une aventure. Et vos familles doivent être révoltées, non ? Tu es folle de lui avoir cédé, va-t'en vite avant de t'attacher à lui, crois-moi !

Elle se leva, bousculant la table, tandis que Kate restait silencieuse, trop désemparée pour s'expliquer.

— Tu es encore une gamine, ça se voit, tu ne connais pas la vie et tu ne le connais pas, lui jeta encore Mary avant de s'enfuir.

Kate la suivit des yeux à travers la vitre du salon de thé. Grande, élancée, elle avait beaucoup d'allure, même en courant droit devant elle. Quelques années plus tôt, Kate l'avait tellement enviée ! À l'époque, tout le monde considérait qu'elle formait un couple magnifique avec Scott, pourtant il l'avait quittée. Et comme elle l'avouait elle-même, elle ne s'en était pas vraiment remise.

Abandonnant sa tasse de thé pleine, Kate se leva à son tour et sortit. Mary avait-elle eu raison de la mettre en garde ou n'était-ce qu'une réaction de dépit ? Peu importait, jamais Kate ne douterait de la parole de Scott. Elle lui faisait confiance depuis le jour de son arrivée en Écosse et n'allait pas changer maintenant. Au loin, le bus abordait le carrefour et elle se mit à courir pour l'attraper.

*

— Vous vous êtes vraiment *mariés* ? Eh bien, Betty, euh... Je ne sais pas quoi vous dire. Ah, si ! Félicitations.

Le rire tonitruant de Betty obligea Scott à écarter le téléphone de son oreille.

— Sacrée nouvelle, hein ? Écoutez, je sais que ça va vous surprendre, mais John est vraiment mieux dans sa peau depuis que nous sommes en France. J'ai retrouvé un travail de comptable ici, alors nous en avons profité pour nous marier. J'ai aussi fait la connaissance de son père, qui n'est pas un personnage très sympathique. Nous ne le voyons pas souvent, mais il était à la mairie pour la cérémonie. D'autre part, John a renoué avec d'anciens amis et il essaie de décrocher un job.

— Dans quelle branche ?

— Le commercial. Vous savez qu'il est beau parleur, il va y arriver.

— Si vous êtes heureuse, Betty, j'en suis ravi. Vous ne comptez donc pas revenir en Écosse ?

— Pour John, il n'en est pas question. Il a vraiment détesté les années passées là-bas. Son père dit qu'il a pris un accent horrible en anglais !

— Et vous, vous n'avez pas le mal du pays ?

— Pas vraiment. J'apprécie la France.

— Est-ce que sa mère est au courant ?

— Non, et c'est un peu le but de mon appel. Je voudrais que vous la préveniez, ce n'est pas correct de la part de John de ne pas l'avoir informée.

— Il faut que ce soit *moi* qui le lui dise ?

— Je vais être franche avec vous, Scott. John a pris en horreur Gillespie, les distilleries, votre père, et surtout vous. À force, il a mis sa mère dans le même lot.

— Elle l'a tellement protégé et gâté qu'il la rejette, c'est ça ?

— Ne soyez pas trop dur. Je vous téléphone à vous parce que je ne connais pas Amélie, mais il est normal qu'elle apprenne mon existence. Après tout, je suis sa belle-fille, maintenant. Un jour ou l'autre, John s'apaisera et reprendra contact avec elle, j'en suis certaine. Autant qu'elle ne tombe pas des nues à ce moment-là, elle serait trop vexée.

— Blessée, plutôt.

Betty ne répondit rien et laissa passer un silence.

— Bien, soupira Scott, je vais me charger du message.

— Merci.

— Avez-vous une adresse à me donner ?

— Pour que sa mère écrive à John en l'accablant de reproches ou qu'elle débarque à l'improviste ? Non, il serait fou de rage.

— Il peut toujours arriver quelque chose de grave, Betty. Ne pas savoir où vous joindre est une aberration.

Après un nouveau silence, plus long, elle se décida à lui dicter une adresse dans la banlieue parisienne.

— Mais vous gardez ça pour vous, d'accord ?

— Comme vous voulez.

— Vous avez toujours été gentil avec moi, Scott. Et je sais que vous êtes quelqu'un à qui on peut faire confiance. Je vous promets que je suis pour la paix des familles ! Vous verrez, tout finira par s'arranger.

— Je le souhaite. En attendant, prenez soin de vous, Betty.

Il coupa la communication mais releva le numéro de l'appel. Qu'allait-il faire d'une nouvelle pareille ? En ce moment, il n'était pas le bienvenu à Gillespie, et en forcer la porte pour annoncer le mariage de John semblait inconcevable. Surtout pour infliger une déception supplémentaire à Amélie, qu'il finissait par plaindre malgré leur antipathie réciproque. Il décida qu'il ne pouvait pas se contenter d'un simple coup de téléphone, que son père le vivrait comme un nouvel affront. Si indésirable soit-il, mieux valait qu'il se rende là-bas.

— Après tout, c'est chez moi aussi ! dit-il à haute voix, mais sans conviction.

En devenant l'amant de Kate, il avait pris le risque d'être écarté de Gillespie pour longtemps. Il assumait cette conséquence comme n'importe quelle autre à venir, son amour pour Kate n'étant pas négociable. Par l'interphone, il avertit sa secrétaire qu'il s'absentait.

*

— C'est bien toi le plus heureux, va ! maugréa Angus.

Perplexe, David haussa les épaules. Appuyé sur le manche de son râteau, il écoutait patiemment les récriminations d'Angus.

— Pour être d'aussi mauvaise humeur, dit-il enfin, tu as dû faire un mauvais parcours de golf, ce matin.

— Pas formidable, en effet. Je vieillis.

— Comme tout le monde.

— Oui, mais moi, j'ai des soucis.

— Comme tout le monde aussi. Que sais-tu des miens ?

Angus tourna son regard vers lui et le dévisagea.

— Quelque chose ne va pas ? Quand je dis que tu es le plus heureux, ça signifie seulement que tu n'as pas toute cette famille et cette propriété sur le dos.

— Heureusement pour toi, tu t'es débarrassé de tes affaires sur ton fils.

— Ah, Scott ! Parlons-en... Pas un seul coup de fil depuis des semaines. Maintenant, les papiers à signer, il me les envoie par la poste !

— Normal, tu lui as déclaré la guerre.

— Mais non... J'étais en colère, pour lui et la petite.

— Ils vont bien ensemble.

— Va expliquer ça à Amélie !

— Moi, ta femme, moins je discute avec elle, mieux je me porte.

— Elle est têtue, admettons. Et après ?

— Après, ça te regarde.

David donna quelques coups de râteau, faisant voler des feuilles vers Angus. Puis il s'arrêta pour déclarer :

— Avant, tu te plaignais parce que Scott ne venait pas assez souvent, et tu ne trouves rien de plus malin à faire que lui interdire l'accès de la maison.

— Il me connaît, il sait que je suis coléreux.

— Tu n'es pas le seul. De toute façon, tu veux quelque chose qu'il ne te donnera pas.

— Kate ?

— Oui. Elle compte pour lui, ça crève les yeux. Et il a passé l'âge de subir tes volontés.

— Mais je n'ai jamais...

— Oh que si ! Gamin, tu n'as pas voulu qu'il reste avec Moïra, trop gentille d'après toi, et tu l'as envoyé en pension. Ado, tu as refusé qu'il s'inscrive en médecine alors qu'il en rêvait et qu'il aurait fait un super toubib. Tu lui as imposé par surprise une belle-mère assez désagréable pour qu'il ne se sente plus chez lui et qu'il s'en aille. Quand il a repris les distilleries pour que tu puisses mener une vie oisive de jeune marié retraité, tu lui as fourré dans les pattes cet incapable de John avec la mission impossible de le former. Et aujourd'hui, tu voudrais aussi régenter sa vie privée ?

Les sourcils froncés, Angus le considéra un moment sans répondre. Ce qui l'étonnait le plus dans cette diatribe inattendue était le ton désabusé de David. Pour un homme qui parlait rarement, il en avait beaucoup dit, et rien n'était tout à fait faux.

— Holà ! s'exclama soudain David. Tu vois ce que je vois ? Quand on parle du loup...

La Jeep de Scott venait d'apparaître derrière les arbres et remontait l'allée.

— Amélie va l'entendre arriver et lui sauter dessus, prophétisa Angus.

Mais Scott avait dû les apercevoir car il s'arrêta bien avant la maison. Traversant la pelouse à grandes enjambées, il les rejoignit.

— Rassure-toi, lança-t-il à son père, je n'entre pas !

Angus le toisa des pieds à la tête mais ne put retenir un sourire.

— Bonjour, d'abord.

— Oui, pardon. Bonjour, papa, bonjour, David.

Après un silence embarrassé, Angus se racla la gorge.

— Quelque chose de spécial ? se contenta-t-il de demander.

— Évidemment. Sinon, je ne braverais pas l'interdit. Amélie est là ?

— C'est à elle que tu veux parler ? s'inquiéta Angus.

— J'ai un message pour elle.

— Ah...

Intrigué et anxieux, Angus hésita puis proposa :

— Je vais la chercher. Mais puisque te voilà j'en profite pour t'annoncer que j'ai fait une offre aux Bailey.

— Pourquoi ?

— Ne joue pas l'indifférent. Pour ces deux hectares que tu voulais. On verra s'ils acceptent. Après tout, la terre est mauvaise.

— Les moutons s'en contenteront.

315

— Si tu le dis…

— Tu n'auras pas besoin de te déranger, signala David à Angus.

Coupant elle aussi à travers la pelouse, Amélie arrivait de la même démarche décidée que Scott une minute plus tôt. David redressa son râteau, mit ses deux mains sur le haut du manche et posa son menton dessus, attendant avec intérêt la suite des événements.

— Tu t'es décidé à m'affronter ? lança-t-elle d'un ton furieux.

Elle s'arrêta devant Scott, qu'elle défia du regard.

— Jusqu'ici tu as été assez lâche pour ne pas oser me parler en face ! Mais tu couches avec ma fille et tu devrais rentrer sous terre.

— Je ne suis pas venu pour parler de Kate, répondit-il calmement.

— Eh bien si, parlons-en ! Que penses-tu faire avec elle ? Jouir d'une amourette passagère ? Tu la prends et tu la salis avant de lui briser le cœur ? Et tu crois que je vais rester les bras croisés ?

— Je n'ai aucune intention de…

— Ah, justement, tes intentions ! Si tu étais un homme aussi loyal que le croit ton père, tu aurais des intentions légitimes. Mais tu préfères t'amuser, c'est ça ?

Désemparé, Scott soutenait le regard d'Amélie sans comprendre où elle voulait en venir.

— Écoute-moi bien, Scott. Devant Angus et David, je vais te poser la question que tu redoutes, ainsi on te verra enfin sous ton vrai jour. Comptes-tu épouser ma fille ?

David en lâcha son râteau, qui tomba avec un bruit mat.

— C'est… C'est ce que vous voulez ? articula Scott, complètement perdu.

Amélie leva le menton, les lèvres pincées sur une grimace de mépris.

— Pas toi, je suppose ? jeta-t-elle avec dégoût.

— Mais... Si ! Oui. Tout de suite. Enfin, le plus tôt possible. Bien sûr.

Il en bredouillait de stupeur, sans lâcher Amélie des yeux. Il vit son expression changer et devenir triomphale.

— Parfait. Alors, demande-le-moi.

Scott sentit que son père s'agitait, derrière lui, mais il ne voulait pas se retourner et il continua de s'adresser à Amélie.

— Je vous demande la main de votre fille, dit-il en détachant chaque mot.

— Je te l'accorde.

Ils restèrent un moment tous les quatre parfaitement immobiles. Puis Angus toussota et se frotta plusieurs fois les joues, un signe de grande nervosité chez lui. Il avait l'air de ne pas croire à ce qu'il venait d'entendre, mais il s'approcha de sa femme, lui mit un bras autour de la taille.

— C'est vraiment une nouvelle magnifique ! Je suis très ému, très fier. Mon Dieu, quel beau mariage en perspective !

Amélie parut s'adoucir enfin, allant même jusqu'à s'abandonner un instant contre Angus.

— Je vais appeler Kate pour lui dire que j'ai réglé le problème, déclara-t-elle.

— Laissez-moi le faire, murmura Scott. Je voudrais que ce soit un joli moment pour elle. S'il vous plaît.

Avec un sourire ironique, Amélie le fit attendre quelques secondes avant d'accepter.

— Arrange-toi pour que ce soit aujourd'hui, et venez dîner tous les deux demain soir, que nous puissions choisir une date ensemble.

Elle se dégagea de l'étreinte d'Angus et s'éloigna la tête haute vers la maison. David se pencha pour récupérer son râteau, étouffant un petit rire.

— Je n'arrive pas à... réaliser, s'émerveilla Angus. J'étais persuadé qu'elle allait te manger tout cru !

— Je ne suis pas très digeste, répliqua Scott.

— Est-ce que tu te rends compte de l'effort qu'elle a accompli ?

— Je suis persuadé qu'elle a fait ce qui l'arrangeait. Mais je te jure que ça me convient au-delà de toute espérance !

Il rayonnait, soudain libéré du poids de culpabilité qui pesait sur lui depuis des semaines.

— Et la petite ? s'inquiéta David.

— Je crois que Kate... Non, je suis sûr qu'elle sera tout à fait d'accord.

— Je vais te donner un cadeau pour elle, décida Angus.

— Oh, mais j'y pense ! s'écria Scott.

Il se lança à la poursuite d'Amélie, qu'il rattrapa sur le perron.

— Attendez ! J'avais quelque chose à vous dire.

— Je ne veux rien entendre d'autre que ce que nous avons décidé, répliqua-t-elle sèchement.

Comme elle était postée sur l'escalier, elle put le regarder de haut.

— Finalement, Scott, je t'ai fait plier, hein ?

Son antipathie n'avait pas disparu, et apparemment elle s'imaginait avoir obtenu une grande victoire sur lui. Il n'essaya pas de la détromper en lui expliquant qu'elle venait au contraire de le combler.

— Betty m'a appelé, ce matin.

— Betty ? répéta-t-elle lentement, éberluée par le changement de sujet. C'est la femme avec qui John est parti, n'est-ce pas ?

— Oui. Ils se sont mariés en France.

Amélie parut vaciller et Scott faillit tendre la main vers elle, mais il s'en abstint.

— Quand ?

— Il y a peu. Elle voulait que vous le sachiez.

— Vont-ils rentrer bientôt ?

— Non, ils restent en France.

— Mais pourquoi ne m'a-t-il rien dit ? J'y serais allée !
Il était donc sans sa famille le jour de son mariage ?

— Son père était présent.

— Michael ? Seigneur...

Elle avait perdu toute sa superbe, blessée dans son
amour maternel, et Scott éprouva un brusque élan de
compassion.

— Il finira par vous appeler ou vous écrire. Ne vous
inquiétez pas, Betty est quelqu'un de bien.

— Mon fils aussi ! s'écria-t-elle.

Après lui avoir lancé un regard indéchiffrable, elle s'en-
gouffra dans la maison.

*

Graham et Pat croisèrent Kate dans l'escalier de l'immeuble. Elle arrivait de la gare de Queen Street, où la
liaison Édimbourg-Glasgow se faisait en trois quarts
d'heure. Tout le long du trajet, elle s'était demandé si elle
ne pourrait pas finir son année universitaire en prenant
le train matin et soir, ce qui lui éviterait de transférer son
dossier.

— Vous partez déjà ? dit-elle à Pat.

— Nous étions juste passés prendre un verre avec
Scott, mais la baby-sitter nous attend. On se verra une
prochaine fois !

Le couple semblait si pressé de s'en aller que Kate n'insista pas, vaguement déçue. Elle appréciait les amis de
Scott en général, et l'adorable Pat en particulier. Devant
la porte de l'appartement, elle fouilla dans son sac et
en sortit une clef qu'elle considéra avec une émotion
intacte. Scott la lui avait donnée quelques jours plus tôt

en déclarant qu'elle était chez elle. Le sourire aux lèvres, elle ouvrit, entra, se débarrassa de son imperméable. Scott avait dû l'entendre car il arriva tout de suite.

— Tu es déjà là ?

— Un prof était absent, j'ai fini plus tôt. Mais je suis désolée d'avoir raté Graham et Pat, je n'ai eu le temps que de les embrasser dans l'escalier.

Scott semblait nerveux, agité, pourtant son sourire était radieux.

— Suis-moi, dit-il en la prenant par la main.

Il l'entraîna vers le séjour, dont la double porte était fermée.

— Surprise ! s'exclama-t-il en poussant les battants.

Elle découvrit, médusée, un couvert dressé pour deux sur une nappe damassée, des bouquets de fleurs partout, des bougies allumées dans les chandeliers et une bouteille de champagne dans un seau rempli de glace.

— Qu'est-ce qu'on fête ?

— Assieds-toi d'abord, j'ai plein de choses à te dire.

Il déboucha le champagne, emplit deux flûtes.

— Je reviens, annonça-t-il.

En l'attendant, elle essaya de deviner la raison de cette mise en scène, sachant qu'ils étaient loin de leurs anniversaires respectifs.

— Et voilà ! dit-il en déposant un grand plat devant elle.

Les délicats petits canapés multicolores avaient sans doute été préparés par Pat, ce qui la fit sourire.

— Le mystère s'épaissit, je donne ma langue au chat. Aurais-tu signé un énorme contrat avec le Japon pour ton whisky ?

— Non, mieux que ça. Je suis allé à Gillespie, aujourd'hui.

— Tu es réconcilié avec ton père ? s'écria-t-elle.

— Oui, mais pas seulement. J'ai aussi vu ta mère.

— Oh là là... Et alors ?

— Eh bien, tu vas avoir du mal à me croire, mais figure-toi qu'elle m'a sommé de te demander en mariage.

— Tu plaisantes ?

— Pas du tout. Elle m'a posé une sorte d'ultimatum pas vraiment amical, tu la connais ! Donc, mon amour, je te le demande très solennellement, veux-tu m'épouser ?

— Scott...

Au bord des larmes, elle secoua la tête.

— Non, je ne veux pas t'épouser.

Il recula d'un pas, stupéfait, tandis qu'elle poursuivait :

— Pas question qu'on te force la main, qu'on te fasse céder contre ton gré ! C'est ça, le prix à payer pour être en paix avec maman et Angus ?

— Mais, Kate...

— Je refuse qu'on te manipule. Si l'idée ne vient pas de toi, si on te l'a imposée, comment pourrais-je être heureuse ?

D'un geste maladroit, elle renversa sa flûte et éclata en sanglots.

— Elle... Elle ne t'aime pas, réussit-elle à dire entre deux hoquets. En t'obligeant à m'épouser, elle a forcément pensé que ce serait le pire pour toi ! Et tu sais, elle n'est pas stupide, alors elle doit avoir raison, et toi tu es coincé, et elle a tout gâché, comme toujours, et...

— Arrête !

Elle voulut cacher son visage, mais il lui prit les poignets, les écarta et s'agenouilla devant elle.

— Kate ? Regarde-moi. Tu crois vraiment que ta mère puisse m'*obliger* à quoi que ce soit ? J'ai failli tomber à la renverse en l'écoutant. Bien sûr qu'elle me déteste et qu'elle croyait avoir trouvé une idée machiavélique ! Elle me tient en bien piètre estime, elle me prend sûrement pour un coureur de jupons, et elle a dû penser qu'elle m'attrapait au lasso, avec un nœud coulant. Sauf que rien

321

au monde ne pouvait me procurer un bonheur pareil, je te le jure. Je n'aurais pas osé te le demander, c'est vrai. Tu es jeune, notre amour est tout neuf, et je suis le premier homme dans ta vie, alors j'aurais eu peur de précipiter les choses. En plus, je ne voulais pas que tu sois fâchée avec ta mère à cause de moi. Un mariage à la sauvette aurait été indigne de toi. Mais là... Quel cadeau, Kate !

Il parlait vite, acharné à la convaincre, désespérément sincère.

— Ta mère voulait me faire « plier », c'est son expression, et je t'assure qu'elle n'a pas le triomphe modeste ! Pourtant, elle ignorera toujours que j'étais prêt à n'importe quelle reddition et qu'elle aurait pu en exiger bien davantage. Je suis sûr de moi, Kate. Sûr de mes sentiments pour toi et persuadé que tu es la femme de ma vie. Là, c'est moi qui te le demande, et moi seul, veux-tu m'épouser ?

Elle ne pleurait plus. Son regard glissa sur la table, les bougies, les fleurs. Il s'était donné beaucoup de mal, mais le plus émouvant était son expression impatiente et la lueur d'angoisse dans ses yeux bleu ardoise.

— Comment peux-tu en douter ? chuchota-t-elle. Souviens-toi, tu es mon rêve le plus cher, le plus fou...

Le soulagement fut tel qu'il baissa la tête une seconde pour reprendre son souffle.

— J'ai quelque chose pour toi, dit-il en fouillant dans sa poche. C'est la bague de fiançailles de ma mère. Elle est dans la famille depuis plusieurs générations, et mon père serait fier que tu la portes. Si elle ne te plaît pas, tu me le dis. À partir de maintenant, tu me dis tout, d'accord ?

Le velours rouge de l'écrin était fané, mais à l'intérieur, sur du satin blanc, un diamant entouré de rubis étincelait.

— Elle est sublime !

— On la fera ajuster à ton doigt, promit-il en la lui glissant à l'annulaire.

— Non, regarde, elle me va.

— T'appeler Kate Gillespie, ça t'ira aussi ?

— J'y croirai en le voyant écrit.

— Il n'y a personne dans cette pièce qui puisse venir à ton secours si tu ne veux pas de cette bague et de l'homme qui va avec.

L'allusion à Neil Murray la fit enfin sourire.

— Eh bien voilà, tu ne pleures plus, c'est merveilleux !

Il l'embrassa et la tint serrée contre lui un moment avant de se relever.

— Tu m'as fait peur, avoua-t-il, j'ai vraiment cru que tu allais dire non.

Elle redressa la flûte renversée et la lui tendit pour qu'il la remplisse.

— Nous sommes attendus demain soir à Gillespie. Papa sera heureux de te voir, je crois qu'il est *très* content.

— Il va avoir la paix !

— Pour un moment, sans doute. Mais ta mère trouvera vite un autre sujet de mécontentement. Quand je pense qu'en plus d'être son beau-fils je vais devenir son gendre...

— Vous n'arriverez jamais à vous entendre ?

— Ça me paraît difficile, mon amour. Toutes ces années de querelles ne pourront pas s'effacer d'un coup.

— Mais tu essaieras ? Elle n'est pas méchante, elle a seulement mauvais caractère.

— Je ferai des efforts, je te le jure. D'autant plus qu'à certains moments elle parvient à m'émouvoir. J'ai dû lui apprendre, et j'en profite pour te l'annoncer, que ton frère John s'est marié en France.

— Quoi ? Avec ta comptable ? Et il ne nous a rien dit, ni à maman ni...

323

— À personne, semble-t-il. Est-ce que ça te rend triste ?

— J'aurais bien aimé y être. Mais s'il ne veut pas de nous, c'est qu'il a tiré un trait sur sa famille.

— Sur l'Écosse aussi.

— Comment est-elle, cette Betty ?

— Formidable. Elle l'aidera à s'en sortir, à s'adoucir.

— Tu me le promets ?

— Je ne te ferai jamais aucune promesse que je ne pourrai pas tenir. Pour John, sincèrement, je ne sais pas s'il peut changer, mais sa femme y croit, c'est le principal. En revanche, George est transformé, et nous allons finir par très bien nous comprendre, lui et moi. Il m'a demandé à faire un stage, dans le cadre de ses études, et il sera à la filature le mois prochain.

— Il va adorer ! Mais... à propos de la filature, ça me revient, j'ai oublié de te dire que j'ai rencontré Mary. Elle est en visite chez ses parents pour quelques jours.

Un aveu qu'elle faisait à contrecœur, et elle guetta avec inquiétude la réaction de Scott. À son grand soulagement, il se mit à rire.

— Ça *te revient*, hein ? Kate, mon amour, j'ai oublié Mary depuis longtemps ! Et je vais même te faire une confidence. Il y a eu un moment où j'aurais pu me résigner à l'épouser, parce qu'elle me le demandait sur tous les tons et que je n'étais pas mal avec elle. Mais, de manière insidieuse, plus tu grandissais, moins je pouvais envisager de m'engager. Je t'ai aimée avant de le savoir moi-même. C'était enfoui dans l'inconscient et barré par l'interdit, néanmoins quelque chose m'empêchait de m'attacher ailleurs.

— Pourtant, tu m'aurais laissée épouser Neil.

— Comment pouvais-je m'y opposer ? À quel titre ? Mais quand tu m'as lancé ce regard paniqué et suppliant, j'ai sauté sur l'occasion, trop heureux de l'écarter de toi. J'aurais dû me poser des questions à ce moment-là, sauf que j'ai préféré croire que je volais à ton secours de façon purement fraternelle. Et, pour l'incident qui a suivi l'affaire de l'affreuse lingerie, je ne me suis pas demandé non plus pourquoi j'étais parti dans une telle colère.

— Alors quand as-tu compris ?

— La nuit suivante. J'ai rêvé de toi. Pas un joli rêve, plutôt un **cauchemar**. Tu étais nue et…

— Merci pour le cauchemar !

— Tu étais en danger, tu criais, mais je ne pouvais pas bouger. Je te voyais t'enfuir au loin et j'avais envie de toi. Me réveiller avec une érection m'a complètement traumatisé ! Après, j'ai décidé de t'éviter.

— Si seulement j'avais su…

— Tu as dû le deviner d'une façon ou d'**une** autre puisque tu as eu le courage de faire le pas que je ne pouvais pas faire. Je te suis reconnaissant d'avoir osé.

Les yeux dans les yeux, ils vidèrent leurs flûtes de champagne. Kate retrouvait dans le regard bleu de Scott tout ce qui l'avait subjuguée le jour de leur première rencontre. Elle avait alors treize ans, elle se sentait perdue, elle lui avait tendu la main en tremblant. Pour elle, dès cet instant, il avait incarné l'image idéale et naïve du prince charmant. Chaque nuit, elle avait pensé à lui en secret, chaque fois qu'il lui avait adressé la parole, elle avait senti son cœur s'affoler. Il restait l'inaccessible chimère d'une enfant solitaire et déracinée. Elle n'était pas la préférée de sa mère, elle subissait trois frères odieux, son père l'avait oubliée. Et le trop grand manoir battu par les vents, où elle allait devoir vivre parmi des étrangers, l'avait terrifiée. Mais Scott s'était montré amical, secourable, et grâce à lui elle avait surmonté ses craintes. À cause de lui, elle s'était mise à aimer Gillespie, puis l'Écosse. Quand elle courait sur la lande ou dans la forêt, c'était encore à lui qu'elle songeait, tout en sachant que son illusion ne deviendrait jamais réalité. Eh bien, elle s'était trompée ! Aujourd'hui, elle pouvait poser les mains sur lui, provoquer son désir, le rendre gai ou triste. Il l'aimait, il était bien réel, tendait ses bras grands ouverts pour qu'elle y trouve enfin sa place. La petite fille avait gagné cette improbable partie qui semblait perdue d'avance, réussissant à infléchir le cours du destin. La femme qu'elle était devenue allait savourer sa victoire et s'y accrocher pour toujours.

Vous avez aimé ce livre ?

Partagez vos impressions sur la page Facebook
de Françoise Bourdin
www.facebook.com/Francoise.Bourdin.Officielle

*Vous souhaitez recevoir la newsletter
de Françoise Bourdin ?*

Rendez-vous sur son site
www.francoise-bourdin.com, rubrique « Le Club ».

Éditions Belfond :
12, avenue d'Italie
75013 Paris.

Canada .
Interforum Canada, Inc.,
1055, bd René-Lévesque-Est,
Bureau 1100,
Montréal, Québec, H2L 4S5.

ISBN : 978-2-7144-5406-5

Composé par Nord Compo Multimédia
7, rue de Fives, 59650 Villeneuve-d'Ascq

Cet ouvrage a été imprimé en France par

à La Flèche (Sarthe)
en octobre 2013

N° d'impression : 3002579
Dépot légal : septembre 2013